УДК 82-94
ББК 85
П 12

Оформление серии *Е. Гузняковой*

На переплете рисунок художника *Е. Шуваловой*

Пазин М. С.

П 12   Роковые императрицы России. От Екатерины I до Екатерины Великой / Михаил Пазин. — М. : Яуза : Эксмо, 2013. — 352 с. — (Роковые женщины).

ISBN 978-5-699-67796-2

«Бабий век» — так прозвали в России XVIII столетие, когда на русский престол взошли четыре императрицы, правившие в общей сложности почти 70 лет. Стала ли эта эпоха «золотым веком Российской империи» — или засилье фаворитов едва не погубило державу? Как интимная жизнь и альковные тайны императриц определяли судьбы мира, а «роковые женщины» на престоле вершили историю? За что Екатерину Великую ославили «северной мессалиной» и «коронованной блудницей», а простонародные прозвища Екатерины I, Анны Иоановны и Елизаветы Петровны в приличном обществе лучше вообще не произносить? Какие страсти кипели в личных покоях цариц, что за любовные безумства и сексуальные фантазии? И возможно ли на престоле Российской империи простое женское счастье?

УДК 82-94
ББК 85

ISBN 978-5-699-67796-2

От Екатерины I
до Екатерины Великой

Вступление

В 1725 году в России к власти пришла Екатерина I. Так начался «бабий век», когда страной правили с небольшими перерывами одни женщины, и закончился он только в 1796 году со смертью Екатерины II. Перед читателем последовательно предстанут Екатерина I, Анна Иоанновна, Анна Леопольдовна, Елизавета и Екатерина II.

Какими он были, эти женщины? Они были разными, со своими причудами и пристрастиями. Примечательно, что никто из них, кроме Анны Леопольдовны, не был замужем, а Екатерина I была вдовой. Поэтому, чтобы опереться на надежное мужское плечо, они заводили себе фаворитов. Некоторые из императриц вели войны, расширяя пределы Российской империи, а некоторые так и остались серыми мышками. Однако главное, что двигало ими — это была любовь. А любовь, как известно, великая движущая сила. Это было время фаворитизма, когда фаворит-любовник готов был на все, чтобы угодить своей любимой.

При Екатерине I это был светлейший князь Меншиков, при Анне Иоанновне — герцог Бирон. Елизавета и Екатерина II особенно отличились на поприще фаворитизма. Вообще-то фаворит — слово французское и обозначает любимчика, которому покровительствует высокая особа. Во Франции — родине фаворитизма в их качестве выступали любовницы королей. Иногда, в силу своих амбиций, они участвовали в управлении государством. В России же фаворитизм принял другую окраску — одинокие императрицы, нуждаясь в сильной мужской руке, специально подыскивали себе таких фаворитов-любовников, чтобы они могли тянуть воз государственных обязанностей. При Елизавете это были Разумовский и Шувалов, а при Екатерине II только официальных фаворитов насчитывалось 12 человек. При ней фаворитизм стал неким государственным учреждением, а фавориты, живя с императрицей, признавались людьми, служившими престолу и Отечеству. Некоторые из них, такие, как братья Орловы, Завадовский или Григорий Потемкин, стали выдающимися государственными деятелями. Фактически при Екатерине II явление фаворитизма достигло пика своего развития.

Однако эта книга не столько о плотских наслаждениях императриц с фаворитами, сколько о любви — любви яркой, необычной, порой драматичной, но вместе с тем и кристально чистой, светлой и, как всякая любовь, непростой. Вот об этих, интересных, насыщенных множеством событий и любовных происшествий, невероятных исторических кульбитах эпохи, мы поведем наш рассказ.

Марта Жаворонкова

ИМПЕРАТРИЦА ЕКАТЕРИНА I

Царица долго стояла на коленях перед императором, испрашивая прощения всех своих поступков; разговор длился больше трех часов, после чего они поужинали вместе и разошлись. Отношения между Петром I и Екатериной оставались очень натянутыми до самой смерти первого. Они больше не говорили друг с другом, не обедали и не спали вместе. Меньше чем через месяц Петр I умер.

Эту даму мы знаем под именем императрицы Екатерины I (1725—1727). Происхождение ее темно и загадочно, да и вообще, откуда она взялась на русском троне? Попробуем разобраться в личности этой женщины и ее любовных похождениях.

Достоверно известно, что она родилась 5 апреля 1684 года и была прислугой у немца пастора Питера Глюка в городе Мариенбурге (Лифляндия), которым владели шведы. Она являлась лютеранкой, поэтому в России ее считали то ли немкой, то ли полячкой, то ли латышкой. Тогда писали просто — «лифляндец», по месту проживания, без указания национальности.

Также была известна ее девичья фамилия — Скавронская. С польского ее фамилия переводится как Жаворонкова (скавронек — жаворонок).

Существуют, по крайней мере, четыре версии того, кто же были эти Скавронские. Первая версия состоит в том, что Марта была дочерью литовского крестьянина Самуила Скавронского. Сразу же возникает вопрос: так литовка она или латышка? Впрочем, эстонцы тоже считают ее своей, поскольку Петр I разбил в Таллине парк в ее честь, названный Кадриорг (сад Катрин). В лживом романе Алексея Толстого «Петр I» упоминается, что она говорила по-русски с акцентом. Но если она была литовкой, то фамилия выдает ее русское или, по крайней мере, белорусское происхождение. Следовательно, говорить по-русски с акцентом она не могла. Происходили Скавронские из-под Минска, входившего тогда в Великое княжество Литовское. Звали их изначально Скаврощуками. Самуил Скаврощук был крепостным крестьянином польского помещика и от притеснений последнего сбежал во владения шведов. Шведы хоть и не отменяли крепостного права в Лифляндии, но беглецов считали свободными людьми и обратно их не выдавали. Во время бегства от пана Самуил Скаврощук полонизировал свою фамилию, взяв имя своего хозяина, и стал теперь называться Скавронским. Впрочем, были хорошо известны и ополяченные белорусы графы Скавронские. Когда они появились в Петербурге в 1710-х годах, поплыл слух, что это племянники и братья Екатерины, но все это оказалось выдумкой: графы Скавронские никем ей не доводились.

У Самуила Скавронского водились деньги, на которые была арендована мыза под Мариенбургом, и на этой мызе у него родилось семеро детей — четверо мальчиков и трое девочек. Но потом была чума, и Бог прибрал к себе отца Марты и старшего брата. Тогда-то и взял себе в услужение Марту пастор Глюк. Мать Марты до своего замужества предположительно принадлежала ливонскому дворянину фон Альведалю, сделавшему ее своей любовницей, и Марта являлась плодом этой связи. Так, в грехе, и была зачата та, которая впоследствии стала русской императрицей под именем Екатерины I. Родовая развращенность матери передается как родовое проклятие — Марта рано познала мужчин, была неимоверной распутницей и не оставляла этих занятий до самого конца своей жизни.

Изначально имя будущей императрицы было Марфа, и она была православной, но пастор Глюк перекрестил ее в лютеранство. При этом он лишь слегка модернизировал ее имя; так Марфа стала Мартой. У пастора был большой дом, и, поскольку в крепости Мариенбург жилья было мало, у него всегда стояли квартиранты. Их-то по доброте душевной и ублажала «благочестивая Марта». От одного из них, литовского дворянина Тизенгаузена, Марта даже родила дочь, умершую через несколько месяцев. Поговаривали, что она была любовницей и самого пастора, но эти сведения находятся лишь на уровне слухов.

Она вместе с детьми пастора получила воспитание, сводившееся к умению вести хозяйство и рукодельничать, однако ни читать, ни писать пастор так Марту и не обучил. Он не очень заботился об ее образовании. Впоследствии стоило немалых трудов, чтобы научить ее подписывать хотя бы самые важные императорские указы.

Незадолго до осады крепости пастор Глюк решил положить конец распутству Марты, выдав ее замуж.

«Добрый» пастор дал сироте приданое и подобрал ей жениха — королевского драгуна Иоганна Крузе. Свадьбу справили в Иванов день, 6 июля 1702 года. Ей в ту пору было 18 лет — вполне зрелая женщина по тем временам. Марта оставалась в доме пастора Глюка, а Иоганн служил в гарнизоне Мариенбурга. Свое хозяйство молодая чета так и не успела завести — через неделю после свадьбы Мариенбург осадили русские войска. Началась Северная война за возвращение Прибалтики в лоно России.

Крепость Мариенбург построили еще в рыцарские времена посреди озера Алуксне, на территории современной Латвии. С берегом озера крепость соединял мост на каменных сваях. 25 августа, когда русские уже входили в крепость, а гарнизон готовился к капитуляции, Иоганн Крузе зашел попрощаться с женой. Она сама предложила ему бежать — мол, смотри, на том берегу озера русских нет! Иоганн и еще двое шведских солдат уплыли через озеро, и с тех пор Марта больше никогда его не видела.

Иоганн Крузе служил в шведской армии еще много лет, под старость — в гарнизонах на Аландских островах. Выслужив пенсию, он никуда не уехал, поскольку близких и родственников у него не было. Новой семьи Иоганн тоже не завел, и пастору объяснил, что жена у него уже есть, быть двоеженцем и брать грех на душу он не желает. Иоганн ненадолго пережил свою законную жену Марту, скончавшись в 1733 году.

Дальнейшая история Марты, а вернее, фру Крузе, более-менее известна. При штурме крепости Мариенбург настил моста, соединявшего остров с берегом, был разбит из пушек, но каменные опоры, на которых он стоял, остались. К острову подошла целая флотилия русских судов и лодок. Когда начались переговоры о сдаче крепости, мирное население стало перебираться по кое-как наведенному настилу моста. В это время два шведских офицера взорвали пороховые склады в крепости. Взрыв был настолько сильным, что камни стали падать в озеро и перебили много людей, пытавшихся перебраться по импровизированному мосту.

Существует две версии, что произошло потом. По одной из них, русские солдаты стали хватать людей и делить их. Нравы тогда были грубые, и города брали «на штык», со всеми вытекающими отсюда последствиями. Марта досталась одному из них. По второй версии, Марта упала в озеро: ее столкнули туда люди, метавшиеся под градом камней. Она стала кричать по-русски: «Солдат, помоги!» Один русский солдат втащил ее в свою лодку. Дальнейшие версии расходятся лишь незначительными деталями. Например, была ли она кратковременной любовницей только одного солдата, который вытащил ее из озера, или нескольких, переходя от одного к другому. Сами ли солдаты продали ее фельдмаршалу Б. П. Шереметеву за серебряный рубль или он сам ее заметил и отнял у солдат по собственной инициативе. Главное, что она оказалась в доме пожилого, 50-летнего Шереметева, тем самым сделав головокружительную сексуальную карьеру — от разовой солдатской потаскухи до наложницы главнокомандующего.

Дальше опять начинаются версии — то ли сам фельдмаршал от великого ума похвастался своей наложницей перед Меншиковым, то ли Меншиков, будучи у Шереметева, заприметил Марту и выменял ее у Бориса Петровича за три рубля денег и «аглицкую саблю». Так она оказалась у всесильного фаворита

Петра I Меншикова, продолжая невероятную сексуальную карьеру. Часто бывавший в доме Меншикова царь запримечал Марту, и фаворит, зная любвеобильность Петра, предложил ее «попробовать». «Проба» пришлась Петру по вкусу. Это случилось не позднее 1703 года, так как в следующем году Марта была уже беременна от царя. Впрочем, никакой перемены в жизни Марты от этого не намечалось. Три года она продолжала жить в доме Меншикова вместе с сестрами Варварой и Дарьей Арсентьевыми и Анисьей Толстой. Все четыре женщины были чем-то вроде личного гарема Петра I и его фаворита Меншикова. (На Дарье Арсентьевой, кстати, Меншиков позже женился, наверное, потому, что и Петр женился на своей бывшей любовнице Марте. Он во всем брал пример со своего благодетеля.)

У Петра в это время были и другие любовницы, но Марта не осмеливалась даже упрекать его за это. Так будет продолжаться и в дальнейшем — она не только не упрекала царя за внебрачные связи, но даже сама подыскивала ему любовниц.

Именно в доме Меншикова ее стали звать Екатериной — то Екатериной Трубачевой (говорили, будто ее муж был трубачом), то Катериной Василевской (по названию Васильевского острова, на котором стоял дворец Меншикова). Она провела у него целых три года, пока Петр I не забрал Марту у Меншикова к себе, и с тех пор они уже не расставались. Когда в 1708 году она опять перешла в православие, ее окрестили Екатериной Алексеевной, потому что в роли ее крестного отца выступил сын Петра, царевич Алексей.

Екатерина, судя по ее портретам, не была красавицей. Однако в ее полных щеках, вздернутом носе, в бархатных томных глазах, в ее алых губах и круглом подбородке было столько страсти, в ее не лишенной изящества фигурке было что-то такое, что понравилось Петру, и он всецело отдался этой женщине. Начиная с 1709 года она уже не покидала царя, повсюду сопровождала его во всех походах и поездках. Перед отправлением в Прутский поход 1711 года Петр объявил о своем намерении жениться на Екатерине.

Любил ли Петр Екатерину? Мы не имеем в виду секс, с этим-то как раз понятно. Сложно сказать. Наверное, они были близки по духу. В письмах 1711 года он обращается к ней: «Катеринушка, друг мой, здравствуй!» А вот другое письмо, датированное 1707 годом: «Для Бога, приезжайте скорей, а ежели за чем невозможно скоро быть, отпишите, понеже не без печали мне в том, что ни слышу, ни вижу вас». Так выражают свои чувства только близкому человеку. Одним словом, Екатерина пользовалась уважением и любовью Петра. Сочетаться браком с безродной пленницей, да еще и имевшей репутацию «ночной бабочки», и пренебречь заморскими принцессами или боярскими дочерьми было неслыханным вызовом всему обществу, нарушением вековых традиций. Однако царю Петру на все это было наплевать — он еще и не такие традиции нарушал.

Церковный брак Петра I с Екатериной состоялся 19 февраля 1712 года, а в 1721 году она была объявлена императрицей и в мае 1724 коронована этим титулом. Считалось, что после миропомазания за все свои поступки она отвечала лишь перед Богом.

У них было одиннадцать детей, и почти все они умерли в младенчестве. В живых остались только две дочери — Анна и Елизавета (будущая императрица). Екатерина, осознав, как ей подфартило, во всем слушалась Петра, до тонкости изучила его характер, умела угодить ему, могла, когда нужно, обрадовать его и успокоить. Готова была разделить с ним и веселую трапезу и походные будни. В общем, для Петра I она стала идеальной супругой.

Первая жена Петра, Евдокия Лопухина, которую он заточил в монастырь, не подходила ему ни по каким параметрам. Зато Екатерина была зеркальным отображением «Отца отечества». Казалось бы, быть такого не может, чтобы какая-то безродная шлюха стала достойна супружества с представителем столетней династии Романовых, но, вспомнив, как Петр I вел себя в быту, то сразу становится ясно — эти сапоги были парой. Еще до своего бракосочетания с Петром Екатерина была настоящей офицерской женой: сопровождала его во всех военных походах, пила наравне с мужчинами водку и веселилась на развалинах крепостей. Царь не мог на нее налюбоваться: вот это женщина! Настоящая амазонка! Став царицей, она не изменила своим привычкам, любила выпивку, мужчин и веселый разгул. Напомним, что она была на 12 лет моложе Петра и нуждалась по своей давней привычке во внимании мужчин. И не только Петра…

Любила ли она Петра? Сомневаюсь — ее вполне устраивало такое положение; она просто позволяла Петру любить себя и не более. Некоторые мужчины наверняка знают тип женщин, которые позволяют любить себя, пользуются всеми преимуществами любимой женщины, принимают подарки и прочее, но при этом ничего не отдают взамен. Иногда даже в интиме отказывают или «дают» раз в год и то по великому обещанию. При этом обставляя все так, чтобы любовник от интимной близости с ней был на седьмом небе от счастья! Они просто пользуются мужчинами. Мужики! От таких женщин нужно сразу же бежать без оглядки! Екатерина была несколько иной — она охотно спала с Петром (попробовала бы отказать ему!), но и себя при этом не забывала. Даже в наше «прогрессивное» и либеральное время, время свободы нравов, мало кто сомневается — любящие женщины не спят с кем попало, едва только «любимый» муж зазевается. А Екатерина спала...

Первое время после замужества Екатерина вела себя в этом отношении тише воды, ниже травы. Правда, совсем не из-за своей добродетели, а потому что непрерывно рожала детей Петру, которые так же непрерывно и умирали. И только тогда, когда ее детородные функции угасли, она опять вспомнила свою профессию полковой шлюхи. Все-таки она была еще молода, хотя и бесплодна от частых деторождений. Это было и к лучшему — не нужно было заботиться о контрацепции: все равно не забеременеет. К этому следует добавить еще и то, что Петр стал к 1724 году импотентом. То ли из-за мочекаменной болезни, которая его мучила, то ли из-за неумеренного потребления спиртного. Так что Катерине были все карты в руки.

Первого своего любовника из окружения царя, Алексашку Меншикова, пришлось отмести по двум причинам: во-первых, он был вторым «я» своего уважаемого «минхерца», а во-вторых, единожды уступив ему женщину, он уже нипочем не стал бы на нее заглядываться. Впрочем, ходили упорные слухи, что Меншиков не порывал любовной связи с Екатериной ни на месяц и что часть детей Петра на самом деле была рождена от светлейшего князя. Если учесть еще и сожительство Меншикова с Петром «бляжьим образом», то получится классическая «шведская» семья. Но, по-моему, это все неправда, а впрочем, всякое могло быть...

Поэтому Екатерине пришлось бросать томные взоры в другую сторону. Однажды в поле ее зрения попал красавец и весельчак Виллим Монс.

Да, он, по иронии судьбы, был младшим братом той самой любовницы Петра I Анны Монс, о которой мы писали в предыдущей главе. Однако ей хватило ума удержаться в роли фаворитки царя, и она пала, но зато успела выдвинуть на выгодные посты своего брата Виллима и сестру Матрену. Падение Анны Монс никак не повлияло на судьбу этих двух отпрысков семьи Монс: к 1720-м годам Матрена уже была статс-дамой Екатерины и женой генерала Балка, и Виллим стал камер-юнкером двора в 1716 году. До этого он участвовал в сражении при Лесной и Полтавской битве, где проявил себя мужественным и храбрым офицером. Петр I, отметив ловкость и расторопность Виллима, сделал его своим денщиком, а затем, благодаря усилиям Матрены, тот стал камер-юнкером, а позже, в 1724 году, и камергером. В пору камергерства ему было 36 лет.

Виллим Монс был хорош собой, красив, изящен, галантен и широко образован. Без всякого сомнения, сердце молодой императрицы Екатерины не могло остаться равнодушным к блестящему придворному. К тому же сказывался комплекс неполноценности Екатерины — ее, едва умевшую писать, неотвратимо влекло к европейски образованному Монсу. К тому же камергер выгодно отличался от других придворных. В окружении Петра преобладали грубые солдафоны, вороватые торговцы, откровенные пираты, по которым на родине веревка плакала, и тому подобные личности. В область изящной словесности их интересы явно не простирались. В этой среде Виллим Монс казался белой вороной.

Он умел великолепно описывать эпистолярным жанром обуревавшее его любовное томление. Свои любовные письма он в обилии рассылал дамам своего сердца. Еще он сочинял стихи. Отмечая свое слабое знание русской грамматики, он писал латинскими буквами русские слова. Все, читавшие его письма и стихи, отмечали поразительное изящество стиля. Какая из придворных дам не мечтала получить такое письмо? И Виллим, однажды попав в великосветское общество, свой шанс не упустил. В Петровскую эпоху было принято устраивать вечеринки (которые гордо назывались ассамблеями), балы и маскарады. Зрелые дамы, изнывавшие от любовного томления, на этих вечерах завязывали с молодыми людьми мимолетные романы, и письма Виллима Монса были подобны горящему факелу, поднесенному к хворосту истомившейся женской души. И непризнанный поэт широко этим пользовался: к сожалению, до нас не дошел список его амурных побед (а их было немало), но об одной жертве его литературных забав говорил весь двор. Имелись неоспоримые свидетельства, что между Виллимом и Екатериной постоянно курсировали курьеры с записками, содержание которых никому не было известно. Это, по всей вероятности, были любовные послания, на которые клюнула Екатерина и которые сыграли роковую роль в судьбе Монса.

Вскоре Виллим Монс стал фаворитом Екатерины. Петр же ни о чем не догадывался. Приблизившись ко двору, он сумел завести необходимые связи. Молодой красавец жаждал от своего выгодного поста денег, денег и только денег. Когда выпал случай, он отправился с Петром и Екатериной за границу и так ловко устроил все царские дела, что император издал специальный указ о том, чтобы «Монс употреблен был в дворовой нашей службе при любезнейшей нашей супруге». Таким образом, Петр сам пустил козла в огород. Благодаря протекции самого государя он принялся управлять селами и деревнями, принадлежащими Екатерине, устраивать празднества и увеселения, до которых императрица была так охоча, и в конце концов из секретарского кабинета начал двигаться в царскую спальню. Виллим Монс докладывал Екатерине обо всех делах и новостях, вел всю корреспонденцию, заведовал ее собственной казной и «находился при Катеринушке неотступно». Он мечтал только об одном — как бы на постельном поприще стать «заместителем царя».

Ввиду частых отлучек «старика» Петра, Монс всячески развлекал Екатерину и наконец был всемилостивейше допущен в ее спальню. Симпатии были взаимными — Екатерину тянуло к молодому, веселому и ловкому камергеру, а ему было нужно положение при дворе ради добывания денег. В общем, оба были довольны, плюс приятный секс, разумеется.

Придворные, быстро смекнув, в чем дело, начали искать расположения фаворита Екатерины. Так баловень судьбы мгновенно превратился в богатого и влиятельного человека, владельца огромного количества имений, и решил уже было, что поймал удачу за хвост. Активность Монса быстро возросла — он стал вмешиваться в дела правительства и суда, а так как ни бельмеса в этом не понимал, то только пытался урвать очередную взятку. Такая деятельность екатерининского секретаря бросала тень не только на императрицу, но и на самого царя. Но близко стоявшие к трону люди решительно «оберегали» Петра от правды по поводу его «заместителя»; им было выгодно пользоваться услугами фаворита Екатерины, обделывая свои темные делишки. Так, Меншиков, попавший в 1722—1723 годах в немилость Петра из-за превышения власти и неуемной страсти к государственной собственности, спасся только благодаря заступничеству Монса и Екатерины. Светлейшему князю тогда грозили отнюдь не побои царя его знаменитой палкой, а чуть ли не смертная казнь. Император тогда простил Алексашку благодаря настойчивой просьбе жены и ее секретаря, предварительно давшей тому многотысячную взятку.

Заведуя Вотчинной канцелярией, то есть ведомством, которое уже в наше время назвали Госкомимуществом, Виллим Монс брал огромные взятки с заинтересованных лиц. Делал он это с помощью своей сестрицы Матрены Иоанновны, которая находила ему «нужных» людей. Монс никому не отказывал, благодаря чему получил репутацию благожелательного человека. Чем более росло благорасположение Екатерины к камергеру, тем более расширялось могущество Виллима Монса. Чтобы понять, какого влияния достиг Виллим Монс, скажем, что к нему за помощью обращалась даже царица Прасковья, вдова умершего соправителя Петра, Ивана V. А ведь она была с Петром I накоротке! Екатерининского фаворита осыпали подношениями, перед ним заискивали.

Однако стремительный взлет Виллима Монса вызвал приступ зависти у его недоброжелателей — ишь ты, выскочка какой нашелся! Пора открыть глаза на все происходящее Петру Алексеевичу, пора...

И на свет появился анонимный донос, адресованный Петру I. Неизвестный писал, что Монс задумал отравить государя, чтобы самому править вместе с Екатериной. Конечно, все это было чушью — так далеко планы Монса не простирались; ему бы карманы себе набивать, не более. И Петр, конечно, не поверил в версию о покушении на свою персону, однако намек на любовную связь своей обожаемой Катеринушки с Монсом был воспринят им близко к сердцу. И государь пришел в ярость. Он приказал схватить щеголя и нещадно его пытать. Это случилось в ноябре 1724 года.

Когда Монса арестовали, коррумпированное петербургское общество было словно громом поражено, так как многие из тех, кто привык действовать в своих интересах через любовника императрицы, теперь ждали неминуемой расправы.

Дознание по делу Монса производил лично руководитель Тайной канцелярии П. Толстой. Арестованный, едва увидев орудия пыток, чуть не свалился в обморок и тут же признался во всем, в чем его обвиняли. Этот лощеный красавец, сильно заботившийся о своей внешности и не выносивший боли, при виде дыбы и раскаленных щипцов мог оговорить себя и кого угодно. Поэтому ему не поверили, но когда нашлись интимные письма Монса к Екатерине, Петр взбесился. Задумки отравления царя, как Петр и думал, не было и в помине, но постельные эскапады Монса с Екатериной были. Он был взбешен признаниями Виллима Монса, и можно только догадываться, что творилось с ним в эти дни, зная его склонность к необузданному гневу и нетерпимость даже к малейшему намеку на нарушение его чести! Приступы царского гнева были опасны для всех, кто попадался ему на пути. Однажды, ослепленный бешенством, он чуть не убил собственных дочерей, Елизавету и Анну. Рассказывали, что лицо царя то и дело сводила судорога, иногда он доставал свой охотничий нож и в присутствии дочерей бил им в стол и стену, топал ногами и размахивал руками. Уходя от них, он так хлопнул дверью, что она рассыпалась в щепки. Мы уже писали в предыдущей главе, что Петр был подвержен приступам необузданной ярости, которые могла гасить только Екатерина. Когда окружающие замечали искривившийся рот царя — предвестник гнева, то они сразу же посылали за ней. Она клала голову Петра к себе на колени, гладила ее, и он засыпал. Однако на этот раз успокаивать царя было некому — именно Екатерина, единственная, кто мог гасить его гнев, оказалась изменницей!

Закономерно, что Петр позволял себе нарушать супружескую верность, но не считал, что точно таким же правом обладает и Екатерина. В общем, верно было наше утверждение — два сапога пара.

Словами трудно передать, что творилось в душе Петра! Единственный близкий ему человек предал его! Кем же стала та, к которой он обращался со словами: «Катеринушка, друг мой!»? Он потребовал от своей «верной» женушки объяснений. Тут-то и произошла сцена, описанная нами выше, — царица на коленях вымаливала у Петра прощения. Как никто другой, зная Петра, она могла ожидать от него чего угодно — даже казни за прелюбодеяние! Ей уже мерещилась отрубленная голова Машки Гамильтон, валяющаяся в грязи! Однако Петр сумел укротить свой гнев и не стал жестоко наказывать Екатерину — все-таки она была матерью его детей. Ни в Бога, перед которым Екатерина была после коронации ответственна, ни в черта Петр, конечно же, не верил. Не нужно было этого делать и по политическим соображениям — не устраивать из этого скандала, чтобы он стал посмешищем в глазах всех царствующих дворов Европы. Признание главной вины Монса так глубоко поразило царя, что на все остальные проступки арестанта он взглянул только слегка, только как на официальный предлог к осуждению. Преследовать же взяткодателей ему показалось слишком мелким.

У Петра хватило присутствия духа обвинить Монса лишь в экономических преступлениях. В вину ему поставили присвоение оброка с деревень, входящих в Вотчинную канцелярию, получение взяток за предоставление места на казенной службе, мздоимство и прочее в том же духе. О Екатерине не было сказано ни слова.

15 ноября 1724 года жителям Петербурга был оглашен царский указ, в котором говорилось следующее: «1724 года в 15-й день, по указу Его Величества Императора и Самодержца Всероссийского объявляется во всенародное ведение: завтра, то есть 16-го числа сего ноября, в 10 часу пред полуднем, будет на Троицкой площади экзекуция бывшему камергеру Виллиму Монсу да сестре его Балкше, подьячему Егору Столетову, камер-лакею Ивану Балакиреву — за их плутовство такое: что Монс, и его сестра, и Егор Столетов, будучи при дворе Его Величества, вступали в дела противные указам Его Величества, не по своему чину укрывали винных плутов от обличения вин их, и брали за то великие взятки: и Балакирев в том Монсу и прочим служил. А подлинное описание вин их будет объявлено при экзекуции».

Примечательно, что к делу Монса был привлечен придворный шут Балакирев, пострадавший, вероятно, только за то, что носил от камергера Екатерине любовные записочки.

Указ императора не остался без внимания. Наутро следующего дня на Троицкой площади перед эшафотом собралась огромная толпа горожан, желающих поглазеть на страшное и кровавое зрелище. К 10 часам утра к площади приблизилась мрачная процессия. Солдаты вели Виллима Монса. Его сопровождал лютеранский пастор. Бывший любовник императрицы, камергер Двора, известный франт и щеголь, предстал теперь перед публикой бледным и изможденным. Он был в нагольном тулупе и с ужасом взирал на шест с заостренным концом, приготовленный для его головы. Очевидцы свидетельствовали, что перед казнью он был твёрд духом и только попросил палача отрубить ему голову с первого удара топора.

Между тем церемония казни продолжалась. Перед притихшей толпой зачитали приговор. В это время Монс, обводивший толпу помутневшим взором, не обнаруживал никаких эмоций. Его бледное лицо было словно маска. Когда к нему для последнего слова подошел пастор, он отдал ему последнее оставшееся у него имущество — драгоценные часы с портретом Екатерины на крышке. По сигналу палача он снял тулуп, шейный платок и положил шею на плаху. Как Монс и просил, палач с одного удара снес ему голову с плеч и затем насадил ее на шест. Затем тело бывшего фаворита привязали к специальному колесу, которое тоже выставили на всеобщее обозрение.

Немного отвлечемся от описаний этой кровавой сцены. Это был чуть ли не единственный случай казни в петровское время за взяточничество и казнокрадство. То, что в этом деле были замешаны личные амбиции Петра, подчеркивается тем фактом, что казнили только Виллима из всех привлеченных по этому делу. Взяточничество и казнокрадство при Петре на Руси процветали махровым цветом, и казнить надо было все окружение царя, ан нет, пострадал лишь Монс.

Спустя некоторое время на этом же залитом кровью помосте жестоко высекли кнутом Матрену Балк, Егора Столетова и шута Балакирева. Первую затем сослали в Тобольск, а последних — в пожизненные каторжные работы.

Расскажем немного о персоне Матрены Балк. Как мы уже писали ранее, она была сестрой той самой Анны Монс, первой любовницы Петра. В прошлом она тоже была любовницей царя, а затем стала ближайшей подругой и наперсницей Екатерины, посвященной во все ее сердечные тайны. Она являлась статс-дамой Двора государыни и вышла замуж за генерала Балка. Говорят, что Екатерина очень любила Матрену; возможно, это было связано со страстью государыни к ее брату — Виллиму Монсу. Матрена тоже оказалась замешана в деле своего братца. Как выяснилось, она помогала ему в выгодном посредничестве между придворными, вельможами и Екатериной. После того как Виллим был арестован, пришел черед и Матрены. В ноябре 1724-го ее дважды допрашивали с пристрастием, и испуганная наперсница рассказала, что она получила взятки от почти тридцати лиц, в числе которых были такие высокопоставленные персоны, как светлейший князь Александр Меншиков, царица Прасковья Федоровна, курляндская герцогиня Анна Ивановна, герцог Голштинский Фридрих и многие другие. От них она принимала деньги, дорогие ткани, кофе, муку, даже старые платья и какой-то «возок». В общем, она ничем не чуралась — брала, что дают. После того как над Матреной была совершена публичная экзекуция, ее сослали в Тобольск. Екатерина ничем не могла помочь своей бывшей наперснице. Очевидно, что не взятки были главными в обвинении Матрены, а то, что она способствовала амурной связи между своим братом и Екатериной.

От взяточничества своей матери пострадали и два ее сына — их из Петербурга послали служить в войска, расквартированные в персидской провинции Гилянь. Через шесть дней после экзекуции Матрену повезли в Тобольск. Однако она не успела доехать туда. Пришедшая к власти после смерти Петра Екатерина приказала вернуть ее с дороги и привезти в Москву, а двух ее сыновей «отмазала» от службы в Иране (тогда Персии). Сыновья Матрены при последующих императорах сделали неплохую карьеру.

Сложно сказать, смогла ли бывшая наперсница восстановить свое прежнее влияние на Екатерину, последняя сама только чудом спаслась от подобной экзекуции. О чем она думала, занимаясь сексом с Монсом? О том, что Петр не узнает о ее проделках? Не знаю… Наверное, она надеялась на русское авось — авось Петр ничего не узнает, авось пронесет, авось придворные выгородят ее и так далее. «Основной инстинкт» взял свое.

Неизвестно, присутствовал ли на казни Монса сам Петр — ведь он любил кровавые зрелища, но вот что Екатерины не было там, это точно. Она пребывала в глубокой депрессии из-за казни своего возлюбленного, а пуще всего после тяжелого разговора с Петром. Однако царь решил напоследок поиздеваться над ней. Через три дня после казни Монса Петр, совершая прогулку по городу вместе с Екатериной, умышленно завернул на Троицкую площадь, где на колесе лежал разлагающийся труп ее любовника. Это было сделано нарочно, чтобы принести ей еще большие страдания. Посмотрев на бренное тело Виллима Монса, императрица печально заметила: «Как грустно, что у придворных может быть столько испорченности». Этим она хотела отгородиться от несчастного фаворита, мол, сам виноват. А она святая? Кто бы поверил…

Голову Виллима Монса царь приказал заспиртовать и поместить в Кунсткамеру, где до этого в качестве экспоната уже находилась голова Марии Гамильтон (о ней мы рассказывали в предыдущей главе). По слухам, заспиртованную голову Монса Петр перед тем приказал поставить в спальню своей неверной жены ей в назидание, чтобы больше не блудила. Якобы Екатерина была вынуждена в течение целых пяти месяцев созерцать это кошмарное зрелище. Однако вряд ли такое могло быть, так как Петр умер примерно через месяц после казни Монса. На некоторое время, не больше, он действительно мог поставить банку в спальню Екатерины, с него сталось бы. Уже Екатерина II приказала обе головы уничтожить.

А что же Екатерина? Ей временно пришлось убавить свои аппетиты. Петр запретил коллегиям, то бишь министерствам, принимать от государыни рекомендации и приказания. Денег в одночасье не стало — муж приказал арестовать все ее заграничные счета, перестала получать она деньги и от казны. (У нее были счета в Амстердамском банке, которые она пополняла за счет взяток от лиц, которым грозила опала, заступаясь за них перед Петром.) Для того чтобы рассчитаться с местными торговцами, Екатерина Алексеевна даже была вынуждена занимать деньги у своих фрейлин.

Петр I умер в страшных мучениях 28 января 1725 года. Уже в наше время, в 1970 году, врачи определили, что он скончался от мочекаменной болезни, осложненной возвратом плохо залеченного венерического заболевания. Вероятно, того самого сифилиса, которым его «наградила» Авдотья Ржевская. Хотя Петр и объявил Екатерину императрицей, из-за случая с Монсом он не решился передать ей трон, вернее, не довел акт коронации до логического конца. Известно, что, отправляясь в Персидский поход 1724 года, Петр хотел объявить ее своей наследницей, но после дела Монса разорвал свое завещание.

Петр I вообще не оставил никакого завещания. По закону о престолонаследии 1722 года, подписанному Петром, император сам должен назначать себе преемника, но этого не случилось: жена ему изменила, а другой кандидатуры у него просто не было. Таким образом, вопрос о престолонаследии повис в воздухе.

Екатерина отлично осознавала, что у нее абсолютно никаких прав на престол нет. Поборники старины в цари прочили девятилетнего Петра, сына замученного царевича Алексея. Даже ходили слухи о ее заточении в монастырь вместе с дочерьми.

В таком случае все бывшее окружение Петра I должно было уйти в отставку, а то и поплатиться головой, а им этого ох как не хотелось. Вот они-то и возвели Екатерину на престол. Во главе этой партии стоял бывший любовник Екатерины Александр Меншиков. Еще не успело остыть тело Петра (он умер в 5 часов вечера), как уже в 8 часов в Зимнем дворце собрались высшие чины государства. Стали спорить о наследнике. Екатерина прежде всего опиралась на гвардию. Императрица обещала солдатам немедленную выплату жалованья, задержанного за полтора года, и по 30 рублей награды каждому гвардейцу, который поддержит ее. И гвардия поддержала ее. Так Екатерина, бывшая прачка и проститутка, вступила на Российский престол.

Как мы уже и писали, Екатерина не умела ни читать, ни писать. В глазах Петра I, самого писавшего с чудовищными грамматическими ошибками, это не выглядело предосудительным, но всероссийской императрице подобное было не к лицу. По свидетельству современника, она в течение трех месяцев лишь училась ставить свою подпись под документами. И не более того! Этим, собственно, и ограничивалась ее государственная деятельность. Во главе империи в феврале 1725 года был поставлен Верховный тайный совет из шести человек (как сейчас сказали бы — неконституционный орган, который не подчинялся ни Сенату, ни Синоду), главную скрипку в котором играл Александр Меншиков. Он-то фактически и управлял страной.

А Екатерина, почуяв свободу, пустилась во все тяжкие. У нее пробудились долго сдерживаемые инстинкты — грубая чувственность, стремление к низкому разврату и низменные наклонности ума и плоти. Она была так же свирепа, как и Петр. Как-то раз она собственноручно пытала в застенке свою горничную за какую-то мелкую провинность.

Проведя всю жизнь с Петром, который пил часто и без всякой меры, она тоже пристрастилась к спиртному, и от этого у нее отказали тормоза. После смерти Петра пьянство стало ее постоянным занятием. Все 26 месяцев ее правления были как бы одним сплошным кутежом. Став самодержавной государыней, Екатерина безудержно предалась развлечениям и практически все время проводила на пирах, балах и разнообразных праздниках. А еще ее интересовали наряды. Балы сменялись маскарадами, маскарады — празднествами по случаю награждения орденами. Екатерина даже издала специальный указ, в котором предписывалось знати еженедельно, по четвергам в пятом часу пополудни, собираться у нее на «куртагах». Проводить ассамблеи же предписывалось в остальные дни, и не только у нее, но и других вельмож. С непременным распитием горячительных напитков, естественно.

По свидетельству современника, утро Екатерины начиналось с визита Меншикова. Разговору о государственных делах всегда предшествовал вопрос: «А что бы нам выпить?» — и сразу же опорожнялось несколько стаканов водки (да, Марта Скавронская пила водку именно стаканами!). Затем она выходила в приемную, где уже собирались множество солдат, матросов, работных людей, и всем раздавала милостыню. Если кто просил царицу быть крестной матерью новорожденного ребенка, она никогда не отказывала — как же, появлялся еще один повод выпить. Временами она присутствовала на смотрах гвардейских полков и лично раздавала солдатам водку, не забывая при этом и самой угощаться. Ее день обычно заканчивался вечеринкой в кругу теплой компании, а ночь проводила с одним из своих любовников. В их числе называли обер-прокурора Ягужинского, графа Петра Сапегу, барона Левенвольде, генерал-полицмейстера столицы Антона Девиера. Имена же других, менее именитых и кратковременных любовников императрицы знала только ее личная камеристка. По непроверенным данным, их было не менее 20 человек! Ее спальня превратилась в кабак и притон разврата.

Все придворные дамы и наперсницы Екатерины старались не отставать от своей благодетельницы ни в чем. Таким образом, русский императорский Двор превратился в самый настоящий вертеп и представлял собой картину самого разнузданного разврата. Еще один современник писал: «Нет возможности определить поведение этого двора. День превращается в ночь… Все стоит и ничего не делается… Всюду интриги, искательство, распад…»

От такого нездорового образа жизни и постоянного пьянства (благо еще, что она не курила, как Петр, крепкого табаку) у ранее крепкой, свежей и здоровой Екатерины начались проблемы. «Секс-бомба» тяжело заболела. В марте 1727 года у нее появилась опухоль на ногах, которая стала быстро подниматься к бедрам. У нее начались приступы кашля, обнаружилась лихорадка. В апреле она слегла в постель, а 6 мая умерла совсем молодой, в 43 года, и была похоронена рядом с мужем в Петропавловском соборе Петербурга. Перед смертью Екатерины I Александр Меншиков заставил ее написать завещание, согласно которому власть в стране передавалась малолетнему царевичу Петру, сыну несчастного Алексея Петровича, замученного отцом в 1718 году. Он надеялся стать при нем регентом.

Так кем же была русская императрица Екатерина I? Если следовать логике, то она была двоемужницей, имела множество любовников, включая фельдмаршала Шереметева, генералиссимуса Меншикова, Виллима Монса и императора Петра I, но так и осталась фру Иоганн Крузе, в девичестве Марфой Жаворонковой.

P. S. Интересно, что заказанной Петром I для коронации Екатерины короной не пожелала воспользоваться ни одна из будущих императриц Всероссийских. Они считали для себя позором надевать корону, которая была изготовлена для безродной прибалтийской потаскухи. Каждая из них теперь заказывала себе собственную корону.

Кондиции и амбиции

ИМПЕРАТРИЦА АННА ИОАННОВНА

«**П**рестрашного была взору, отвратное лицо имела, так была велика, когда между кавалеров идет — всех головою выше и чрезвычайно толста» — так писала об этой персоне графиня Наталья Шереметева.

Речь шла о последней, истинно русской по крови, императрице Анне Ивановне. (Обычно в исторических трудах ее величают Анной Иоанновной. Однако в этом утверждении есть несомненный парадокс — ее отца звали Иваном V, и никто с этим не спорит, а она вдруг стала Иоанновной, на церковный лад. Так что это вопрос терминологии. Мы все же будем называть ее Анной Ивановной, по отцу.)

Как же она оказалась на троне? Пути российской истории неисповедимы и непредсказуемы. В этом деле роль сыграл Его величество случай, так что императрицей она стала совершенно случайно. Однако вернемся немного назад, чтобы освежить в памяти некоторые моменты истории.

Как мы уже говорили ранее, правительница Софья добилась того, чтобы царями стали сразу два человека — ее родной брат Иван и сводный брат Петр. Они некоторое время царствовали вдвоем под именами Ивана V и Петра I. Потом Иван V умер и остался царствовать один Петр I, но это уже другая история.

Так вот, отцом Анны и был тот самый Иван V. Иван родился в 1666 году от царя Алексея Михайловича и Марии Милославской. Он изначально был болен: и телесно, и душевно. Так уж случилось, что у первых Романовых все мальчики рождались с целым букетом всевозможных болезней, главной из которых была цинга; они долго не жили. А вот девочки рождались вполне здоровыми и упитанными; они жили долго.

Итак, Иван был больным человеком. Петр отзывался о нем как о «дураке несусветном». Когда они вдвоем сидели на особом двойном троне, по уверениям Петра, у Ивана «из ушей и из носу воняло». И вправду, Иван был хилым, подслеповатым мальчиком, и к тому же он был «скорбен главою» (то есть слабоумным). К тому же у него был какой-то дефект речи — он с трудом изъяснялся, был косноязычен и отставал в развитии от своих сверстников. По словам французского резидента в Москве, «молодой принц страдает болезнью век, не позволяющей ему открывать глаза без посторонней помощи». Другой современник повторял почти то же: «Царь Иван был от природы скорбен главою, косноязычен, страдал цингой; полуслепой, с трудом поднимал он свои длинные веки, и на восемнадцатом году от рождения, расслабленный, обремененный немощью духа и тела, служил предметом сожаления и даже насмешек бояр, его окружавших». Однако Иван был добрым малым и ни на кого не обижался. Он вообще был незлобивым человеком. Кроме того, он так же, как и Петр, страдал припадками. По свидетельству иностранных путешественников, припадки у царя Ивана случались ежемесячно. Австрийский дипломат отмечал, что царь «говорил слабым и неясным голосом», а когда «встал, чтобы спросить о здоровье императора, то едва мог стоять на ногах, и его поддерживали два камергера под руки».

Ивана V, хотя он и был «старшим» царем (он действительно был старше Петра на 6 лет), никто в политический расчет не брал, кроме родной сестры правительницы Софьи. При этом расчет был не политическим, а сугубо утилитарным. Как мы уже писали ранее, она решила женить Ивана с тем, чтобы у него родился мальчик-наследник, при котором Софья намеревалась быть регентшей и править страной еще долгие годы. Петру I при этом раскладе ничего не светило. Современник тех событий писал об этой задумке Софьи так: «Царя Ивана женить, и когда он сына получит, кой натурально имеет быть наследником отца своего, то нетрудно сделаться может, что Петр принужден будет принять чин монашеский, а она, Софья, опять за малолетством сына Иоаннова, пребудет в том же достоинстве… » Вот так — Петру даже монашество грозило!

В невесты 18-летнему Ивану она выбрала 20-летнюю Прасковью Салтыкову, 1664 года рождения. Жених Иван, конечно, был никудышный, зато всецело находился во власти сестры: «…Хотя Царь Иоанн сперва к такому (браку) никакой склонности не оказывал, однако не был он в состоянии противиться хотению сестры своей». Когда Прасковья узнала об этих планах, по словам одного шведского дипломата, заявила, что «скорее умрет», чем выйдет замуж за Ивана.

Однако «молодых» об этом никто даже не спрашивал. Главное, что ее отец, Федор Салтыков, принадлежал к партии Милославских, остальное же роли не играло.

Свадьбу сыграли в 1684 году со всеми церемониями, приличествующими таким торжествам. И стали ждать наследника. Иван хоть был и слабоумным, а свое дело знал туго. По свидетельству современника, «и на праздники господские, и в воскресные дни, и в посты царь и царица опочивают в покоях порознь; а когда случится быти опочивать им вместе, и в то время царь посылает по царицу, велит быть к себе спать или сам к ней похочет быть. А которую ночь опочивают вместе, и на утро ходят в мыльню (баню) порознь и ко кресту не приходят, понеже поставлено то в нечистоту и в грех…». Однако как ни старался Иван, а наследника все не было и не было.

За первые пять лет их совместной жизни у Прасковьи лишь однажды появилось подозрение, что она беременна. Позже она сама об этом рассказывала так: «При царе-де Иване пучило у меня живот с год, и я чаяла себя весь год брюхата, да так и изошло…» Ну не получалось у Ивана ничего, что тут поделаешь? Однако Софья с нетерпением ждала от брата наследника и придумала выход (не зря ее называли Премудрой). Она подговорила стольника Василия Юшкова, чтобы тот сделал Прасковье ребенка. Тот, получив богатые подарки, рьяно принялся за дело, и уже в конце 1688 года царица действительно забеременела! Вот что значит смена партнера! Все ждали мальчика, но в 1689 году у Прасковьи родилась девочка. Ее, конечно же, объявили царской дочерью и назвали Марией. Юшков был в отчаянии, но своего дела не бросал — не проходило и года, чтобы Прасковья не рожала «царю» ребят, однако все они были… женского пола! «Бракоделом» оказался Василий, ох «бракоделом»…

Кстати, с этим самым Василием Юшковым произошла занимательная история. В 1722 году у царицы Прасковьи служил некий подьячий Деревин, и служил он в области учета дворцовой казны. Чем-то он не понравился фавориту царицы Юшкову и от своей должности был отставлен. Причем отставлен не просто так — Юшков слепил против него дело, обвиняя в разных упущениях по службе, и потребовал значительной денежной компенсации. Рэкет, одним словом. Деревин горячо протестовал и обивал пороги дома Юшкова, требуя справедливости. Однако Юшков, как любовник царицы Прасковьи, был в фаворе, и справедливости от такого человека ждать было бессмысленно. Московское начальство тоже в этом деле Деревину помочь не могло по той же причине. И вот тут-то Деревин в январе месяце случайно нашел необычное письмо. Хорошо зная почерк царицы Прасковьи, он определил, что это было ее послание к Юшкову. Ну и что? Связь царицы с Юшковым хотя и не афишировалась, но о ней многие знали и помалкивали. Однако письмо имело одну странность — некоторые слова в нем были зашифрованы литерами (это была так называемая «литорея» — средневековый тайный шифр). В те времена такие письма таили в себе большую опасность как для отправителя, так и для получателя. Под литерами могли скрываться слова, направленные против государя. Честному человеку незачем скрывать что-то под шифром — а значит, тут дело темное. А за такие дела можно было легко попасть в Тайную канцелярию, где под пытками быстро развязывали языки кому бы то ни было, невзирая на чины и звания. Причем это касалось и царицы Прасковьи; достаточно вспомнить замученного лично Петром I царевича Алексея. Так что дела Василия Юшкова и его любовницы царицы Прасковьи были плохи.

Деревин не смог утаить свою находку, и о ней узнал его недоброжелатель Юшков. Недолго думая, тот от имени царицы посадил Деревина под замок и потребовал вернуть письмо. Деревин говорил, что, мол, ничего не знает, а про себя решил передать его лично Петру I — авось тот разберется. Целый месяц Деревин провел в заточении по прихоти Прасковьиного фаворита Юшкова, но за неимением доказательств его пришлось выпустить.

Петр I как раз в это время находился в Москве, и если бы до него дошли подобные факты, беды было бы не миновать ни Деревину, ни Прасковье с Юшковым. Однако передать письмо государю — это проще сказать, чем сделать. И Деревин забоялся. Как известно, по делам Тайной канцелярии «доносчику — первый кнут». Поэтому, по здравом рассуждении, подьячий счел за благо скрыться из Москвы и вернулся аж поздней осенью.

Все это время Прасковья сильно волновалась и, наконец, выбрала время для удара, чтобы вырвать злосчастное письмо из лап несносного Деревина. Когда осенью 1722 года Петр I ушел в Персидский поход, она подговорила московского обер-полицмейстера арестовать подьячего, обвинив его в краже большой суммы денег. Однако Деревин был не дурак, чтобы попасть как кур в ощип, и ударился в бега. Сам Деревин сбежал, однако пострадали его знакомые и родня. Так или иначе, а дело оказалось в Тайной канцелярии. Там допросили родственников Деревина и узнали, что суть дела заключается в шифрованном письме царицы Прасковьи. После того как тайное стало явным, Деревин сам пришел в Тайную канцелярию и принес письмо. Его запечатали в особый конверт и спрятали до возвращения Петра I. На всякий случай посадили и Деревина до выяснения всех обстоятельств дела. Царица Прасковья неоднократно пыталась выцарапать это письмо из шкафов Тайной канцелярии посредством московского обер-полицмейстера, но руки у нее были коротки. В те времена Тайная канцелярия была чем-то вроде НКВД, а обер-полицмейстер был, по-современному, из МВД и воздействовать на нее никак не мог. Тогда разгневанная Прасковья решилась на следующий демарш — она лично явилась в Тайную канцелярию с огромной свитой. Там ее слуги оттеснили часовых (неслыханное дело!) и на руках внесли Прасковью в камеру, где сидел Деревин (она в то время почти не ходила из-за болезни ног). Она начала с того, что лично избила подьячего тростью. Заодно она послала своих слуг к руководителям Тайной канцелярии с требованием выдать ей Деревина. Обер-прокурор Синода Скорняков и генерал Бутурлин, заведовавшие этой конторой, сочли за благо не перечить невестке Петра I, а соврать слугам, что они, мол, в отъезде. Между тем в камере события накалялись. Деревина ей не выдавали, и письма при нем не оказалось. Тогда царица принялась за экзекуцию, вернее, не она, а ее слуги. Деревина жестоко били и жгли огнем. Служители Тайной канцелярии, ничтоже сумняшеся, просили царицу не пытать заключенного. Все это происходило на глазах Прасковьи, к которой позже присоединилась и ее дочь Екатерина. Последняя уговорила мать прекратить пытки. Однако царица не унималась, и когда Екатерина ушла, приказала своим слугам продолжить экзекуцию. Деревина запытали бы до смерти, но на его счастье в Тайной канцелярии появился генерал-прокурор П. Ягужинский. Он прекратил своеволие царицы Прасковьи и наотрез отказался выдать ей Деревина, за которым числилось «слово и дело государево». Прасковье пришлось отступиться.

Пока ожидали возвращения из похода Петра I, измордованный Деревин сумел немного подлечиться. Наконец, в декабре 1722 года в Москве появился Петр, а в феврале 1723 года дошла очередь и до дела Деревина. Суд Петра I был скорым и жестоким. Слуги Прасковьи, участвовавшие в пытках Деревина, «были биты батогами нещадно», но тем дело и кончилось — они были выпущены на свободу. Любовника царицы Прасковьи Василия Юшкова Петр приказал сослать на жительство в Нижний Новгород, а Деревина еще долго держали в заточении — дело двигалось медленно. Никто не хотел вмешиваться в тайны царицы Прасковьи и ее фаворита Юшкова, это было опасно. Вероятно, Петр I знал о содержании письма, в котором, судя по всему, никакой политики не было, а то царь не посмотрел бы, что перед ним больная старая женщина. По всей видимости, оно содержало какие-то интимные подробности отношений Юшкова и Прасковьи. Чем закончилось это дело — неизвестно, но характерно одно: Прасковья готова была замучить человека, прикоснувшегося к ее амурным делам. Вот вам и царица, которую все считали тихоней!..

Однако закончим это, так сказать, лирическое отступление и перейдем к главному повествованию. Воистину судьбой правит Его величество случай! Не будь Юшков «бракоделом» и роди царица Прасковья мальчика, русская история повернулась бы по-другому. Позволим себе немного виртуальной реальности. Петр I вынужден был бы уйти в монастырь, не натворив своих кровавых дел. Страной бы еще долго правила Софья со своим фаворитом Голицыным. А потом мальчик — наследник царя Ивана подрос и стал бы продолжать политику своей двоюродной бабушки Софьи. Это был бы путь эволюционных, постепенных реформ, а не путь крутого перелома, который устроил России Петр. Однако история не знает сослагательного наклонения, а потому вернемся к действительности.

Всего у царицы Прасковьи было пять дочерей: Мария, Феодосья, Екатерина, Анна и Прасковья. Старшие, Мария и Феодосья, умерли в младенчестве, а остальные, в том числе и Анна 1693 года рождения, выросли. Все они считались царскими дочерьми. Вот эта-то Анна Ивановна и стала впоследствии русской императрицей.

Все дочери Прасковьи Салтыковой были веселыми и подвижными хохотушками, а Анна — неуклюжей, толстой и угрюмой молчуньей. Если в некоторых придворных кругах были еще сомнения насчет отцовства приписываемых Ивану дочерей Екатерины и Прасковьи, то уж Анна была точно от Юшкова. При этом, если к первым двум дочерям Прасковья относилась сносно, то Анну она откровенно ненавидела и часто потчевала ее розгами, возможно, за то, что ей приходилось ублажать приставленного к ней Юшкова.

Чтобы разобраться в характере Анны в зрелые годы жизни, необходимо знать, в какой среде она воспитывалась. Прежде всего, царица Прасковья, воспитанная в духе старомосковской старины, тщательно соблюдала все религиозные обряды. Кроме того, она щедро занималась благотворительностью. Правила того времени гласили: «Церковников и нищих и маломожных, бедных, скорбных и странных пришельцев призывай в дом свой и по силе накорми, напой и согрей». Прасковья строго следовала этому правилу — весь ее дом был наполнен указанными категориями лиц. Во дворце жили множество девочек-сирот. В подклетях под дворцом на женской половине жили вдовы, старухи и девицы. Они исполняли роль сказочниц. А еще двор населяли разные юродивые, помешанные и калеки: немые, слепые, безрукие, безногие. Царица Прасковья была очень расположена к ним. Особенным ее уважением пользовался полубезумный подьячий Тимофей Архипыч, ходивший по двору в грязном рубище и выдававший себя за пророка и чуть ли не святого. Он называл Анну Анфисой и предрекал ей монашество. Православная религиозность Прасковьи мирно уживалась с различными суевериями и предрассудками. Она верила в колдовство, чудеса и прочие штучки. Поэтому при ее дворе постоянно толпились какие-то предсказатели, кудесники и колдуны. Вместе с ними при дворе Прасковьи было множество шутов, карлиц и дурок, своими грубыми шутками радовавших непритязательный вкус царицы. Этой публики было так много, что Петр I однажды в сердцах назвал двор Прасковьи «гошпиталем уродов, ханжей и пустосвятов». На время приезда Петра всю эту разношерстную публику прятали по дальним чуланам и чердакам. Петр вообще не любил своего сводного брата Ивана, а его жену с выводком особ женского пола — тем более.

Вот в такой среде и воспитывалась Анна. Отец из-за одолевавших его хворей умер рано, в 1696 году в возрасте 30 лет, и никакого влияния на воспитание дочери не оказал. Анне в ту пору было всего 3 года, и ее воспитание было отдано на откуп все тем же нищим, юродивым и приживалкам, ютившимся в подклетях терема царицы Прасковьи. Мать, повторяем, ее не любила. Когда наступила пора обучения, в учителях у нее были иностранцы, однако Анна лишь научилась понимать немецкий язык, но так и не научилась писать по-русски без ошибок. Интеллектом она не блистала и, строго говоря, умом тоже. Нелюдимая, угрюмая и неуклюжая девочка, попав в общество, забивалась в угол и громко сопела, не желая и не умея ни с кем общаться. По правде говоря, быть умницей у нее было не в кого, а мать, женщина старой закалки, порола ее за всякую провинность чуть ли не до той поры, когда она стала невестой. Даже в зрелом возрасте отношения у Анны с матерью были довольно напряженные.

Постепенно у Анны под влиянием среды, в которой она обитала, выработалась привычка к разным церемониалам, торжественным выходам и драгоценным украшениям. В то же время у нее ярко проявилась любовь к охоте, разным псарням, зверинцам, конюшням и всякого рода забавам, иногда жестоким. Внешне Анна была не очень привлекательной. У нее было смуглое и грубое лицо, которое производило отталкивающее впечатление. Во всем ее облике сквозило что-то мужеподобное. Сын фельдмаршала Миниха Эрнст так описывал Анну, когда она уже стала императрицей: «Станом она была велика и взрачна. Недостаток в красоте награждаем был благородным и величественным лицерасположением. Она имела большие карие и острые глаза, нос немного продолговатый, приятные уста и хорошие зубы. Волосы на голове были темные, лицо рябоватое и голос сильный и проницательный. Сложением тела она была крепка и могла сносить многие удручения». В дальнейшем грубый нрав Анны, ее крепкая и грузная фигура, низкий и зычный голос оставили неприятный осадок у многих современников.

Однако вернемся во времена ее юности. В 1708 году царица Прасковья с дочками Анной, Екатериной и Прасковьей по приглашению Петра I переехали из подмосковного Измайлово в Петербург. При этом невестка Петра не преминула забрать весь этот «гошпиталь уродов» с собой. Пора было Петру женить своих нелюбимых племянниц. Петр имел на них свои виды и относился к ним, как к оборотному политическому капиталу. На встрече в 1709 году с прусским королем Фридрихом I Петр договорился о женитьбе его племянника Фридриха-Вильгельма на одной из русских царевен. Сам же Фридрих-Вильгельм правил в небольшом герцогстве, граничившем с Россией. Оно называлось Курляндией, формально находилось под польским владычеством, но фактически было самостоятельным герцогством, образовавшимся после распада Ливонского ордена. Петр I хотел наложить на это герцогство свою лапу — ему нужны были выходы к Балтийскому морю. Брачным контрактом он связал бы герцога курляндского по рукам и ногам. В этом браке была чистая политика и никакой любви. Выбрать невесту для герцога из троих своих дочерей должна была сама царица Прасковья. Жених, субтильного вида молодой человек, ей сразу не понравился, и она предпочла отдать ему среднюю, нелюбимую дочь Анну, чтобы оставить при себе старшую и любимую Екатерину. На этом и остановились.

Анну никто не спрашивал, хочет ли она выйти замуж, и вообще в этом деле ее слово было последним. Они с Фридрихом лишь обменялись письмами, ни разу не видя друг друга. Ему даже не показали портрет невесты. Свободен был ли в своем выборе сам жених? Конечно же нет. Слово дяди, прусского короля Фридриха I, было для него законом. Наверное, ему было все равно, по причинам, которые мы укажем ниже.

Петр I перед свадьбой не поскупился — дал Анне 200 тысяч рублей приданого и заключил с Фридрихом I договор, по которому король Пруссии обещал давать Анне по 40 тысяч рублей ежегодно в случае смерти мужа и бездетности. Свадьба состоялась 31 октября 1710 года. Жениху с невестой было в ту пору всего лишь по 17 лет. На торжестве Петр I лично разрезал своим кортиком два огромных пирога, откуда «появилось по одной карлице, превосходно одетых». Они тут же, на столе, исполнили изящный менуэт.

Здесь уместно небольшое отступление: позже этот эпизод вошел в книгу «Приключения барона Мюнхгаузена» как невероятная выдумка. Однако это была не выдумка, а правда. Вспомним слова актера О. Янковского из фильма «Тот самый Мюнхгаузен»: «Дело не в том, летал ли я на Луну или нет, дело в том, что барон Мюнхгаузен никогда не врет!»

По случаю бракосочетания Анны пиры и торжества в Петербурге продолжались два месяца. Свадьбу сыграли в меншиковском дворце — самом приличном здании новой столицы. На следующий день состоялась ранее невиданная церемония — под сурдинку сыграли свадьбу царского карлика Екима Волкова, для участия в которой со всех концов страны свезли более 70 уродов. Все гости потешались над ужимками и кривляньями карликов и карлиц. Такие развлечения были вполне в духе того времени. Забегая вперед, скажем, что чем самостоятельная жизнь Анны началась, тем и закончилась — такой же шутовской свадьбой придворного шута Голицына, сыгранной в знаменитом Ледяном доме зимой 1740 года, в год смерти императрицы.

При этом, по петровскому обычаю, не соблюдалось никакой умеренности ни в еде, ни в питье. Фридрих-Вильгельм тоже был не дурак выпить и в свои 17 лет был уже законченным алкоголиком. Вследствие таких излишеств он заболел — возможно, не выдержал алкогольного состязания со своим новым родственником, Петром I. Как известно, Петр и в пьянстве был Великим.

Не обращая внимания на нездоровье — эка невидаль, похмелье, — он выехал вместе с новобрачной в Курляндию. 10 января 1711 года Фридрих-Вильгельм неожиданно скончался на мызе Дудергоф. Прах герцога отвезли в Курляндию и там похоронили в родовой усыпальнице. Таким образом, Анна в свои 17 лет неожиданно оказалась вдовой, так и не познав радости секса и материнства. Однако Петра I меньше всего волновали чувства Анны — ему даже было выгодно, чтобы на курляндском троне сидела его племянница, пусть и без реальной власти.

Так царевна Анна, теперь уже герцогиня курляндская, оказалась у разбитого корыта. Заплаканная, она вернулась в Петербург. Анна недолго пожила в столице, погостила у своей матери в Измайлове, а уже летом 1712 года «добрый» дядюшка Петр I вытурил ее в Курляндию — пусть сидит там и представляет русские интересы в Прибалтике. Одно время Петр даже намеревался отправить туда и Прасковью с оставшимися дочками, но обошлось. Анне Ивановне разрешалось приезжать погостить к матери в Измайлово, но надолго задерживаться в России она не могла. Так Анна оказалась в столице герцогства Курляндского городе Митаве (ныне Елгава, Латвия). Поскольку Анна была абсолютно не годна к управлению не то что герцогством, но даже деревней, в помощники ей дали Петра Бестужева-Рюмина.

И осталась Анна, герцогиня курляндская, одна, во враждебном окружении, фактически изгнанная из России, без чьей бы то ни было помощи. Дядя умершего мужа Фридрих I сразу же забыл о своем обещании выплачивать по 40 тысяч рублей в год в случае смерти мужа, и она постоянно нуждалась во всем, даже в еде. Анна вынуждена была писать униженные и заискивающие письма Петру и его второй супруге Екатерине с просьбой о помощи. Мать, царица Прасковья, хоть и не любила Анну, но все же помогала ей всем, чем могла, в том числе и хлопотами о казенном вспомоществовании. Анна неоднократно приезжала в Петербург и буквально попрошайничала, изо всех сил стараясь понравиться сильным мира сего. Многие жалели Анну, поставленную в униженное положение. Как известно, у нас на Руси страдальцев любят, и это обстоятельство сыграло не последнюю роль в выборе ее императрицей. Не было б счастья, да несчастье помогло.

Это был для нее самый тяжелый период времени — одна, в окружении алчных остзейских баронов, она совсем забросила себя. В это время ее обычно видели полуодетой, нечесаной, целыми днями валявшейся на медвежьей шкуре. Вот в этот момент униженная и оскорбленная Анна и сблизилась с единственным русским человеком в ее свите гофмейстером Петром Бестужевым-Рюминым. Вернее, он воспользовался ее вдовьей слабостью, не без взаимного удовольствия, кстати сказать. Она была молода, гормоны играли во всю силу, и мужчина был ей просто необходим. Да и для здоровья «это» полезно. Так Анна и Петр Бестужев стали любовниками. В 1712 году ей было 19 лет, а ему — 48. Разница в возрасте большая, почти в 30 лет, но, как говорят, любви все возрасты покорны. Ничего не попишешь. Итак, Петр Бестужев стал фаворитом Анны и вел все ее дела по управлению герцогством. Также он представлял русские интересы в Прибалтике. Отметим, что подобным образом Анна Ивановна будет поступать и в будущем — заводить себе временщиков-фаворитов, чтобы они за нее управляли государством. А там хоть и трава не расти.

Однако до этого было еще далеко. Пока любовники к взаимному удовольствию наслаждались друг другом, грянул гром. Как-то раз Анна Ивановна помогла бежать в Варшаву второй жене своего дяди, В. Салтыкова, с которой он плохо обращался. Как он узнал об интимной связи Петра Бестужева с Анной, остается загадкой (наверное, у нее были болтливые слуги), но в припадке злобы, в отместку за помощь беглянке, «заложил» их царице Прасковье. Та, конечно, возмутилась и потребовала от Петра I удалить дочкиного «галанта» (так тогда завуалированно называли любовников) из Митавы. Однако Петра I меньше всего волновали амуры своей племянницы — ему нужно было, чтобы Курляндия оставалась в зоне русского влияния, а осуществлять это влияние мог только Петр Бестужев. Так что требование царицы Прасковьи он проигнорировал, и Бестужев остался в Митаве.

В 1713 году Петр I отправил его в Гаагу, как было сказано в указе для «присматривания политических дел», а в 1717 году он снова вернулся к Анне. Любовь любовью, а морковь морковью — все же политика была важнее, и Бестужев по приказу Петра I стал искать ей нового жениха. В том же 1717 году он пытался устроить свадьбу Анны с герцогом Иоганном Вейсенфельдским, а в 1718 году — маркграфом Фридрихом-Вильгельмом Бранденбургским, но в обоих случаях потерпел неудачу. Получив гневное письмо от Петра I, в котором ему запрещалось вмешиваться во внутренние дела Курляндии, Петр Бестужев занялся своими прямыми обязанностями — управлять хозяйством герцогини. В 1726 году снова встал вопрос о замужестве Анны. Петр I уже умер, и к власти пришла Екатерина I. Она вызвала герцогиню вместе с Бестужевым в Петербург и предложила Анне подумать над кандидатурой графа Морица Саксонского (незаконнорожденного сына польского короля Августа II Сильного). При условии женитьбы на Анне он должен был занять герцогский престол Курляндии.

Мы не знаем, как уж там получилось — то ли чувства к Петру Бестужеву у нее угасли, то ли надоел он ей, то ли разница в возрасте сказалась, но Анна по уши влюбилась в Морица. Тридцатилетний красавец-мужчина с европейскими манерами (он в то время служил во французской армии) свел ее с ума. Анне в ту пору было 33 года — почти ровесники! Он был галантен и изящен, обходителен и вежлив — просто душка! Вместе с тем от него веяло порохом сражений, дымом бивачных костров и конским потом (этот запах Анна запомнит на всю жизнь). Он был мужественным рубакой — прославился в войне с турками. Не влюбится в такого было просто невозможно! И Анна, не блещущая красотой, осознавая свою неуклюжесть, отдалась ему всеми фибрами своей, не познавшей супружеского счастья души. Вот это жених так жених! Ради такого момента можно было претерпеть все те неудобства, которые испытывала Анна в Курляндии. Петр Бестужев активно способствовал выдвижению Морица Саксонского на курляндский престол, и немецкие бароны с удовольствием избрали на сейме его своим герцогом. Однако затея Екатерины I провалилась самым неожиданным образом — оказывается, предложение Анне выйти замуж за Морица Саксонского она сделала без согласия Александра Меншикова, который сам хотел занять курляндский престол! Граф Саксонский был с позором выгнан из Митавы (позже он стал видным военачальником, маршалом Франции и военным теоретиком). За ним же последовал и Петр Бестужев. Меншиков обвинил Петра Бестужева в интригах против своей особы, и, как следствие, он предстал перед Верховным тайным советом. Однако следствие и суд доказали, что в этом деле он во всем следовал полученным из Петербурга инструкциям. Анне Ивановне с трудом удалось уговорить Меншикова не преследовать своего бывшего любовника.

Опять неудача постигла Анну — ни тебе мужа, ни тебе друга сердечного. Но на горизонте уже проявился другой претендент на сердце несчастной Анны — Эрнст Бирон.

Прежде чем приступить к рассказу об этом персонаже, вкратце проследим дальнейший жизненный путь первого любовника Анны Петра Бестужева — все-таки он сыграл не последнюю роль в ее судьбе. В 1728 году он был все же арестован, но не за то, что хотел привести Морица на курляндский трон, а за... распутный образ жизни, корыстолюбие и казнокрадство из казны герцогини! Оказывается, Петр Бестужев, будучи любовником Анны, пользовался не только ее пышными телесами, но и ее казной! Вот так прохвост! На этот раз Анна Ивановна не стала защищать Петра и выдвинула против него обвинение, выразвившееся в письме к императору Петру II: «Бестужев-Рюмин расхитил управляемое им имение и ввел меня в долги неоплатные». Однако и на сей раз Петр Бестужев отделался легким испугом, так как за него ходатайствовали два его сына, состоявшие министрами при польском и датском дворах. Придя к власти, Анна Ивановна не пожелала видеть своего бывшего «конфидента» в Петербурге и назначила его нижегородским губернатором. Разобиженный таким назначением, Петр Бестужев громко высказал свое недовольство, которое сразу же было доведено до ушей императрицы. Не успел он доехать до Нижнего Новгорода, как последовал указ Анны о его ссылке в собственное имение. Ссылка продолжалась до 1737 года, пока «за верную службу сыновей» ему не разрешили жить в Москве. Все изменилось лишь после того, как императрицей стала Елизавета. В день своей коронации (25 апреля 1742 года) она возвела Петра Бестужева-Рюмина в графское достоинство. Вскоре после этого акта, в 1743 году, он и умер в возрасте 79 лет, пережив Анну Ивановну на два года. Вот какие бывают хитросплетения судьбы!

А теперь вернемся к главному персонажу нашего повествования — Эрнсту Бирону. Это была колоритнейшая личность! История его появления на свет темна и загадочна. По одной версии, он был сыном отставного корнета польской армии, небогатого дворянина Карла Бюрена (Бирена) и незнатной дворянки фон дер Рааб. По другой версии, Эрнст был внебрачным сыном этого самого корнета и некой латышки, служившей прислугой у его жены Катарины-Ядвиги фон дер Рааб. Родился он в 1690 году в Курляндии (а Курляндия, напомним, была одно время под польским протекторатом). Ходили слухи, что в молодости отец Бирона был конюхом. Некоторые историки считают, что отец Эрнста был лесничим. По третьей версии, конюхом был один из предков Бирена, который являлся другом герцога и в одном из сражений даже спас ему жизнь. Какая из этих версий верна, уже не разобрать, несомненно одно — какое-то отношение к лошадям Бирен все же имел.

Там же, в Курляндии, Бюренам принадлежало небольшое имение Кальпцей. С 1698 по 1702 год Эрнст-Иоганн учился в городской школе города Митава, а затем поступил в Кенигсбергский университет. За время учебы в этом высшем учебном заведении (1707—1710) он был дважды арестован — за воровство и неуплату штрафов. Во время какой-то попойки с друзьями он ввязался в драку, во время которой погиб ночной сторож. Убийство сторожа отцу Бирона обошлось в 700 талеров залога за сына. В общем, Эрнст вел разгульную, веселую жизнь обычного западноевропейского студента, с ночными попойками, штрафами за нарушение тишины, пропусками лекций и прочими безобразиями, творимыми по молодости. Но убийство человека не прощалось, и Бирон (тогда еще Бирен) был изгнан из университета.

Мы не знаем, чем занимался Бирон в последующие годы. Говорили, что он недолго занимался в Митаве педагогикой, а в Риге служил по распивочной части, но эти сведения туманны и вряд ли верны. Тем не менее в жизни надо было как-нибудь пробиваться. А выбиться в люди тогда можно было только в России — все хлебные места в Европе были уже давно заняты. И вот Бирен отправился в Петербург «на ловлю счастья и чинов», как говорил поэт. В 1714 году он прибыл в российскую столицу и попытался получить место не где-нибудь, а при дворе принцессы

Шарлотты, жены царевича Алексея. Недурное начало! Он не пошел служить в армию или, скажем, на флот, не захотел стать чиновником какого-нибудь ведомства, а метил сразу в царедворцы! Хитер юноша был, ой как хитер! Но эта авантюра ему не удалась: Эрнст получил отказ из-за своего незнатного происхождения и вернулся в Митаву.

Тогда неугомонный и тщеславный Бирен зашел с другого конца — ведь на курляндском престоле сидела русская герцогиня Анна Ивановна, почему бы ему не попробовать войти в ее свиту? И эта затея вполне удалась. Он обратился за протекцией к курляндскому канцлеру Кейзерлингу, тот — к Бестужеву и, таким образом, был принят ко двору герцогини Анны. Первая встреча Бирена и Анны состоялась в 1718 году, когда он, воспользовавшись болезнью Бестужева (ох и хитрец!), принес ей бумаги на подпись. Она поговорила с этим обходительным молодым человеком (он умел производить приятное впечатление на окружающих), признала в нем знатока лошадей и присвоила ему должность камер-юнкера. Вскоре она велела приходить к ней ежедневно. Эрнст Бирен решил добиться такого же расположения у Анны, как и Петр Бестужев, — стать ее фаворитом. И это ему удалось — вскоре он был назначен ее личным секретарем и камергером.

Некоторые историки полагают, что именно с 1718 года Бирен стал ее любовником, однако нам кажется, что это не так. В 1718 году она еще любила Бестужева, а Бирен, желая добиться расположения герцогини, завел интриги против Бестужева. Отблагодарил, так сказать, за протекцию. Действовал он подло, оклеветал соперника, но цель стоила того — занять место в теплой постели Анны, которое раньше занимал Петр Бестужев. Однако эта интрига не удалась — мощный клан Бестужевых (у Петра было еще и два сына, Михаил и Алексей) дал отпор, и незадачливый интриган вынужден был сам удалиться из Митавы. Второе пришествие Эрнста пришлось только на 1726 год, когда за него ходатайствовал перед Анной все тот же канцлер Кейзерлинг. Только с этого момента он стал ближайшим помощником Анны Ивановны и ее доверенным лицом. И любовником уж точно.

Петр I умер в 1725 году, и с тех пор герцогиню Анну держать в ежовых рукавицах стало некому. Бирен сопровождал Анну Ивановну на церемонию коронации Екатерины I в Москву, но когда он прибыл в Петербург в составе курляндской делегации, чтобы поздравить Екатерину I с восшествием на престол, все тот же канцлер Кейзерлинг и барон Фитингоф посчитали это личным оскорблением и потребовали, чтобы императрица его не принимала. Видно, и своему благодетелю он успел чем-то насолить. Позже Екатерина дала поручение Бирену съездить во Вроцлав для закупки лошадей. Знал Бирен толк в лошадях, знал!

Только около 1727 года Бирен стал официальным фаворитом Анны Ивановны, добившись удаления Петра Бестужева. И с нею он уже не расставался до конца ее жизни.

Однако пойдем дальше. Как известно, Екатерина I завещала трон Российской империи малолетнему Петру, сыну несчастного царевича Алексея. Он царствовал с 1727 по 1730 год под именем Петра II. Когда 14-летний император в 1730 году умер от оспы, не оставив завещания, стал вопрос — кому же передать трон?

Как мы уже писали выше, Петр I повелел каждому следующему за ним императору самому назначать себе наследников престола. Однако он никого так и назначил. То, как была приведена к власти Екатерина I, было чистым произволом Меншикова. А вот Екатерина I озаботилась и написала завещание следующего толка: «Ежели великий князь без наследников преставится (то есть Петр II), то имеет по нем цесаревна Анна с своими десцендентами (потомками), по ней цесаревна Елизавета и десценденты, а потом великая княжна (Наталья Алексеевна — дочь замученного сына Петра I Алексея) и ее десценденты, однако ж мужеска пола наследники пред женским предпочтены быть имеют. Однако ж российским престолом владеть не может, который не греческого закона или кто уже другую корону имеет».

Однако на тот момент цесаревна Анна, то есть дочь Петра I и Екатерины I, выданная за герцога голштинского Фридриха Вильгельма, уже два года как умерла, успев родить сына Карла Ульриха (будущего Петра III). Великая княжна, то бишь Наталья Алексеевна, скончалась без «десцендентов» в 14 лет в 1728 году. Это обстоятельство запутывало ситуацию донельзя. С одной стороны, в живых оставалась одна Елизавета, с другой стороны, было ясно сказано — потомки мужского рода имеют преимущество перед женской линией. А это вроде бы свидетельствовало в пользу двухлетнего Карла Ульриха. Но он был, как назло, лютеранином, а не «греческого закона»! Путаница получилась необыкновенная.

Собрался Верховный тайный совет, учрежденный еще Екатериной I. Раньше этот совет, состоявший из восьми человек, возглавлял Александр Меншиков, но в данный момент его сместили и отправили в ссылку, так что вперед выдвинулись другие лица — князья Долгорукие и князь Дмитрий Голицын. Во время экстренного заседания совета завязалась борьба за власть. Дело было в том, что Петр II умер буквально за день до своей свадьбы с княжной Долгорукой, поэтому ее родственники решились на подлог. Они составили от имени Петра II завещание в пользу княжны Долгорукой и подделали его подпись. На этом заседании обман сразу же открылся, поэтому ее кандидатура больше не обсуждалась. Начались поиски вариантов. «Верховники», как потом прозвали членов Верховного тайного совета, а по-современному — олигархи, были едины в одном — не допустить к власти наследников Петра I и Екатерины I. Таким кандидатом по мужской линии, как мы уже говорили, мог быть двухлетний внук Петра Великого Петр-Ульрих, сын умершей в 1728 году принцессы Анны. Кандидатурой же по женской линии могла быть вторая дочь Петра I Елизавета, но «верховников» не устраивал ее легкомысленный образ жизни. В случае избрания на трон маленького Петра-Ульриха следовало опасаться вмешательства в русские дела его отца, Карла-Фридриха Гольштейн-Готторпского. Никому это было не нужно. Кроме этих двух наследников, существовали еще четыре особы Дома Романовых: первая жена Петра I Евдокия Лопухина и три дочери умершего царя Ивана V — Анна, Екатерина и Прасковья. Но Евдокия Лопухина была монашкой, поэтому выбор пал на среднюю дочь царя Ивана V Анну. Все знали, как она была унижена и обездолена в Курляндии. Ох и любят же у нас на Руси обиженных!

Ее кандидатуру выдвинул князь Дмитрий Голицын, и все с ним согласились. Но согласились не просто так — «верховники» задумали ограничить власть императрицы. Во-первых, из-за того, что она была негодна к управлению державой, а во-вторых, чтобы самим порулить страной, ну и, конечно, набить карманы. Они были, как сказали бы в недавнем прошлом, хунтой. Члены Верховного тайного совета составили так называемые «кондиции», то есть условия, на которых Анна должна была занять опустевший русский трон. «Верховники» были на сто процентов уверены, что из желания править Анна подпишет эти «кондиции». И вот делегация, состоявшая из «верховников», сенаторов и генералов, выехала в Митаву и поднесла эти самые «кондиции» Анне на подпись. Условия были таковы: забота о сохранении и распространении православной веры, не выходить замуж, не назначать себе наследника без согласия членов Верховного тайного совета, не объявлять войны или мира, сохранить в неприкосновенности этот самый тайный совет, не облагать подданных новыми налогами, не присваивать воинских званий выше полковника и так далее. В общем, права Анны, как самодержицы Всероссийской, согласно этим «кондициям» были существенно ограничены. С тех пор в русском языке сохранилось выражение — «дойти до кондиции», то есть согласиться на крайне невыгодное предложение. Причем под давлением. А главное условие было таким — ни в коем случае не привозить Бирена с собой в Россию! Видно, он уже стал хорошо известен в Петербурге своей сомнительной деятельностью.

Анна Ивановна конечно же, как это и предполагали «верховники», подписала «кондиции». Это случилось 25 января 1730 года. Затем она выехала в Москву на коронацию. Однако насчет тупоумия Анны «верховники» ошибались, кроме того, были среди знати и противники ограничения самодержавия. В результате чего 28 февраля 1730 года Анна приказала подать «кондиции» и «при всем народе изволила, приняв, изодрать». С тех пор она стала править сама. Ну, не сама, конечно, а вместе с Эрнстом Биреном. Верховный тайный совет был распущен.

Так Анна Ивановна выиграла в историческую рулетку и стала русской императрицей.

А что же фаворит Бирен? Едва узнав, что Анна разорвала кондиции, он тут же кинулся в Петербург, но перед этим совершил свою очередную авантюру. Дело было в том, что Бирены, как мы уже писали выше, были неродовитыми дворянами, а ему хотелось принадлежать к аристократии. Он сделал просто — переменил в своей фамилии одну букву и стал называться Бироном. Бироны же были древним французским аристократическим родом! Заодно он присвоил себе и их герб. Скандала из этого не вышло, так как настоящие Бироны с юмором отнеслись к этому. Арман-Шарль де Гонтан, герцог Бирон, узнав, что его имя присвоил себе какой-то лотарингский аптекарь, сказал, что очень приятно, что этот аптекарь «разделил такое пристрастие к его имени с русским вельможею». То есть он сравнил Бирона с простым аптекарем! Это было неслыханным оскорблением, однако Бирону было все нипочем!

С тех пор в России на десять лет наступило время «бироновщины», время немецкого засилья и грабежа природных ресурсов страны. По замечанию историка Ключевского, «немцы посыпались на Россию точно сор из дырявого мешка, облепили двор, обсели престол, забирались на все доходные и выгодные места в управлении». При этом процветали всеобщая подозрительность, шпионаж, доносы (чего стоило только знаменитое «Слово и дело»!) и жестокое преследование недовольных. Мы не будем вдаваться в подробности правления Анны и Бирона Россией — не наша эта задача. Скажем лишь то, что Анна поступила как какая-нибудь заурядная помещица, поручив управление Россией, как своим собственным имением, своему управляющему, для которого главной заботой была нажива, нажива и еще раз нажива. В данном случае уместна такая аналогия: получила барыня наследство, а ни малейшего желания и умения у нее вести хозяйство нет. К счастью, у нее имеется немец-любовник, который готов взять на себя бразды управляющего. При этом хорошо и давно известно — самые лучшие управляющие — это чужаки. Вот так они и правили — Анна Ивановна предавалась безделью, бесконтрольно расходуя государственные деньги, а Бирон заботился о пополнении казны. При этом и себя не забывая, любезного. О благе народном больше никто и не заикался. Принцип «после нас хоть потоп» воплощался в жизнь в полной мере.

Нет, историки были не правы, называя это жуткое десятилетие «бироновщиной». Это было время «анновщины», ведь именно ее именем освящались все те мерзости, что творились на Руси. Ведь именно она завела эти порядки, вернее, не препятствовала Бирону и его немцам грабить Россию и устанавливать в ней свои правила. Так что «анновщина» будет верным названием этого периода в русской истории.

Однако закончим эти грустные сентенции и перейдем к нашим главным действующим лицам. Сразу же после коронации Анны Ивановны Эрнст Иоганн Бирон был пожалован в обер-камергеры и награжден орденами Андрея Первозванного и Александра Невского (который выдавался, между прочим, только за военные заслуги). Не прошло и полгода, как Бирон получил звание графа Священной Римской империи. Его полный титул теперь звучал так: «Его высокографское сиятельство, господин рейхсграф и в Силезии вольный чиновник господин Эрнст Иоганн фон Бирон, Ея Императорского Величества, самодержицы всероссийской обер-камергер и ордена Святого апостола Андрея кавалер». Заметим, что никаких официальных постов в России этот «кавалер», это ничтожество не занимал, зато активно вмешивался во внутреннюю и внешнюю политику страны. Да, вдобавок он еще стал и герцогом курляндским, но только в 1737 году, когда умер последний представитель этого рода. А то бы Анна ему и раньше этот титул присвоила. С нее сталось бы.

Нам было интересно сравнить оба этих персонажа. Бирон был невоспитан, груб, малообразован, примитивен и жесток. Его парадные портреты показывают грубое, надменное, наглое, высокомерное и пошлое обличье. Однако можно подумать, что Анна Ивановна была утонченной натурой. О ее облике, приведенном в рассказе графини Натальи Шереметевой, мы уже писали в самом начале очерка. А вот еще один портрет с натуры, написанный испанским дипломатом герцогом де Лириа: «Императрица Анна толста, смугловата, и лицо у нее более мужское, чем женское…» И действительно, с дошедших до нашего времени портретов Анны на нас смотрит женщина, ничуть не более умная и культурная, чем Бирон. Все те же тяжеловесные, немного глуповатые черты лица, то же тупо-надменное выражение, нижняя губа оттопырена так же идиотски-высокомерно. Давно известно, что супруги со стажем начинают внешне походить друг на друга, и на портретах Бирона и Анны это прекрасно прослеживается.

Вместе с тем также известно, что нельзя судить о человеке только по его внешнему облику. Даже самый последний урод может оказаться приятнейшим, умным и образованным собеседником, знатоком прекрасного и возвышенного. Поэтому нужно судить о людях по их поступкам, и эти поступки были явно не в пользу Анны.

Бирон любил выпить и покурить, а Анна не пила вина и уж тем более не курила и совсем не жаловала пьяниц (видно, помня своего мужа-алкоголика). Императорский двор при Анне сохранял образцовую трезвость. При ее дворе выпить можно было лишь дважды в году — 28 января, в ее день рождения, и 28 апреля — в день коронации. В эти дни придворные так напивались, что гвардейцы их на руках выносили из дворца.

Зато она, став императрицей, завела у себя порядки, которых насмотрелась в детстве — с бесчисленным количеством уродов и карликов, разных приживалок, негров, увечных, больных, сумасшедших и прочего сброда. Ее двор был зеркальным отражением двора матери Анны — царицы Прасковьи, с ее «гошпиталем уродов», но были и отличия. Если царица Прасковья привечала убогих и вела с ними душеспасительные беседы, то Анна над ними откровенно издевалась, и вся эта публика нужна ей была лишь для потехи.

Анна Ивановна была последней русской императрицей, которая содержала шутов — они были ее любимым развлечением. Как писали современники, «для своих шутов государыня сочиняла сама забавные костюмы… К одежде прибавлялись колпаки и гремушки». Другой свидетель так описывал двор Анны Ивановны: «Карлики и карлицы, горбуны и многочисленные калеки обоего пола, на что указывают их прозвища (Безножка, Горбушка), ютились рядом с шутами и шутихами, дураками и дурами, калмыками, черемисами, неграми. Вся эта публика держала себя весьма свободно с лицами, посещавшими двор…».

Неотесанная и грубая натура Анны диктовала и дурацкие затеи. Особенно это проявлялось в ее «забавах» с шутами. Случались и просто неприличные действия. Как-то приезжий итальянский шут с характерным прозвищем Педрилло вынужден был играть роль мужа… козы! Вот как небезызвестный нам И. Лажечников описывал сцену посещения Анной дома шута, где находилась коза вместе с новорожденным козленком: «Сцена была убрана разными атрибутами из козьих рогов, передних и задних ног, хвостов… связанных бантами из лент. Во глубине сцены на пышной постели в богатой кровати, убранной малиновым… штофным занавесом, лежала коза… Она убрана в чепец с розовыми летами… Подле нее на богатой подушке лежала новорожденная козочка, повитая и спеленутая, как должно. Введенная в спальню родительницы, государыня подошла к постели, изволила высыпать из кошелька… несколько десятков золотых монет на зубок и потом спросила госпожу Педрилло об ее здоровье». Анна Ивановна откровенно издевалась над своими бесправными шутами! И не все они были такими уж дураками, чтобы не понимать этого. Среди шутов Анны были, например, граф Апраксин, князья Голицын и Волконский. Так что понимали, но вынуждены были терпеть всяческие унижения от жестокой императрицы. Где это видано было, чтобы в шутах держать русских аристократов — князей и целого графа?! «Анновщина», ей-богу, «анновщина»!

А еще она любила издеваться над ними: «Способ, которым государыня забавлялась сими людьми (шутами), был чрезвычайно странен. Иногда она приказывала им всем становиться к стене, кроме одного, который бил их по поджилкам и через то принуждал их упасть на землю. Часто заставляли их производить меж собою драку, и они таскали друг друга за волосы или царапались даже до крови. Государыня и весь ее двор утешались сим зрелищем, помирали со смеху». Дальше — больше. Анна Ивановна очень любила унижать людей. Ее шуты не только дрались между собой, но дружно кидались на всякого человека, с чем бы он ни входил к императрице. Был ли это царедворец, входивший к Анне с докладом, гонец из действующей армии или иностранный посол, шуты оплевывали его, ругали, обзывали разными поносными словами, пугали неожиданными кульбитами, делали «козу» в нескольких сантиметрах от глаз. Когда человек пугался, шарахался, стараясь не измазаться об шутов, игравших натуральными какашками или делавших вид, что мочатся на вошедшего, Анну Ивановну это особенно забавляло. Правда, с иноземными послами так не поступали, но на своих царедворцев шуты иногда действительно мочились, что вызывало просто судороги восторга у императрицы! Представляете себе такую картину? Уважаемый человек должен был терпеть всякие унижения от шутов и одновременно, не подавая виду, что это ему омерзительно, подобострастно лицезреть государыню. Такого в XVIII веке не было ни при одном из дворов Европы и Азии, а в России было! Так что верно наше определение — «анновщина», несомненно, «анновщина»!

Правда, и Бирон не чуждался какашек. Он был приверженцем так называемого клозетного юмора. Как и большинство немцев, он находил очень смешным все, что связано с испражнениями и мочеиспусканием. Однако он никогда не переходил от теории к практике. Иногда он, под воздействием винных паров, рассказывал какой-нибудь анекдот: например, как мекленбургский рыбак накакал в саду у священника, а пастор не понял, что это такое, взял в руки и понюхал. При этом Бирон разражался диким хохотом. Ну юмор у него был такой своеобразный, что тут поделаешь!

Так что по уровню общей культуры любовники друг друга стоили, а в плане умственных способностей и практических знаний Бирон был даже выше Анны. Незаконченное высшее образование Бирона, в противовес отсутствию оного у Анны, все же давало о себе знать.

Эрнст Бирон был завзятым лошадником — вероятно, страсть к этим животным передалась ему от предков. Правда, это единственное, что он сделал для блага России. В стране появились новые породы лошадей, а коневодство в целом было поставлено на соответствующий тому времени западный лад. При Бироне строились новые конные заводы, на племя завозились лучшие лошадиные породы из Дании и Германии. Даже церковному ведомству по настоянию Бирона поручили в своих хозяйствах заниматься коневодством. Для контроля за этим важным делом (а лошадь тогда заменяла собой и автомобиль, и трактор, и паровоз) в 1731 году была создана Конюшенная канцелярия. Правда, и в этом благородном деле Бирон остался верен себе. Австрийский посланник при русском дворе барон Остен отзывался о нем так: «Когда граф Бирон говорит о лошадях, он говорит, как человек; когда же он говорит о людях или с людьми, он выражается как лошадь». Есть еще одна характеристика, данная речам Бирона современником:

«Вспыльчивый по природе, он в гневе забывал свою светскость и говорил языком, оскорблявшим даже очень неизнеженный слух…»

Очень часто Бирон днями не выходил с манежа, предпочитая самые важные государственные вопросы решать там. Самый лучший способ понравиться ему — это умение разбираться в лошадях, придя на конюшню, говорить только о них, помогать Бирону в выездке и дрессировке, а еще лучше — подарить ему хорошего скакуна.

Добавим еще немного черт для характеристики Анны Ивановны. Она любила убивать. Не людей, слава Богу, а зверей и птиц. Говорили, что она любила охоту… Но охота — это спорт, и спорт тяжелый. Ее дед, царь Алексей Михайлович, например, мог проскакать с кречетом на рукавице 20 верст, чтобы добыть какого-нибудь зайца или цаплю. Ее внучатый племянник, Петр II, 14-летний мальчик-царь, мог провести целый день в скачке с борзыми собаками, а потом соскочить с лошади, чтобы самому схватить волка за уши и связать ему пасть сыромятным ремнем. То был спорт, испытание себя и своих возможностей, свежий воздух, когда уровень адреналина зашкаливает выше нормы и когда от этого получаешь удовольствие. В такой охоте акт убийства зверя занимает весьма скромное место, а особой доблестью во все времена престижным считалось взять зверя живьем.

Ничего общего с этим «охота» Анны Ивановны не имела. Ее привлекали не поиски дичи или ее преследование; ей нравилось стрелять по живой мишени. Для ее «охоты» животных сгоняли в вольеры, а потом гнали их мимо императрицы, а она палила по ним, меняя ружья, прямо из окон дворца или террасы. Все ее развлечение заключалось в том, чтобы как можно больше убить зверья. Всего только за один «охотничий» сезон 1739 года Анна Ивановна собственноручно застрелила 9 оленей, 16 диких коз, 4 кабанов, 1 волка, 374 зайца, 608 уток и 16 чаек. Какой уж тут спорт — это было просто убийство!

«Рабочий» день Анны начинался обычно так. Она вставала в 7—8 часов утра, пила кофе и затем рассматривала свои сокровища, в 9 часов принимала своих министров (нужно заметить, что у нее их было всего три) и подписывала бумаги (как правило, не читая). После этого стреляла из окон по птицам из заранее приготовленных для нее ружей или отправлялась на конюшни к Бирону. В полдень она обедала со своим фаворитом, затем шла с ним спать, а потом выслушивала сплетни, сказки и песни фрейлин и приживалок. Одевалась Анна обычно в длинные домашние светлоголубые или зеленые платья восточного покроя, повязывая при этом голову «мещанскими» красными платками. Императрица любила играть в карты, бильярд, волчок, волан и бильбоке. Любила также русскую пляску, но на балах из уважения к Бирону танцевала только немецкие танцы. Современник оставил такое свидетельство о ее времяпровождении: «В первые годы своего правления играла она почти каждый день в карты. Потом проводила целые полдни, не вставая со стула, слушая крики шутов и дураков. Когда сии каждодневно встречающиеся упражнения ей наскучили, то возымела она охоту стрелять, в чем приобрела такое искусство, что без ошибки попадала в цель и на лету птицу убивала. Сею охотой занималась она дольше других, так что в ее комнатах стояли всегда заряженные ружья, которыми, когда заблагорассудится, стреляла из окна в мимо пролетающих ласточек, ворон, сорок и тому подобных». Несмотря на страсть к смертоубийству, у Анны во дворце держали живых обезьян, ученых скворцов и белых павлинов.

Ближайшими наперсницами Анны Ивановны были графиня Щербатова, судомойка М. Монахина и бывшая «кухонная девушка» А. Юшкова. Да, да того самого В. Юшкова, который предположительно являлся ее отцом! При этом она выдавала Юшкову за родственницу спальника своей матери. Дыма без огня не бывает — не значит ли это, что эта «кухонная девушка» была сводной сестрой Анны Ивановны? Интересный поворот, прямо скажем! Юшкова считалась «затейницей» и по вечерам рассказывала Анне разные истории, а еще ее обязанностью было стричь ногти (как сказали бы сейчас — делать маникюр и педикюр) самой императрице и… семье Биронов. Во как! При этом Анна могла лично раздавать тумаки и пощечины чем-то провинившимся наперсницам.

Один современник писал: «Она любила покой и почти не занималась делами, предоставляя министрам делать все, что им заблагорассудится». Историк Н. Костомаров дал ей такую оценку: «Возведенная на степень такого могущества, какого никогда для себя не ожидала, она оказалась вовсе не подготовленною ни обстоятельствами, ни воспитанием к своему великому поприщу. На престоле она представляла собой образец русской барыни старинного покроя… Ленивая, неряшливая, с неповоротливым умом, и вместе с тем надменная, чванливая, злобная… Анна Ивановна не развила в себе… привычки заниматься делом и особенно мыслить…»

Добавим к характеристике Анны Ивановны еще одну черту — она была страшно суеверной и панически боялась колдовства, сглаза и порчи. Однажды ее жертвой стала 19-летняя красавица Прасковья Юсупова. Дело было так. Отец Прасковьи верно служил Петру I и восшествие на престол Анны Ивановны в 1730 году встретил без особого энтузиазма. Он был дружен с Яковом Долгоруким (одним из «верховников», которые хотели ограничить власть императрицы). Когда Долгорукого за эту политику арестовали, то на всякий случай провели обыск и у его друга Григория Юсупова. В комнате Прасковьи чины Тайной канцелярии нашли куклу с выколотыми глазами, которая, по их мнению, была очень похожа на Анну Ивановну. Спрашивается, почему у куклы были выколоты глаза? Ответ очевиден — у кого есть дети, тот знает, что они любят все исследовать: мальчишки ломают машинки, чтобы посмотреть, как они устроены, а девочки иногда забавляются тем, что выкалывают куклам глаза, отрывают им руки и ноги. В общем, детская шалость, и ничего больше. Но почему в комнате 19-летней девицы, которой уже давно было замуж пора, нашли эту куклу? Может, она еще с детских времен где-то завалялась; черт его знает почему, но что Прасковья не колдовала, это точно. Тайная канцелярия сочла это, естественно, за колдовство, направленное против здоровья императрицы, и взяла девушку под стражу. Узнав о кукле с выколотыми глазами, Анна Ивановна пришла в ужас и приказала сжечь «колдунью» живьем. От такой жестокой расправы ее спас сам Бирон — вот «добрая душа». Ее отправили в Введенский женский монастырь, расположенный на территории Шадринского уезда, и заточили в каменный чулан, предназначенный для ведьм и колдуний. Потом Прасковью насильно постригли в монахини, дали имя Прокла, и она какое-то время жила среди «сестер». Однако не для княжны оказался монастырь. Она смело конфликтовала с ключницами, игуменьей, «сестрами во Христе» и священниками, приходившими «смирять ее гордыню». Прасковья не сдавалась — не помогло даже держание ее на хлебе и воде. Тогда ее опять посадили в чулан, однако и здесь она вела себя так же независимо, как и на свободе. Так продолжалось долгих семь лет. Когда же о непокорной инокине доложили Анне Ивановне, она повелела наказать Прасковью розгами. Девушке шел уже 26-й год, здоровье было подорвано долголетним пребыванием в сыром каменном мешке и скудной пищей. После унизительного наказания она слегла и потом умерла. Характерно, что в 1916 году ее потомок — Феликс Юсупов отомстил за это унижение Романовым, убив любимца царской семьи Григория Распутина. Но это так — лирическое отступление, хотя и кровавое.

И наконец, главное — любили ли Анна и Бирон друг друга? Несомненно! Так относиться друг к другу могут только любящие люди. Посудите сами — в течение целых 12 лет (с 1718 года; тогда ему было 28 лет, а Анне — 25) он опекал и сильно помогал овдовевшей герцогине, безденежной и нуждающейся, злой судьбой заброшенной в чужую ей Курляндию. Он помогал ей советами и деньгами, собираемыми с остзейских баронов, поскольку своих средств у него не было. Немаловажным было и то, что Бирон добился влияния на этих самых баронов. Для них он был свой, и они готовы были если не слушаться его, то хотя бы слышать. А Бирон в этом деле защищал интересы Анны. В то же время он не знал, что его любовница, бедная, несчастная герцогиня, вдруг станет сказочно богатой императрицей и отблагодарит его, осыпав золотом. Отношение Бирона к Анне проверено временем и подлинным бескорыстием друг к другу. Ведь главное в любви — это бескорыстие, когда ты за любимого человека, образно говоря, готов жизнь отдать, ничего не требуя взамен. Лишь бы любимой было хорошо! Лишь бы она не страдала, не плакала, не горевала и не печалилась. Жить для любимой женщины, отдавать всего себя в ее распоряжение — тоже немыслимое счастье!

Для характеристики их отношений приведем свидетельство одного современника: «Никогда еще на свете, чаю, не бывало дружественнейшей четы, приемлющей взаимно в увеселении или скорби совершенное участие, как императрицы с герцогом Курляндским. Оба они почти никогда не могли во внешнем виде своем притворствовать. Если герцог являлся с пасмурным лицом, то императрица в то же мгновение встревоженный вид принимала. Буде то весел, то на лице монархини явное напечатывалось удовольствие. Если кто к герцогу не угодил, то из глаз и встречи монархини тотчас мог приметить чувствительную перемену...» Это ли не подтверждение давнего утверждения о том, что давнишние супруги со временем становятся похожими друг на друга, если они живут общими заботами, радостями и печалями! Добавим к этому еще одну черту — однажды Анна Ивановна не пошла на бал из-за того, что Бирон упал с лошади и ушиб ногу. Следовательно, он танцевать не мог, не стала этого делать и Анна. Вот так!

Да, они были не любовниками, а именно супругами, так как жили в гражданском браке. Некоторые историки даже утверждают, что Анна была однолюбкой. Нет, однолюбкой она, конечно, не была, так как в ее жизни был и Петр Бестужев и Мориц Саксонский, но то, что она без ума любила Эрнста Бирона, — это точно. И осталась верна ему до конца своих дней. Точно так же и Бирон — это он был однолюбом; он не заводил себе связей на стороне, не прелюбодействовал с фрейлинами и так же был верен Анне, как и она ему. Бирон был близким ей по духу человеком и лидером в их романе, каким и должен быть настоящий мужчина.

Как известно, чувство любви присуще всем — и уродам, и нищим, и богачам, и вельможам, и дикарям; прекрасным и достойным людям и совсем недостойным, жестоким и малообразованным. Так есть сейчас, так было еще и в допотопные времена. Бирон и Анна были жестокими и недостойными людьми, но их извиняет одно — у них была настоящая любовь! А этим многое прощается, если не все! С точки зрения бога любви Амура, конечно.

А как же «плоды любви» — дети, спросите вы? Не может такого быть, чтобы у Анны с Бироном, здоровых в половом отношении людей, не было детей! Да еще при тогдашних способах предохранения! Дети были, конечно, но о них ходили лишь слухи. И слухи эти исходили от недоброжелателей Бирона с Анной, от людей, пострадавших от них. Естественно, что им хотелось представить Анну, ко всем ее прочим грехам, как чудовище. Причем эти слухи появлялись задним, так сказать, числом, уже после смерти Анны и удаления Бирона от двора. Но это и естественно, потому что за «оскорбление» государыни тогда полагалось жестокое наказание, а потому и разговаривать вслух ближние дворяне тоже не могли.

Говорили, что она приканчивала своих неродившихся детей (которых было множество) самым варварским способом — травила их в своей утробе какими-то зельями и отварами, извлекала трупики из своего живота вязальными спицами (иногда по частям) и так далее. Кому в это хотелось поверить — тот верил.

Гораздо правдивее были замечания иностранных современников. Они слышали, что Анна отдавала своих детей от Бирона (или, может быть, и от Петра Бестужева) на воспитание в семьи надежных людей, простолюдинов. В какие, спросите вы? А вот это неизвестно, это была тайна, покрытая мраком.

Существовали также предположения, что дети Бирона — Петр и Карл, на самом деле были детьми Анны Ивановны, во время беременности которой жена Бирона Бенигна подвязывала себе подушки под живот. Да, Эрнст Бирон женился, и опять же, по слухам, это было сделано по настоянию самой Анны, чтобы не компрометировать себя связью с Бироном, так сказать, для отвода глаз. В 1723 году она выдала свою фрейлину Бенигну-Готлиб фон Тротте-Трейден замуж за Бирона. Современники сообщают, что Бенигна была неумна, безобразна и имела огромный рост. Тем не менее она была склонна к роскоши: только одно ее платье стоило 500 тысяч рублей; в нем она любила сидеть на особом тронообразном кресле и требовала целовать себе руки (при этом обижалась, если ей целовали одну руку, а не две). Лучшего объекта для прикрытия и найти было трудно! У Бирона и Бенигны было трое детей — сыновья Карл и Петр и дочь Хедвига-Елизавета. Тот же источник сообщает, что по крайней мере один из сыновей Бирона, а именно Карл, был от Анны Ивановны. Он родился в 1728 году и всегда спал в комнате Анны, которая никогда не расставалась с ним, и даже взяла его с собой на коронацию в Москву в 1730 году. Уже при рождении он был записан в Преображенский полк, а в 1736 году пожалован в камергеры и награжден орденом Андрея Первозванного (хотя это была исключительно привилегия для детей Дома Романовых). Умер Карл в 1801 году, ничем не проявив себя ни на военной, ни на гражданской службе. Вспоминали также, что дети Бирона любили поливать гостей чернилами и срывать парики с их голов (здесь, несомненно, чувствуется выучка Анны, любившей унижать людей). Забота о Карле у Анны Ивановны была чрезмерной. Однажды он объелся земляникой и у него разболелся живот. Нашли крайнего — гувернера Шварца (не уследил, мол), и императрица заставила его мести улицы. К счастью, гувернера пожалел сам Бирон — он дал ему тысячу рублей и отправил за границу. Так что слухи о детях Бирона и Анны, судя по всему, верны. Были у них детки, несомненно, были! Ну и слава Богу!

А теперь обратимся к последним дням царствования императрицы Анны Ивановны. В сентябре 1730 года у нее появились признаки подагры, но их приняли за женскую болезнь. Потом началось кровохарканье и боли в пояснице — врачи связали это с нарывом в почках. 5 октября по возвращении из Петергофа она почувствовала себя плохо и с того дня слегла. Однако однажды она встала с постели — и этому послужило чрезвычайное обстоятельство. Это событие хорошо задокументировано в русской истории, и не верить ему нет причин.

Дело было так. Ночь. Анна Ивановна лежит больна. Во дворце тишина. Караул стоит в комнате возле тронного зала. Пробило полночь. Внезапно в тронном зале появилась Анна Ивановна, одетая в белые одежды. Она стала ходить по залу взад и вперед, задумчиво склонив голову. Недоумение часовых сменилось страхом, а страх — тревогой. Начальник караула отправил вестового за Бироном. Разбуженный среди ночи фаворит примчался злой как черт, ругаясь сразу на трех языках. Он заглянул в зал и сразу же почему-то понял, что это не Анна. Он посчитал это каким-то обманом или заговором. Поспешно разбудили саму императрицу. Бирон уговорил ее «выйти, чтобы на глазах караула разоблачить какую-то самозванку, какую-то женщину, пользующуюся сходством с ней, дабы морочить людей, вероятно, с дурными намерениями». Когда Анна Ивановна пришла, все увидели в тронном зале «две Анны Ивановны, из которых настоящую, живую, можно было отличить от другой только по наряду». Надо отдать должное храбрости Анны (другая бы на ее месте в обморок свалилась) — она смело направилась к своему двойнику и спросила: «Кто ты, зачем пришла?» Не отвечая ни слова, призрак стал пятиться к трону. Тут Бирон взревел: «Это дерзкая обманщица! Вот императрица! Она приказывает вам, стреляйте в эту женщину!» Хотя Анна Ивановна ничего такого и не приказывала, солдаты стали поднимать ружья. Неизвестно, чем бы все это закончилось, но тут призрак внезапно исчез… Тогда Анна Ивановна вышла из зала и, обращаясь к Бирону, тихо сказала: «Это смерть моя». После этого она поклонилась солдатам и удалилась в свои покои.

Императрица сильно болела и выздороветь уже не надеялась, а потому появлению призрака нисколько не испугалась и не удивилась. Она действительно умерла через несколько дней, 17 октября 1740 года, в возрасте 47 лет, совсем еще молодой женщиной. Перед своей смертью она написала завещание, согласно которому трон переходил к ее внучатому племяннику — 2-месячному Ивану Антоновичу, бабкой которого была ее сестра, царевна Екатерина. Регентом до совершеннолетия младенца Анна назначила Эрнста

Бирона. Уже лежа на смертном одре, она подозвала Бирона к себе и вымолвила: «Жаль мне тебя, Бирон, без меня тебе не будет счастья», а потом ободрила его: «Не боись!» Бирон, не переставая плакать, до последней минуты стоял на коленях у постели умиравшей супруги.

Так закончился роман этих двух неоднозначных личностей, Бирона и Анны, которых объединяла большая и светлая ЛЮБОВЬ.

Чем же закончилась история с Бироном? Анна Ивановна оказалась права — счастья у него без нее больше не было. Не прошло и трех недель, как он был отстранен от регентства и заключен в Шлиссельбургскую крепость.

Нетрадиционные отношения

ПРАВИТЕЛЬНИЦА АННА ЛЕОПОЛЬДОВНА

Анна и Юлиана легли в постель в одних ночных рубашках и тесно прижались друг к другу. Скоро они начали горячо целоваться, потом скинули с себя ненужные одежды и принялись ласкаться, дотрагиваясь губами до самых интимных мест, до самых потаенных закоулков женского тела...

Речь идет об Анне Леопольдовне, правительнице России в 1740—1741 годах, и ее ближайшей подруге по лесбийским развлечениям Юлиане фон Менгден. Каким же образом оказалась у власти особа со столь необычным для русского уха отчеством, и какой она оставила за собой след, кроме «нетрадиционных отношений» с Юлией?

Один современный популяризатор русской истории однажды заметил, что: «Правительница Анна Леопольдовна и ее муж по своей полной незначительности, даже ничтожности, попросту не заслуживают отдельной главы (в его сочинениях. — *Автор*). О них совершенно нечего сказать — разве что упомянуть мимоходом, что означенная Анна обрела сомнительную славу первой документально отмеченной в российской истории лесбиянки…»

Ну, раз уж популяризатору нечего сказать, тогда скажем мы. Это ему о втором по счету в российской истории генералиссимусе нечего сказать? (Заметим, что за всю военную историю России у нас было всего четыре генералиссимуса — Александр Меншиков, принц Антон Брауншвейгский, Александр Суворов и Иосиф Сталин. К слову сказать, Александр Меншиков, одно время вдобавок ко всему, носил еще и звание рейхсмаршала. Мы знаем из европейской истории только двух рейхсмаршалов — Александра Меншикова и Германа Геринга.) Это о «железной маске» нечего молвить? Это о нетрадиционной сексуальной ориентации Анны ему нечего говорить? Ну и ну! Ведь правление Брауншвейгской династии в России, продолжавшееся чуть более года, прямо перенасыщено важными событиями, интригами, соперничеством, драмами и трагедиями и любовными романами, конечно. Вот с этого момента поподробнее — наверняка попросит наш читатель. Пожалуйста! Только вначале осветим историю о том, как Анна Леопольдовна дошла до жизни такой — стала регентшей при своем малолетнем сыне-императоре.

Как мы уже писали выше, у царя Ивана V с царицей Прасковьей было пять дочерей — Мария, Феодосья, Екатерина, Анна и Прасковья (две старших умерли в младенчестве). О средней дочери, Анне, мы уже писали, а вот о более старшей, Екатерине, — ни полслова. Младшая, Прасковья, обрела тихое семейное счастье с генералом Мамоновым, а судьба старшей, Екатерины, была ох какой незавидной.

Она вышла замуж позже своей сестры Анны, в 1716 году, за герцога Мекленбургского Карла-Леопольда. Таким образом, Петр I путем династических браков решил упрочить свое влияние в северогерманских княжествах. О согласии Екатерины на этот брак, разумеется, никто не спрашивал. А герцогу, пожалуй, было все равно, так как до того он был уже однажды женат. О, герцог Карл-Леопольд был крайне неординарной личностью — мерзавцем, каких еще поискать надо!

Почему Петр I выбрал в жены своей племяннице столь неуравновешенного типа? Дело в том, что Россия тогда воевала со Швецией, и Мекленбург-Шверинское герцогство — тоже. У этого герцогства шведы когда-то отобрали город Висмар, и Карл-Леопольд хотел вернуть его при помощи русского царя, а Петру I нужна была база для своих военных кораблей в этом регионе. Таким путем обе стороны пришли к взаимному согласию: тут любовью и не пахло — чистая военная политика. Сначала герцог Карл-Леопольд попросил себе в жены Анну, которая неожиданно овдовела, но Петр предложил ему Екатерину, что герцогу было в общем-то по барабану. Свадьба состоялась в апреле 1716 года в Данциге (ныне Гданьске) в присутствии самого Петра I и польского короля Августа II.

Герцог Карл-Леопольд Мекленбург-Шверинский родился в 1677 году, то есть был старше невесты на четырнадцать лет (Екатерина родилась в 1691 году). Он был уже женат на принцессе Софии–Хедвиге Нассау-Фрисландской. Детей у них не было, и из-за несносного характера герцога его супруга затеяла бракоразводный процесс. Интересно, что деньги на развод дал ему Петр I — видно, уж очень важно было для него это крошечное северогерманское герцогство. По отзывам современников, герцог был грубым, невоспитанным, своевольным и склочным правителем, с непредсказуемым характером. Карл-Леопольд чувствовал себя неуютно, если ему не представлялось повода для ссоры или скандала. Он удивительным образом умел наживать себе врагов. Однажды он, поссорившись с младшим братом, поджег его замок, отчего выгорела большая часть города Грабова. Даже перед свадьбой он сильно повздорил с Петром I по пустячному поводу: следует ли в бою врага рубить или колоть? Дело дошло до крика, причем орали оба правителя. Ко всем его прочим недостаткам, герцог был скуп до неприличия и никогда не отдавал долгов. Его любимым выражением была поговорка: «Старые долги не надо платить, а новым нужно дать время состариться».

Он перессорился со всем мекленбургским дворянством, желая отобрать у него льготы и привилегии, за что те его возненавидели. Да так возненавидели, что Карл-Леопольд был вынужден бежать за границу и стал собирать там войско, чтобы расправиться со своими подданными. Он так достал своими выходками императора «Священной Римской империи» Карла IV, что тот вынужден был двинуть против него целый карательный корпус. Армия герцога была разгромлена. Герцогством стала править особая комиссия, созданная из обиженных Карлом-Леопольдом дворян. Для жительства ему оставили город Шверин и крепость Демниц.

Вот в этой-то обстановке у Карла-Леопольда и Екатерины в 1718 году родилась дочь, названная Елизаветой-Екатериной-Христиной. Ее папашка был настоящим тираном и деспотом. Он все время изводил жену мелочными придирками, порой дело даже доходило до рукоприкладства. Поскольку Карл-Леопольд был скуп, то не предоставлял своей жене положенного ей по брачному контракту содержания. Правда, и Екатерина за словом в карман не лезла и при случае могла надавать герцогу оплеух. Так что при выяснении супружеских отношений ссоры часто заканчивались взаимным мордобоем. Немецкие подданные Карла-Леопольда даже прозвали ее «дикой герцогиней». Постоянно нуждаясь в средствах, она обращалась с письмами-просьбами к своей матери, царице Прасковье, а та, в свою очередь, забрасывала слезными посланиями Петра I, умоляя выручить Катерину.

В 1722 году, не выдержав издевательств и жестокого обращения сумасбродного супруга, Екатерина запросилась с дочерью домой. Петр I разрешил ей приехать, а заодно предложил Карлу-Леопольду перебраться на ПМЖ в Россию. Однако герцог без герцогства отказался ехать к жене, и с тех пор они больше никогда не виделись, хотя формально в разводе и не были. Он был занят очередным витком борьбы со своими настоящими и воображаемыми противниками и в итоге нашел приключение на свою голову.

Судьба Карла-Леопольда, герцога Мекленбург-Шверинского, была печальна. В 1736 году он был осужден на сейме рейха, окончательно лишен права на престол и заключен в ту самую крепость Демниц, где он и скончался в 1747 году. Все, конец фильма.

Екатерина Ивановна вместе с дочерью Елизаветой-Екатериной-Христиной поселилась в подмосковном Измайлове, во дворце своей матери, царицы Прасковьи. Бабушка души не чаяла в своей внучке и еще во время ее пребывания в Мекленбурге забрасывала ее нежными письмами. Например, такими: «Внучка, свет мой! Желаю я тебе, друг мой сердечный, всякого блага от всего моего сердца; хочетца, хочетца, хоцетца тебя, друг мой внучка, мне, бабушке старенькой, видеть тебя, маленькую, и подружиться с тобою: старая с малой очень живут дружно...» Понятно стремление царицы Прасковьи увидеть и обласкать девочку — ведь это была ее единственная внучка.

Сама же Екатерина, отойдя от мекленбургских ужасов и от недоедания, быстро поправилась и занялась своим любимым делом — балами, танцами до упаду и пирами. Она была не слишком красивой, но на редкость общительной, жизнерадостной и веселой женщиной. Характер у слегка полноватой Екатерины был бойкий и резвый. Больше всего на свете она любила удачную шутку, веселый розыгрыш и заразительный смех. Не в меру болтливая, она так и сыпала словами, нисколько не задумываясь об их смысле. Все, что было у нее на языке, немедленно выплескивалось наружу. Она без умолку болтала с дамами и кокетничала с кавалерами. (Вот что интересно — а на каком языке они с герцогом ссорились? Поскольку Екатерина не знала немецкого языка (ее учили ему, но так и не выучили), а Карл-Леопольд — русского, то наверняка применялся международный язык, когда неуравновешенный муж выясняет отношения со своей не в меру болтливой женой, — язык обоюдных тумаков и затрещин). Умерла Екатерина Ивановна в 1733 году совсем молодой, в возрасте 42 лет, от водянки.

Ну и хватит о грустном, хотя дальнейшая история и так невеселая. Когда в 1722 году Екатерина с дочкой приехали в Измайлово, бабушка была уже старенькой и передвигалась только в кресле на колесиках. Голштинский герцог Карл-Фридрих, однажды посетив подмосковный дворец царицы Прасковьи, увидел у нее на коленях «очень веселенького ребенка лет четырех». Это и была героиня нашего очерка, Елизавета-Екатерина-Христина, а в православии Анна Леопольдовна.

Однако, как бы бабушка ни любила свою ненаглядную внучку, все же бабушки бывают разными. Все зависит от среды, в которой они живут. А среда эта пошла не на пользу внучке. Дворец царицы Прасковьи, с его «гошпителем уродов, ханжей и пустосвятов», по удачному выражению Петра I, был настоящим рассадником самых низменных чувств и инстинктов. Мы уже писали, что не все «дураки» были дураками и не все «шуты» были шутами, среди них попадались даже князья! Дворец царицы Прасковьи представлял собой загаженный гадюшник с вечно немытыми полами и хламом по углам. Мы уже сообщали о той обстановке, которая царила во дворце Прасковьи, а вот еще один штрих историка В. Ключевского: «В многочисленных маленьких горницах дворца царили беспорядок, грязь, духота и вечное ничегонеделание. Царицу окружала целая толпа богомолок и богомольцев, нищих, гадальщиц, калек, карликов, шутов и скоморохов. Эти приживальщики, в грязных изодранных рубашках, или гнусаво тянули жалобные песни, или же кривлялись, плясали, забавляя невзыскательную на удовольствия измайловскую обитательницу и ее дочек. Особенным расположением здесь пользовались разные предсказатели и юродивые». Вот эта-то нездоровая среда самым роковым образом и повлияла на воспитание и характер будущей правительницы России Анны Леопольдовны.

«Это было низкое, насквозь лживое, страшно развратное, неряшливое и убогое в умственном отношении существо», — как выразился один нынешний писатель. Однако лучше доверять современникам Анны Леопольдовны. Князь П. Долгорукий отзывался о ней так: «Это была светлая блондинка, с лицом маловыразительным, хорошо сложенная и довольно грациозная. Питала отвращение ко всему серьезному занятию и всегда имела усталый, скучающий вид; несмотря на свою флегматичность, она была очень чувственная, очень не любила стеснять себя и большую часть дня проводила полуодетая, без дел, беспорядочно мечтая». Насчет чувственности — это да, и мы к этому еще вернемся.

Однако лучше всего посмотреть на сохранившиеся портреты Анны Леопольдовны. С них на нас смотрит приятная, хорошо сложенная молодая женщина, но с каким-то трагическим выражением на лице, с опущенными вниз уголками рта. У нее было вытянутое, с правильными чертами лицо, черные волосы и черные глаза и прекрасная фигура. В общем, Анна производила впечатление на окружающих. В то же время, как мы знаем из воспоминаний современников, она за своей прической и одеждой не следила и никому понравиться не старалась, а уж кокетство у нее отсутствовало начисто. Вот так внешняя среда повлияла на образ жизни и занятия бабушкиной внучки.

Ее жизнь так бы и прошла, не оставив в истории никакого следа, если бы в 1730 году императрицей не стала ее родная тетка Анна Ивановна. Она приблизила к себе сестру Екатерину с племянницей и полюбила девочку от всей души. В 1733 году ее перекрестили в православие (до того она была лютеранкой по отцу) под именем Анны. Она получила имя тетки, а вот с отчеством никак не вытанцовывалось — то ли ее величать Карловной, то ли Леопольдовной, поскольку у папашки было двойное имя. Сошлись на Леопольдовне. Некоторые иностранные дипломаты даже полагали, что Анна Ивановна удочерила девочку (ее мать умерла в том же году) и готовила ее себе в преемницы. Для чего это было нужно императрице Анне? А чтобы сохранить трон за своей ближней родней, внуками царя Ивана V. Потомки Петра I (дочь Елизавета и внук Карл-Петер-Ульрих) в расчет не принимались; их даже опасались приближать к престолу. Поэтому в 1731 году Анна издала указ о присяге своему преемнику, и на эту роль стали готовить юную Анечку, то есть ребенка, которого она родит.

Для повышения образования Анны императрица выписала из-за границы опытную наставницу, вдову генерала по фамилии Адеркас. Но девочка ни за что не хотела воспитываться и быстро превратилась в трудного подростка. Она была диковата, скрытна, строптива, сторонилась дворцовых развлечений, все время проводила за карточной игрой и вообще одевалась и причесывалась кое-как. Она постоянно всех дичилась, в том числе и молодых мужчин. В общем, как сказали бы сейчас, девушка была страшно закомплексована. По словам французского посланника де ла Шетарди, матери Анны, герцогине Екатерине Мекленбургской, пришлось «прибегать к строгости против своей дочери, когда та была ребенком, чтобы победить в ней дикость и заставить появляться в обществе».

Зато она любила читать романы, что считалось в то время предосудительным (она разговаривала и умела читать на нескольких языках). Еще царица Прасковья приставила к Ане крепостную девушку, чтобы учить ее русскому языку, а госпожа Адеркас обучала ее иностранным языкам. Разным православным церковным премудростям ее взялся обучать архиепископ Феофан Прокопович.

На минуту прервемся и поговорим о чтении Анны Леопольдовны. Ведь то, какие книги ты читаешь в 15-летнем возрасте, закладывается в характер человека на всю жизнь. Книги очень много значат для воспитания неокрепших душ, да и стоит ли говорить о прописных истинах! Помните, как у В. Высоцкого сказано — важно, какие ты книги в детстве читал. А изо всех иностранных книг Аня больше всего любила читать о любви, истории о страдающих, но верных своему избраннику принцессах или же страдающих принцессах, борющихся со своими угнетателями. Заметим — и то, и другое в ее жизни было — прямо как по писаному!

Позволим себе еще одно замечание — Анна Леопольдовна была единственной изо всех потомков царя Ивана V, которая овладела иностранными языками и любила читать.

Свататься к Анечке стали рано (еще бы, за ней в приданое отдавали целую Россию!), когда ей было всего 11 лет. Первым соискателем на ее руку и сердце стал брат короля Португалии инфант Эммануил. Однако этот заморский принц был неразборчив в связях — ему было все равно, на ком жениться, лишь бы кусок послаще был — на юной Анне, на дочери Петра I Елизавете и даже… на самой императрице Анне Ивановне! Анна Ивановна всплакнула о своем, о бабьем, и выставила любвеобильного Эммануила вон. Сама же она хотела, чтобы Аня вышла замуж за маркграфа Карла Бранденбургского, племянника прусского короля. Однако венский двор решил иначе. При чем здесь Вена, спросите вы? А при том: в те времена в Европе существовало некое объединение, наподобие сегодняшней объединенной Европы, и называлось оно «Священная Римская империя» германской нации, в которую в основном входили германские земли. То есть все мелкие раздробленные немецкие княжества (которых в разное время было то ли 200, то ли 300) должны были подчиняться одному центру и одному императору (другое дело, что они не всегда его слушали). А Вена как раз была тем центром, и австрийский император был как раз тем лицом, который творил германскую политику.

Жениха для 14-летней Анны в Европу поехал искать генерал-адъютант Карл Левенвольде, «дабы там осмотреться, но никому обещаний не давать». И нашел! Генералу, по свидетельству очевидцев, «австрийский двор щедро заплатил», и он остановил свой выбор на перспективном юном принце Антоне Ульрихе Брауншвейг-Беверн-Люнебургском. Эта фамилия была уже известна в России — родная тетка Антона, Шарлотта, была женой несчастного царевича Алексея и матерью императора Петра II. Другая его тетка, Елизавета, была супругой императора той самой «Священной империи» Карла VI, а две его сестры стали королевами: одна женой прусского короля Фридриха II Великого, а вторая — датского Фредерика V. Английский король Георг I был дядей Антона. Так что жених и вправду был перспективным, ведь через него можно было породниться со многими царствующими дворами Европы, что в те времена было немаловажным обстоятельством. Родственные связи в политике тогда играли немаловажную роль.

Восемнадцатилетний Антон приехал в Россию в 1733 году, официально — на военную службу, а на самом деле как потенциальный жених. В переписке высоких особ его сватовство именовалось «главным делом».

Щуплый, белокурый и крайне застенчивый юноша, который к тому же еще и заикался, сразу не понравился ни императрице Анне Ивановне, ни будущей невесте. Однако отступать было уже неприлично, и принца решили испытать на военном поприще. Ему дали в подчинение 3-й Кирасирский полк, в котором Антон стал полковником; позже этот полк переименовали в Брауншвейгский.

Однако сватовство Антона затянулось на целых семь лет! В России его стали воспитывать вместе с Анной в надежде, что между молодыми людьми завяжется любовь. Принц усердно изучал русский язык, другие науки, военное дело и посещал конный манеж. Он наносил необходимые визиты и участвовал в военных парадах, балах и дворцовых приемах. Однако при всем при этом он не забывал и о «главном деле» — добиваться благосклонности Анюты. Вероятно, он был влюблен в нее «по собственному желанию». А может, этот несчастный парень действительно ее любил? По крайней мере, в своих письмах к родным он отзывался о ней в самых превосходных выражениях. Но, увы, на любовном фронте он успеха не добился: сказалась его наивность и неопытность в этих делах. Вместо того чтобы обольщать юную девственницу, он заводил разговор о скучных материях, о фортификации, например. Кстати у Антона была отличная библиотека, одна из лучших в России, правда в ней нашлось место всего трем художественным книгам — двум вычурным романам, принадлежащим перу его деда, и… «Робинзону Крузо». Остальные же книги были посвящены точным и военным наукам.

Но все было напрасно! Во-первых, против такого брачного союза отчаянно интриговали послы Англии и Франции, а во-вторых, дело было в Анечке. Она обвиняла его в слабодушии, отсутствии характера, трусости и других неприятных качествах. И действительно, с портрета Антона Ульриха на нас смотрит красивый мальчик с белокурыми локонами, с невыразительным лицом. Однако позже оказалось, что Анна ошибалась, и Антон проявил незаурядную силу воли и исключительные нравственные качества. Анна дала ему неверную оценку, и вообще она плохо разбиралась в людях; ее больше всего интересовало отвлеченное, книжное. А книжные девочки хотят более сложных отношений, чем муж—жена. Но при этом они и сами не знают, что хотят от жизни. Отсюда — и метания, психологические проблемы, бесконечные сложности, выдуманные герои. Была и еще одна важная проблема — Анна, судя по всему, больше интересовалась дамами, чем мужчинами, но об этом потом.

Все видели, что ее отношение к Антону колеблется между холодностью и неприязнью. И тому было свое объяснение — почти одновременно с Антоном в Россию приехал чрезвычайный посланник польский и саксонский (король Польши в то время являлся и герцогом Саксонским) тридцатилетний граф Карл-Мориц Линар. Он быстро добился взаимности Анечки, завоевал ее сердце, и у них вспыхнул роман. Нюра влюбилась в Линара с первого взгляда. Антон по сравнению с ним выглядел жалким замухрышкой. Красавец-мужчина быстро очаровал невинную семнадцатилетнюю простушку и уложил ее в постель. Их связь открылась в 1735 году. Разразился невероятный скандал, тем более что роман Линара и Анюты разворачивался на глазах жениха. Однако тот по своей скромности и мягкотелости молчал. Анна Ивановна была взбешена и отлично сознавала, на какое посмешище выставила ее любимая племянница. Она заперла Анну в своих покоях и выслала из страны ее наставницу Адеркас (как оказалось, она была воспитательницей и в амурных делах тоже). Камер-юнкера Брылкина, передававшего интимные записки влюбленной парочки, императрица сослала в Казань. Самого же Морица Линара по просьбе русского правительства отозвали обратно в Польшу. Над Анютой тетка установила жесточайший надзор — буквально все ее передвижения контролировались и все разговоры докладывались императрице немедленно. Теперь Анна Леопольдовна смела появляться только на официальных церемониях.

Годы разочарования судьбой и утраченной любовью наложились на замкнутый характер Анечки. Она и раньше удивляла современников своей серьезностью и сосредоточенностью. Теперь же она стала еще замкнутее и нелюдимее. Все свое свободное время она посвящала чтению французских любовных романов, над которыми порой роняла скупую слезу, горюя по своей разбитой любви. Шумных и веселых компаний она не любила, даже маленькое общество, состоявшее из четырех-пяти человек, тяготило Нюру. Такая жизнь продолжалась целых четыре года.

С возрастом облик Анны Леопольдовны несколько изменился, вернее изменились описания ее внешности, в зависимости от симпатий или антипатий к ней. Так, один из современников писал о ней: «Это была толстая немка, довольно ограниченная, чувственная и апатичная, но не злая…» Это он, конечно, загнул. Судя по дошедшим до нас портретам Анны Леопольдовны, она толстой не была. Важно другое: опять в описании натуры Анны присутствует чувственность, и это не случайно. А вот какой портрет ей дает историк Н. Костомаров: «Принцесса не обладала ослепительной красотой, но была миловидная блондинка, добродушная и кроткая, вместе — сонливая и ленивая; она не любила никакого дела и проводила праздно часы со своей любимой фрейлиной Юлианой фон Менгден, к которой питала чувства редкой дружбы». Оказывается, не только пылкий саксонец Линар занимал воображение Анны, но и Юлиана.

Вот здесь-то мы и подошли к главному — кто же это была такая Юлиана Менгден и чем она заслужила столь «редкую дружбу» Анюты? Если учесть еще и то обстоятельство, что у нее вообще друзей не было...

Как Юлиана вообще оказалась при русском дворе? С воцарением Анны Ивановны она привела с собой в Россию массу немцев во главе с Бироном (мы об этом уже писали). Как писал в своих мемуарах Христофор Манштейн (предок того самого Манштейна, который пер как танк на Сталинград, сто болячек ему в печенку!), «в царствование императрицы Анны при дворе желали иметь фрейлинами лифляндок, а семейство барона Менгдена... пользовалось большим расположением герцога Курляндского (то бишь Бирона)». Ко двору пригласили сразу четырех сестер Менгден — Доротею, Юлиану, Якобину и Аврору. Старшая из них, Доротея, стала женой сына фельдмаршала Миниха, о Юлиане пойдет речь впереди, а младшая, Аврора, была потом женой личного врача императрицы Елизаветы Лестока. В этой семейке был еще и двоюродный брат Карл Людвиг; он являлся президентом Коммерц-коллегии.

Как видим, протекцию провинциальному остзейскому роду сделал Бирон, и они стали влиятельными лицами при русском дворе. Кстати, баронский титул Менгдены получили только в 1736 году, да и то стараниями Юлианы. Все тот же Христофор Манштейн дал такую нелицеприятную характеристику сестрам Мангден: «Девицы эти, мало видевшие людей, не обладали умом, необходимым для ведения дворцовых интриг, поэтому три и не вмешивались в них. Но Юлиана, любимица правительницы, захотела принимать участие в делах, или, лучше сказать, от природы ленивая, она сумела передать этот порок своей повелительнице». В этом отрывке речь идет о большом влиянии Юлианы на Анну Леопольдовну, которая якобы воспитывала ее в собственном духе. Трудно сказать, кто на кого влиял больше, несомненно одно — обе девицы нашли друг в друге родственную душу. Обе ленивые, неряшливые, неухоженные и вместе с тем чувственные и романтичные, они стали очень близкими подругами. Если не сказать больше.

Юля Менгден родилась в 1719 году, то есть была на год моложе Анюты. Тут мало сказать, что они были близкими подругами — это было нечто большее, чем дружба. Анна и Юля могли сутками не выходить из своей комнаты и находились там «неубранными», то есть непричесанными и полуодетыми, с косынками на растрепанных волосах, в одних нижних рубашках. Чем они там занимались, было неизвестно, но по дворцу сразу же пошли слухи об их нетрадиционных отношениях. Интересно знать, где они этому научились? Ведь лесбиянство — это игры аристократок, развращенных, утонченных и изнеженных, которым было уже мало мужчин и требовалось что-нибудь погорячее. Провинциалке Юле Менгден негде было этому научиться, а Анечку держали в ежовых рукавицах. Вывод здесь может быть только один — из французских любовных романов, конечно, которые запоем читали подруги. Только из них. То есть они были в этом деле чувственными самоучками, что еще более добавляло остроты в их ощущения — искать новые способы удовлетворения друг друга, придумывать новые позы и новые ласки. Это ведь было так увлекательно и заманчиво! Так что сцена, описанная нами выше, вполне могла иметь место и наверняка имела! Было доподлинно известно, что они спали в одной постели. По словам английского посланника в Петербурге Э. Финча, Анна испытывала к «пригожей смуглянке» Юлиане страсть, похожую «на самую пламенную любовь мужчины к женщине». Ну, а как же мужчины — Линар, например, или Антон, за которого она в итоге вышла замуж и родила ему пятерых детей, — спросите вы? Ответ может быть только один — Анна была полигамисткой, то есть могла предаваться любви как с мужчинами, так и с женщинами. Юлиана, похоже, была скрытой лесбиянкой, но вместе с тем и не чуралась мужчин. Но об этом позже.

Когда Анна Леопольдовна стала правительницей, эти порядки сохранились. Подруги, запершись в своих покоях, предавались любви, судачили о том о сем, бездельничали, в то время как государственные мужи напрасно ждали аудиенции. Даже муж Анны, Антон Ульрих, вынужден был томиться в очереди, часто безуспешно, чем не раз громко выражал свое недовольство. А фаворитка Юлиана определяла круг лиц, допускаемых к правительнице. Так что возмущение Антона понять можно.

Однако мы забежали немного вперед. Итак, сватовство Антона к Анне, как мы уже и писали, продолжалось семь лет. За это время принц Брауншвейгский проявил себя опытным и мужественным офицером. Вот ведь что в человеке может быть намешано — и мягкотелость, несмелость и вместе с тем неустрашимость в бою, отвага и мужество. Прусский король Фридрих II так отзывался о нем: «Неустрашимость была его природным качеством».

По правде говоря, Антон мог бы отсидеться в Петербурге, ожидая благосклонности Анны, но он был честен и прямолинеен — раз его определили на военное поприще — значит, он должен участвовать в войне. И он это делал с такой самоотверженностью и отвагой, что заслужил почет и уважение не только командования, но и простых солдат. При штурме

Очакова в 1737 году принц Антон находился в самой гуще боя, под ним убили лошадь, другой пулей был пробит камзол, были ранены его адъютант и два пажа, но самого его ни пули, ни ядра не брали. Командующий армией фельдмаршал Миних писал о нем императрице, что Антон Ульрих вел себя в бою, «как иному генералу быть надлежит». И вправду, за штурм Очакова ему присвоили звание генерал-майора. На следующий, 1738 год он опять принимал участие в сражениях против турок и подтвердил свою репутацию честного и отважного офицера. За это он был пожалован чином премьер-майора гвардии Семеновского полка и награжден орденами Александра Невского и Андрея Первозванного. Позже, по случаю заключения мира с Турцией в 1740 году, Антону присвоили звание подполковника Семеновского полка.

Итак, военная карьера Антона складывалась удачно, а вот на любовном фронте он потерпел крах. Анна ни за что не хотела выходить за него замуж. Может, тут сыграли роль лесбийские забавы с Юлианой, может, нерастраченная любовь к Линару — трудно сказать. А может, он ей был просто противен — и такое бывает, ведь женскому сердцу не прикажешь. Вообще, будь на месте Анны Ивановны Петр I, он бы никого и слушать не стал, и Анна вышла бы замуж за Антона как миленькая. Но императрица тоже сомневалась в личных качествах жениха и потому тянула со свадьбой.

Этой ситуацией решил воспользоваться Эрнст Бирон и начал сватать Анне в мужья своего сына Петра, который, как мы помним, был предположительно и сыном Анны Ивановны. Таким образом, Бирон решил проложить дорогу своему потомству к русскому престолу. Однако Анна Леопольдовна отказала и Петру, а еще больше возмутилась императрица — ведь что получается: женятся ее сын с ее племянницей! Получится кровосмесительная связь, что ни по божеским, ни по мирским законам недопустимо! (Бирону было на это, конечно, наплевать.) Случилось невероятное — Анна Ивановна впервые в жизни выступила против Бирона! В ответ тот пригрозил уехать из России. Но как он ни вопил, как ни грозил, по его не вышло (Бирон конечно же и не подумал никуда уезжать). К тому же всполошился и венский двор — у него из-под носа уводили такую завидную невесту! Дальше медлить было нельзя!

И вот в конце июня 1739 года австрийский посланник маркиз де Ботта от имени Антона официально попросил у Анны Ивановны руки ее племянницы, на что тут же получил согласие. Вероятно, императрица почувствовала, что тянуть больше нельзя, а Анна Леопольдовна предпочла выйти замуж за ненавистного ей Антона, чем за еще более ненавистного «бироныча». Из двух зол она выбрала меньшее. Однозначно, со стороны Анны Леопольдовны этот брак был браком выбора меньшего зла от большего. Помолвка «влюбленных» состоялась 2 июля 1739 года в Зимнем дворце. Жених обещал императрице «беречь (невесту)… всю жизнь с нежнейшей любовью и уважением». Присутствовавшая на этой церемонии жена английского резидента Джейн Рондо так описывала эту сцену: «На женихе был белый атласный костюм, вышитый золотом, его собственные очень длинные белокурые волосы были завиты и распущены по плечам, и я невольно подумала, что он выглядит как жертва… (Проницательная была леди — вскоре он действительно стал жертвой!) Принцесса (невеста) обняла свою тетку (императрицу) за шею и залилась слезами. Какое-то время Ее Величество крепилось, но потом и сама расплакалась…

Потом принцесса Елизавета подошла поздравить невесту и, заливаясь слезами, обняла». Принц Антон Ульрих, по замечанию той же англичанки, «выглядел немного глупо среди этого потока слез».

Это было так по-русски, по-бабьи, как будто они расставались навсегда — Анна Ивановна не знала о своей скорой кончине, а Елизавета еще не ведала, что устроит государственный переворот. Но это будет потом, а пока стали играть свадьбу. Новобрачным было соответственно 21 год (Анне) и 25 лет (Антону).

Свадьбу отметили с невероятной пышностью — гремели оркестры, палили пушки, били фонтаны с белым и красным вином. Для «со всего города собравшегося многочисленного народа пред сими фонтанами жареный бык с другими жареными мясами предложен был». Затем, уже под вечер, вспыхнул огромный фейерверк с надписью «СОЧЕТАЮ». Молодых отвели в спальню, и казалось бы, что все пошло на лад, но не тут-то было! Молодая жена сбежала прямо с брачного ложа и всю ночь провела в Летнем саду! Императрица, узнав о таком позорном поведении Анечки, чтобы уразумить ее, прибегла к старому дедовскому способу. «Фрейлины видели через полуоткрытую дверь, как императрица била по щекам свою племянницу», — писал современник. Таким способом Анна Ивановна старалась загнать Нюру в супружескую постель. Та неохотно согласилась.

Однако прошло время, а признаков беременности у Анны Леопольдовны не наблюдалось. Антон старался изо всех сил, что даже от натуги занемог. Брауншвейгский посланник писал домой: «Медики считают, что сие происходит от ослабления его сил и здоровья». Премного опытный в таких делах адъютант Антона полковник Кейзерлинг дал ему «благотворные инструкции к поведению, дабы изрядно исполнять супружеские обязанности без ущерба здоровью». Бирон торжествовал (у его сына лучше бы «это» получилось), а между супругами начались ссоры. Тетка тоже гневалась и даже запретила пускать молодых к столу.

И Антон Ульрих вновь показал себя несгибаемым бойцом — ведь у его родителей было 13 детей! Бирон был посрамлен, и 12 августа 1740 года Анна Леопольдовна счастливо разрешилась младенцем «мужеска полу». Его назвали Иваном, по деду. Заметим при этом, что русским он был всего на четверть. Долгожданный наследник русского престола, наконец, появился. Торжества по этому поводу были неописуемы — звонили во все колокола, служили молебны, опять палили пушки. Брауншвейгская фамилия была в фаворе. Анну Леопольдовну царственная тетка настолько допекла упреками, что она, разрешившись от бремени, даже поцеловалась с Антоном! Вот ведь как! Императрица, в «лучших» старомосковских традициях, забрала ребенка от родителей к себе и спрятала его в соседней комнате как небывалую драгоценность (помните, мы рассказывали, что Анна Ивановна любила перебирать свои драгоценности. Точно так она поступила и с ребенком).

Казалось бы, супруги, Анна и Антон, должны быть счастливы. Однако беда не заставила себя долго ждать. 5 октября 1740 года с императрицей Анной Ивановной случился тяжелый приступ, а 17 октября она умерла, назначив регентом над малолетним Иваном Эрнста Бирона. Он должен был править Россией до достижения мальчиком 17-летнего возраста. Так на престол формально взошел двухмесячный император Иван VI.

Сначала регент империи оказал должное уважение к родителям императора — позволил им вместе жить в Зимнем дворце, но проститься с умиравшей Анной Ивановной их не пустил. Он же определил Анне Леопольдовне содержание в двести тысяч рублей ежегодно. Однако потом начались придирки и неурядицы — Бирон мечтал, чтобы они вообще исчезли куда-нибудь, скажем, уехали за границу, чтобы не путались под ногами. Бирон хотел править Россией сам. Он первым принял титул Высочества от Сената (а его титул звучал так: его Высочество регент Российской империи, герцог Курляндский, Лифляндский и Семигальский), и только потом (через четыре дня) его Высочеством стал принц Антон. Потом он начал грубить и хамить Антону с Анной, стремясь выжить их из России. Антона он вообще ни во что не ставил и считал его главной задачей рождение детей. В принце Антоне он видел опасного соперника.

Поскольку, как отец императора, Антон был устранен от управления страной, он был недоволен завещанием Анны Ивановны. Среди народа пошли слухи о том, что завещание фальшивое. Гвардия тоже была недовольна поведением «курляндской канальи» и тоже роптала. Возроптала она еще больше, когда за неуважительные слова против Бирона были подвергнуты мучительным пыткам капитан Ханыков и поручик Аргамаков. Гвардия хотела в регенты Антона, авторитет которого был очень высок среди военных, ведь он выказал истинное мужество и отвагу в боях с неприятелем, не прятался за спинами солдат, а это ценилось выше всего. Поэтому в гвардии началось брожение. В принципе в стране остались лишь две персоны, могущие повлиять на ситуацию, — Бирон и Антон. Однако Антон был неопытен в интригах, слишком мягкотел и абсолютно неискушен в политике. Он не раз обращался за советом к министру

Остерману, Кейзерлингу, но те сдерживали его, хотя и не порицали.

Бирон правил страной всего неделю и за это время успел настроить против себя все слои общества. «Можно предположить, что он поднялся на такую высоту только для того, чтобы совершить тем большее падение», — записал один придворный. Так оно и случилось, но чуть позже. А пока подручные Бирона схватили правителя канцелярии принца Грамматина, который под пытками показал, что Семеновский полк должен был арестовать Бирона вместе со всеми его приверженцами. Так был раскрыт заговор, которым руководил Антон.

Бирон пришел в ярость и прилюдно, на глазах у министров, сенаторов и генералов, обвинил Антона в «попытке помятежничать» и оскорбил его. Принц Антон, никогда не дававший спуску врагам, схватился за шпагу. Бирон — тоже и вызвал принца на дуэль. Однако Антон сдержался и возразил, что он не обязан отвечать за разговоры и поступки своего секретаря. Бирон снова начинает орать, что не боится ни Антона, ни Семеновского полка. (Бирон как раз боится и сильно боится, иначе не орал бы, потому как понимает, что его положение и незаконно и непрочно.)

На следующий день принц получил строгое внушение от руководителя Тайной канцелярии Ушакова, который назвал его мальчишкой и добавил, что при малейшей попытке к ниспровержению установленного строя (то есть власти Бирона) с ним поступят, как с мятежником. Вслед за этим Антона заставили написать заявление об увольнении с занимаемых должностей — подполковника Семеновского полка и полковника 3-го Кирасирского полка. Так принц Антон был совершенно устранен от всяких дел и посажен под домашний арест. Эту схватку Антон проиграл вчистую, так как был не способен играть в придворные игры, в которых нет правил.

Дальше — больше. Бирон стал обращаться с Анной и Антоном пренебрежительно, открыто оскорблял их и даже грозился отобрать у них императора-младенца Ивана, а затем выслать их за границу. Ведь принц Антон — это соперник его сына Петра! Не будь его, этот пускающий пузыри в колыбели младенец-император был бы его внуком! Ярость Бирона и его агрессия объясняются только этой злобой, а не только его мерзким характером.

Бирону было чего опасаться — все высшие чиновники, и русские и немцы, ему враждебны. Армия ему не подчиняется, а гвардия так просто ненавидит. Дворянство считает его виновным во всем, что было сделано при «бироновщине», а вернее, при «анновщине». Он уже «достал» всех. Хотя Бирону не на кого было опереться, он мог натворить много бед.

Что было делать в такой ситуации? Опасность грозила всем, в том числе и рассевшимся у трона немцам. Почему вдруг? Историк В. Ключевский резонно заметил, что «...немцы после десятилетнего господства своего при Анне, озлобившего русских, усевшись около русского престола, точно голодные кошки возле горшка с кашей, и достаточно напитавшись, начали в сытом досуге грызть друг друга».

Главную скрипку в немецком оркестре тогда играли три фигуры — герцог Бирон, фельдмаршал Миних и вице-канцлер Остерман. Вот они-то и стали грызться между собой. Бравый фельдмаршал нанес первый удар. 7 ноября 1740 года он, как шеф кадетского корпуса, представлял Анне Леопольдовне нескольких кадетов. Она хотела выбрать из них себе пажей.

В конце разговора она пожаловалась фельдмаршалу: «Граф Миних! Вы видите, как обращается со мной регент. Мне многие надежные люди говорят, что он намерен выслать меня за границу…» Миних обещал что-нибудь придумать. Он и сам ненавидит Бирона, к тому же до него дошел слух, что герцог хочет женить своего сына Петра на принцессе Елизавете, дочери Петра I. При таком раскладе фельдмаршала ждали большие неприятности.

8 ноября Миних заявляет Анне, что готов арестовать Бирона, на что она дала ему карт-бланш: «Ну, хорошо, только делайте поскорее!» А Миних и не думает медлить — как в карауле строит Преображенский полк, в котором он был подполковником. Он действует с византийским коварством — в тот же вечер идет к Бирону на ужин! Бирон как-то был беспокоен и задумчив. Неожиданно он спросил Миниха: «А что, граф, во время ваших походов вы никогда не предпринимали ничего важного ночью?» Миних вздрогнул, решив, что Бирон обо всем догадался, однако невозмутимо ответил, что-то вроде: «Я всегда действовал по обстоятельствам».

После этого «добрые» приятели распрощались, пожелав друг другу спокойной ночи, и около 11 часов вечера фельдмаршал уехал, но спать уже не ложился. В два часа ночи он вызвал к себе адъютанта Манштейна (того самого!), и они поехали в Зимний дворец. Там Миних прошел прямо в покои Анны Леопольдовны, они о чем-то переговорили, а затем велел Манштейну вызвать к Анне всех караульных гвардейских офицеров. Анна обратилась к ним с краткой речью. Смысл ее заключался в том, что Бирон ее обижает и она решила арестовать его, поручив это дело Миниху. Что надеется, что доблестные офицеры в этом помогут старому фельдмаршалу. Офицеры давно уже ожидали нечто подобное и тут же поклялись в верности Анне, на что она в ответ их горячо расцеловала. (Вот даже до чего дошло — она и мужа-то редко целовала, все больше Юлиану, но что ни сделаешь ради спасения собственной жизни!). Принц Антон про все это ничего не знал и крепко спал.

Солдаты, которым Миних объявил, что они идут арестовывать Бирона, тут же прокричали «Ура!» и с воодушевлением принялись исполнять приказания своих офицеров. Миних оставил на охране Зимнего дворца 40 гвардейцев, а с остальными 80 отправился к Летнему дворцу, где жил Бирон. Вся охрана Бирона (а его охраняли 300 человек!) тут же примкнула к бунтовщикам. Миних приказал Манштейну взять 20 преображенцев и арестовать Бирона, а в случае его сопротивления — убить мерзавца!

Манштейн прошел прямо в спальню герцогов Курляндских, где на широкой кровати спали Бирон с Бироншей. Он откинул полог и начал что-то говорить — типа: «Вы арестованы, Ваше Высочество...» и прочие банальности, которые полагаются в таких случаях. Вроде того, вы имеете право хранить молчание, а все сказанное может быть использовано против вас в суде. Я шучу, конечно, просто американских боевиков насмотрелся. Однако близко к истине. Бирон проснулся и заорал: «Караул!» Не лишенный чувства юмора, Манштейн ответил в том духе, что «караул прибыл». Бирон, испугавшись, хотел было спрятаться под кровать, но Манштейн схватил его за шиворот, одновременно зовя солдат. Бирон кинулся с ними драться. Преображенцы накинулись на временщика и стали лупить его кулаками и ножнами шпаг, изощренно ругаясь. После этого они заткнули ему рот носовым платком, завернули в одеяло и отнесли в караульное помещение. Затем, накинув на Бирона солдатскую шинель, увезли его в Зимний дворец. При этой поездке его опять здорово побили, причем Миних этому никак не препятствовал.

В этой суматохе все забыли про Бироншу, и она, как была в одной ночной рубашке, так и бросилась босиком бежать по морозу, стремясь выбраться из дворца. Гвардейцы поймали ее и спросили у Манштейна, что с ней делать. Тот приказал ее везти тоже в Зимний дворец, но, поскольку баба она была толстая и грузная, отчаянно сопротивлялась, солдатам надоело возиться с ней, и они просто зашвырнули ее в сугроб. Так она и барахталась там, пока не нашелся какой-то офицер, который велел одеть ее и все-таки отправить во дворец. Так закончилась эта трагикомедия. Эрнст Бирон пробыл регентом Российской империи всего 22 дня.

Кратко остановимся на дальнейшей судьбе Бирона, поскольку на страницах этой книги мы с ним больше не встретимся. Вместе с сыном Петром Бирона с Бироншей заточили в Шлиссельбургскую крепость. Была учреждена следственная комиссия, которая обвинила его во многих злоупотреблениях. Суд приговорил его к четвертованию, замененному пожизненной ссылкой в Пелым. Многомиллионное имущество Бирона было конфисковано, а на его содержание в ссылке определялось «кормовых» по 15 рублей в день (включая прислугу). При императрице Елизавете Бирон был помилован и получил в пользование имение Вартемберг. По дороге из Пелыма он встретился с Минихом, который, в свою очередь, отправлялся в ссылку (вот уж судьба-злодейка!) в Пелым же. Враги молча поклонились друг другу. В 1742 году Бирон был оставлен в Ярославле, где задержался на целых 20 лет. При Петре III он был возвращен ко двору и получил назад свое имущество.

Император пытался помирить Бирона с Минихом и даже предложил им вместе выпить, но Петра III кто-то отвлек: они «поставили бокалы на стол и расстались врагами». Императрица Екатерина II возвратила Бирону курляндский престол, а в 1769 году он отрекся от него в пользу своего сына Петра. Умер Эрнст Бирон в 1772 году в Митаве на 82-м году жизни (солидный возраст!). Его девиз был: «Il faut poususer au monde» (Нужно выбиваться в люди). И он действительно выбился, но какой ценой? Все тот же Манштейн (тоже немец, кстати) дал ему такую характеристику: «Характер Бирона был не из лучших: высокомерный, честолюбивый до крайности, грубый и даже нахальный, корыстный, во вражде непримиримый и каратель жестокий». Этим сказано все.

Ну, а теперь вернемся к нашим баранам, то есть героям. Просим прощения за каламбур, но более неспособной к управлению страной пары трудно было найти, и они действительно стали баранами, приготовленными для заклания. Но это произойдет почти через год, а пока победители Бирона праздновали победу.

Фельдмаршал Миних был назначен первым министром (премьер-министром по-нынешнему). Анна Леопольдовна стал правительницей Российской империи и великой княгиней. Принц Антон Ульрих получил титул Его Императорского Высочества и стал соправителем Анны. Младенец-император счастливо гугукал в своей колыбельке и корчил забавные рожицы.

Казалось бы, опасность миновала, страсти улеглись, и можно было спокойно править Россией. Но не тут-то было! Честолюбивый фельдмаршал Миних, в воздаяние своих заслуг перед Анной Леопольдовной, захотел стать генералиссимусом российских войск. Однако Анна Леопольдовна присвоила это звание не ему, что было бы справедливо, ведь он спас ее от жестокого Бирона, а... своему мужу Антону Ульриху! Нельзя сказать, чтобы и Антон не заслужил этого звания, ведь он был честным и мужественным офицером, но все же масштаб был не тот. Фельдмаршал-то был опытный вояка, участвовал во множестве сражений, да и звание полевого маршала он получил не за красивые глаза. Но звание генералиссимуса досталось, увы, не ему. Обиженный граф Миних подал в отставку... и получил ее! Так Анна Леопольдовна отблагодарила его за все, что он для нее сделал! А ведь Миних практически в одиночку совершил государственный переворот в ее пользу! В 1741 году разобиженный Миних переехал на другой берег Невы, где и затаился до времени, а Анна Леопольдовна, опасаясь, что он может и ее свергнуть с трона, приказала в Зимнем дворце удвоить караулы, и они ночевали с Юлианой каждый раз в другой спальне.

Тут, правда не обошлось без участия еще одного немца — министра иностранных дел Остермана, с которым принц Антон Ульрих сблизился в последнее время. Вспомним слова В. Ключевского, о том, что немцы, как сытые коты, начали грызть друг друга. Так оно и произошло — Остерман загрыз Миниха и сам стал первым министром. На чин генералиссимуса он не претендовал.

А теперь вернемся к одной из главных героинь нашего повествования, Юлиане Менгден. За это время она успела породниться с Минихом — его сын стал мужем сестры Юлианы, Доротеи. Она принимала самое активное участие в заговоре против Бирона, хотя мемуаристы утверждают, что фаворитка ничего не знала о предстоящих событиях — таково было требование Миниха. Однако вряд ли Анна Леопольдовна утаила это от своей лучшей подруги, ведь они были так близки! Наоборот, на том памятном ужине у Бирона присутствовала как сама Юлиана, так и ее сестра Доротея с Минихом-младшим. В ночь переворота Анна попросила ее разбудить, когда приедет фельдмаршал Миних. Когда Антон проснулся от какого-то шума, в его спальню немедленно явилась Юлиана и заявила, что Анне нездоровится и что беспокоиться нечего. При решающем разговоре Анны с Минихом она не присутствовала, но зато помогла одеться принцессе для выхода к офицерам. Она также сопровождала Анну при разговоре с офицерами. Как только Миних уехал, Анна с Юлианой прошли в комнату, где спал малыш-император, и с тревогой стали ждать результата. Всем уже было не до сна, а вскоре о заговоре узнал и Антон.

Когда решался вопрос об отставке Миниха, то Антон с Остерманом даже задумали сослать его в Сибирь, но Юлиана вступилась за родственника, и его не только не сослали, но в придачу к своим громадным имениям Миних получил 15 тысяч рублей ежегодной пенсии.

Как же отблагодарила Анна Леопольдовна свою фаворитку за участие в перевороте? Ей были отданы лучшие костюмы, конфискованные у Бирона, тканные золотом и серебром. По-немецки практичная Юлиана отдала их «выжиге» (так назывался специалист, который занимался тем, что выжигал золото из старых нарядов знати). Золота, извлеченного из кафтанов Бирона, хватило на отливку четырех подсвечников, шести тарелок и двух шкатулок (!). Богато же одевался бывший конюх! Помимо этого мадам Менгден получила и кое-что посущественнее — богатое поместье в Ливонии. Кроме этого Анна Леопольдовна охотно ссужала подругу большими суммами денег. Благодаря ее хлопотам члены ее семьи также получали большие суммы, а двоюродному брату и сестрам были пожалованы высокие придворные должности.

Теперь уже ничто не мешало Анне Леопольдовне вести тот образ жизни, который ей был по нраву — валяться в постели с фавориткой, быть непричесанной, неодетой и запоем читать французские романы. Редко, ради разнообразия, приглашались избранные люди для игры в карты.

Между тем между супругами, Анной Леопольдовной и Антоном Брауншвейгским, по-прежнему не было согласия. Уж слишком разными они были людьми! Анна не пускала его в свою постель, поскольку она была занята Юлианой, а принц злился и страдал, однако — надо отдать ему должное — амуров на стороне не заводил. При таком раскладе вещей любой здоровый мужчина завел бы себе любовницу, а то и несколько, и с ними бы утешился. Тем более что в XVIII веке это было в порядке вещей. Однако Антон был не таким, он, вероятно, действительно любил Анну. Бедный парень!

Тем временем, как только весть о восшествии на российский престол Анны Леопольдовны дошла до Саксонии, как тут же, словно чертик из табакерки, объявился Мориц Линар, давний ее возлюбленный. В иных изданиях пишут, что Анна сама его пригласила в Россию. Все может быть. Ведь она по-прежнему питала к нему нежные чувства. Поверенной в сердечных тайнах Анны стала ее фаворитка Юлиана Менгден. Как такое может быть, спросите вы? Ведь лесбиянки — страшные ревнивицы и никогда не допустят чужого в согретую ими постель! Это было известно еще издревле, известно и из нынешней нашей действительности. Честно говоря, не знаем! Однако коекакие догадки у нас есть, но об этом потом.

Так вот, Карл-Мориц Линар приехал в Россию и стал тайком встречаться с Анной. Почему тайком? Да потому, что Антон тут же узнал об этом и стал всячески препятствовать их встречам. Однако это у него плохо получалось из-за его мягкотелости. Вот что по этому поводу писал фельдмаршал Миних: «Она имела частые свидания с графом Линаром в третьем дворцовом саду, куда отправлялась всегда в сопровождении фрейлины Юлии, пользовавшейся там минеральными водами. Когда же принц Брауншвейгский тоже намеревался проникнуть в сад, для него ворота были всегда заперты, и часовым было приказано никого туда не впускать. Так как Линар жил возле ворот сада, принцесса приказала построить поблизости дачу». То есть тайные любовные свидания могли проходить как в саду, так и на даче, куда Антону был вход запрещен. И чем они на даче там занимались — Анна, Юлиана и Линар? Ответ напрашивается сам собой — только любовью втроем! Не книжки же читали! Для лесбиянок это не проблема, а Линар, думаю, был счастлив «любить» сразу двух женщин. Да еще каких! Вот так повезло мужику! Не всякому такая пруха случается!

Помимо того, что они жили шведской семьей, за Анной была замечена еще одна странность. Все тот же Миних писал: «Летом (Анна) приказывала ставить свою кровать на балкон Зимнего дворца, выходивший на реку; хотя при этом ставились и ширмы, чтобы скрыть кровать, однако со второго этажа домов, соседних ко дворцу, можно было все видеть». (Зимний дворец тогда располагался на Мойке.) И что же Анна делала в этой кровати, стоящей на балконе, с которого было «все видно»? Поскольку дело было летом, то нет сомнения в том, что Анна загорала, причем загорала обнаженная. Зачем же фельдмаршалу было делать приписку насчет того, что «все было видно»? Может, он и сам подсматривал за голой Анной — видно, что Миних писал со знанием дела, как будто сам был очевидцем. А посмотреть было на что — молодая, двадцатитрехлетняя, стройная женщина загорает голышом на балконе! А если еще и в подзорную трубу посмотреть! Слюнки потекли бы…

А скажите мне, зачем Анне так было поступать? Ведь не могла же она не осознавать того, что даже со второго этажа соседнего дома (не говоря уже о крыше) все было видно? Ответ очевиден — она нарочно так делала! Значит, помимо того, что она была лесбиянкой, занималась группенсексом, «спала» с мужчинами, так она была еще и эксгибиционисткой! Вот это набор, действительно достойный принцессы! Да, тут есть чему удивиться! «Книжная премудрость», почерпнутая из дешевых французских романов, Анной Леопольдовной была использована на полную катушку! В пору только руками развести — эту бы энергию да на благое дело…

Мемуаристы отмечали, что с приездом Линара отношения между супругами, и без того натянутые, еще больше обострились. Принца Антона перестали даже допускать к Анне Леопольдовне. Виной этому была Юлиана, она постоянно настраивала Анну против принца, и она отвечала ей тем же. Все тот же Манштейн писал: «Великая княгиня думала гораздо более о том, чтобы пристроить свою любимицу, нежели о прочих делах империи». Анна Леопольдовна действительно не утруждала себя управлением страной; так чем же ей было еще заниматься? Конечно же устраивать судьбу фаворитки, Линара и свою собственную, так как они были прочно связаны. Юлиана Менгден платила подруге верностью и преданностью, выполняя все ее пожелания. Всеми делами двора занималась мадам Менгден и даже младенец-император был поручен ей. До нашей поры дошел портрет, на котором Юлиана держит на руках маленького Ивана Антоновича. Австрийский посол так писал о роли этой фрейлины при дворе: «Она не оставляет правительницу одну ни на мгновение; даже если у нее Антон Ульрих, даже если они лежат в постели, она без смущения входит к ним». Относительно постели маркиз Шетарди подметил: «Правительница по-прежнему питает к своему мужу отвращение; случается зачастую, что Юлия Менгден отказывает ему входить в комнату этой принцессы; иногда даже его заставляют покидать постель». Вот уж несчастный Антон! И терпел же все это! Ему и в самом деле не позавидуешь!

Царевна Елизавета Петровна называла ее Жулькой, от французского имени Юлианы — Жюли, как обычно кличут собаку. То ли Елизавета хотела унизить фаворитку, то ли называла ее так за собачью преданность своей хозяйке…

Так или иначе, но Анне Леопольдовне вдруг вздумалось Юлиану выдать замуж. И не на кого-либо, а за… Морица Линара! В этом был тонкий расчет — с одной стороны, погасить слухи об их связи, а с другой стороны, сделать так, чтобы придать Линару официальный статус при дворе как мужа фаворитки. Чтобы он, как говорится, был всегда под рукой, вернее, в постели. В этом случае он мог получить чин обер-камергера. Она решила сделать так, как поступила ее тетка Анна Ивановна с Бироном — во избежание кривотолков, женить его на какой-нибудь захудалой провинциалке. И ее план вполне удался. И Линар, и Юлиана конечно же согласились, и в августе 1741 года была отпразднована их пышная помолвка. Она возложила на Линара знаки орденов Андрея Первозванного и Александра Невского и заодно пожаловала молодым несколько деревень в Лифляндии, а также роскошный дом ссыльного герцога Бирона в столице. Также Анна преподнесла Линару шпагу, усыпанную бриллиантами.

После этого саксонец, весь преисполненный радужных перспектив в России, отбыл на родину для устройства своих домашних дел. На дорогу Анна подарила ему мешок необработанных алмазов и снабдила приличной суммой денег. Вдогонку ему летели нежные письма Анны, исполненные любви и нежности. А ведь в это самое время она была беременна от своего законного мужа и родила ему дочку Екатерину; это случилось в июле 1741 года. Ну что тут скажешь? А сказать-то нам и нечего — женская логика так же труднообъяснима, как бином Ньютона.

Забегая вперед, скажем, что в Россию Линар больше не возвращался и таким образом вышел «сухим из воды» во время государственного переворота, устроенного Елизаветой.

В заключение истории о Линаре зададимся вопросом — если Анна, несомненно, была влюблена в него, то любил ли он сам? Юлиана, по нашему разумению, не в счет — она занималась сексом только из-за любви к хозяйке, выполняя все ее прихоти. Думается, что нет. Ловкий и опытный мужчина, красивый и обаятельный совратитель, он ради собственной выгоды мог притворяться в любви и водить за нос Анну вместе с Юлианой. Так что тут вопрос ясен.

Итак, династия Брауншвейгов воцарилась в России, но ни Анна, ни Антон ничего не сделали для того, чтобы удержаться у власти. Антон Ульрих из-за своей бесхребетности был в полном смысле этого слова женским подкаблучником (если его даже из супружеской постели можно было выгнать, как кошку: «Брысь!») и ничего не решал. Анна Леопольдовна же самоустранилась от власти, и все важные вопросы за нее решали чиновники. И чиновники, надо заметить, немецкие. В стране ничего не менялось — все то же засилье немцев, все тот же фаворитизм и все тот же застой. Анна пустила все на самотек. Вообще, трудно было найти женщину, настолько не приспособленную к правлению — ведь она же официально числилась правительницей.

Ну, что, спросите вы. В конце концов, что плохого об Анне Леопольдовне можно сказать? То, что она лесбиянка со всеми проистекающими отсюда комплексами? Это, конечно, грех, но ничего смертельного в этом нет. Ну, дичилась людей, ну просиживала сутками в одной ночной рубашке, читая романы и часами беседуя со своей фавориткой Юлией. Зато и голов не рубила, не тиранила никого, не тратила безумных денег на балы и вечера. Ничего хорошего Анна не делала, ну так и плохого тоже! Просто сидела, пила кофе, читала пустые книги. А что не одевалась по несколько суток — так оно и для казны легче: расходов на платья почти никаких. Например, у свергнувшей ее Елизаветы одних платьев было несколько тысяч, не считая других предметов гардероба.

В конце концов, государственный механизм мог работать и совсем без правительницы, лишь бы чиновники умные и расторопные были. И такие случаи в мировой истории были! Например, Великобританией с 1760 по 1820 год (целых 60 лет!) правил откровенно сумасшедший король Георг III, и страна не развалилась. Наоборот, эпоха короля Георга была эпохой наивысшего подъема Британской империи. Географи-

ческие открытия Джеймса Кука, расширявшего пределы империи, над которой никогда не заходит солнце, освоение Южной Африки, бесконечные войны
в Индии, колонизация Австралии и Новой Зеландии,
Наполеоновские войны, освободительная война Североамериканских штатов против владычества Англии — все это прошло мимо затуманенного взора
короля. Все эти и множество других не менее приме-
чательных событий происходят в те самые 60 лет, когда Британией правил безумный король Георг III. С его
именем на устах шли в бой солдаты, штурмуя пози-
ции мятежника Джорджа Вашингтона, именем короля
Георга новые земли провозглашались собственностью
британской короны, с его именем умирали солдаты
в многочисленных войнах на полуострове Индостан,
именем этого короля адмирал Нельсон топил французские корабли в битве при Трафальгаре и отдавал приказы герцог Веллингтон в бою при Ватерлоо.
Именно при Георге в Англии произошла промышлен-
ная революция, в результате которой она обогнала
в развитии остальные страны Европы лет на 30—40.

Имел ли хоть какое-либо отношение ко всему
этому король Георг III? Да никакого! Порой он даже
не очень понимал, что вокруг вообще происходит
и кто он сам такой! Как такое, спросите вы, может
быть? Очень даже может! И дело даже не в том, что
в России и Англии политические системы были разными (у нас самодержавие, а у них парламент). Дело
в чиновниках, которые страной управляют. Если чиновник казнокрад, если для него собственная выгода
дороже государственной — тогда пиши пропало.

Так оно и произошло в конце короткого правления Анны Леопольдовны. Чиновники-немцы заво-
ровались, страна пребывала в застое, дела шли через

пень колоду, а еще народ хотел иметь на троне русского человека, царевну Елизавету, например, дочь Петра I. Анна, как мы уже писали, от правления самоустранилась. Даже получив сведения, что Елизавета готовит государственный переворот, она не поверила им и лишь устроила ей легкий выговор. Ей не Миниха надо было опасаться, а Елизаветы! Враги Брауншвейгского семейства нашептывали Елизавете, что Анна хочет заключить ее в монастырь. И Елизавета решилась!

А теперь перейдем к самому драматичному периоду жизни наших героев. «Дщерь Петрова» медлить не стала. В ночь на 25 октября 1741 года с помощью 300 гвардейцев она отрешила Анну Леопольдовну от власти. По одной из версий, она вошла в спальню Анны, где она, по обычаю, спала в обнимку с Юлианой, и разбудила ее словами: «Сестрица, пора вставать!» (они и на самом деле были родственницами). Ошеломленная Анна только и успела воскликнуть: «Ох, мы пропали!» Потом она безропотно оделась и спустилась вниз, где ее уже ждали сани. Туда отвели и генералиссимуса Антона, которому даже одеться не дали. Два гренадера просто обернули его до колен в одеяло, свели вниз, уложили в сани, а сверху прикрыли шубой. Царственных узников отвезли во дворец Елизаветы Петровны вместе с детьми — императором Иваном VI и дочерью Екатериной.

28 ноября 1741 года Елизавета подписала указ о высылке Брауншвейгского семейства за пределы России в «их отечество». В указе также сообщалось о том, что младенец-император Иван VI отрешен от власти, а его отец лишен всех орденов и званий. Анна Леопольдовна умоляла Елизавету пощадить Ивана и быть милосердной к их семье. Также она просила оставить

ее любимую фрейлину Юлиану Менгден при себе. Та обещала выполнить ее просьбу и быть великодушной.

И начались мытарства Антона с Анной. Сначала их хотели отвезти в Митаву, но потом Елизавета передумала и оставила их в Риге. С ними стали обращаться как с государственными преступниками. Вскоре содержать в портовой Риге августейших узников показалось Елизавете опасным — ведь оттуда их могли запросто выкрасть, и вследствие этого их перевели в крепость Дюнамюнде, в трех милях от Риги. Здесь Анна Леопольдовна родила еще одну дочь — Елизавету. Почему она дала своей дочери имя своей недоброжелательницы? Может, надеялась на снисхождение? Однако она напрасно ждала его.

Этого императрице показалось мало — возможность переворота пугала ее. И такие заговоры действительно были. Двадцатилетнее царствование Елизаветы — это двадцатилетие опасности, что ее свергнут; недаром она никогда не спала ночью, а только днем!

В январе 1744 года она решила перевести арестантов в глубь страны, выбрав им для жительства глухой городок в Рязанской губернии Раненбург (ныне город Чаплыгин). Там они и жили, пока по указу Елизаветы в июне 1744 года у них не отобрали сына Ванечку и не отвезли его в Холмогоры. А через месяц и саму бывшую принцессу с ее мужем и оставшимися детьми было велено отправить на Соловки. Мадам Менгден была разлучена с Анной, и больше они не виделись. Однако они доехали только до тех же Холмогор, так как дети — Екатерина с Елизаветой болели, а Анна в очередной раз была беременна. Их оставили в Холмогорах, в том же доме, где уже пребывал в заточении их сын Иван. Они даже не знали, что он находится рядом, буквально за стеной.

А в 1746 году Анна Леопольдовна умерла от родовой горячки. Ей в ту пору было всего 28 лет. Несчастная принцесса, разлученная с сыном, скончалась «огневицею» (так тогда называли заражение крови). Вспомнился ли ей Линар и лесбийские игры с Юлианой в последние минуты ее жизни? Мы не знаем и не узнаем об этом никогда, ведь чужая душа — потемки.

По приказу Елизаветы Анну со всеми почестями похоронили в Александро-Невской лавре, рядом с ее матерью и бабкой, царицей Прасковьей. Говорят, что на похоронах Елизавета рыдала. Искренними были ли эти слезы? Сомневаемся. Достоверно известно одно — когда ей докладывали об очередном рождении детей у Анны, она приходила в бешенство, а узнав о рождении очередного сына, «изволила, прочитав, оный рапорт разодрать». Она опасалась, что сыновья Анны когда-то смогут согнать ее с незаконного места.

Всего детей от Антона Ульриха у Анны Леопольдовны было пятеро — сыновья Иван, Петр и Алексей, а также две дочери: Екатерина и Елизавета. Этим можно было бы гордится — наука полковника Кейзерлинга пошла Антону явно на пользу.

После смерти Анны, и до нее, Брауншвейгская семья проживала в архиерейском доме, огороженном высоким забором. Здесь прямо-таки напрашивается аналогия с Ипатьевским особняком в Екатеринбурге, где в ожидании расстрела содержалась семья Николая II. Семью Антона, слава Богу, не расстреляли, но она также была заточена в прямоугольнике высокой ограды.

В 1756 году 16-летнего Ивана Антоновича, уже переименованного в Григория, перевезли в Шлиссельбург и поместили там в крепость. Так началась полная трагизма и страдания история русской «железной маски», поскольку у узника даже имени не было — во всех документах его следовало было называть «известной персоной». Что толкнуло Елизавету на этот бесчеловечный шаг? Здесь дело темное. По одной из версий, в лапы Тайной канцелярии однажды попал некий купец Зубарев, который поведал о том, что прусский король Фридрих II задумал свергнуть Елизавету и освободить Ивана Антоновича. Для этого он якобы намеревался отправить в Холмогоры военные корабли с десантом. Правда это была или ложь, но Елизавета предпочла увезти Ивана от греха подальше, вернее, от моря подальше в Шлиссельбург, чтобы он был все время под контролем. А еще она дала охране приказ, чтобы при попытке освобождения Ивана Антоновича он был убит. Так оно и случилось, но только в царствование уже другой императрицы, Екатерины II. Когда поручик Мирович в июле 1764 года попытался освободить Ивана VI, то он был убит своими тюремщиками и похоронен там же в Шлиссельбурге, тайно.

Еще раньше, в 1762 году, Екатерина II прислала к Антону генерала Бибикова с предложением свободы ему лично, но не его детям. Дети должны были остаться в Холмогорах в заточении (поскольку они могли претендовать на трон), а принц мог ехать куда угодно, хоть за границу. К чести Антона он наотрез отказался от такого «лестного» предложения. Он заявил, что ему лучше умереть в заточении, чем оставить детей. К тому же у него были еще другие дети, которых ему рожала то ли кухарка, то ли горничная, в общем, прислуга. Оставить детей, и своих, и прижитых на стороне, он не мог — ему бы это не позволила совесть. Он так и остался с ними, в последние годы ослеп и скончался в 1776 году на 62-м году жизни. Был похоронен там же, в Холмогорах.

Современник писал: «Принц… имел доброе сердце; был храбр на ратном поле; робок и застенчив… При самом начале заключения своего он укорял супругу в постигшем их несчастии; но, лишившись ее, вооружился мужеством и терпением; явил пример самоотвержения, достойный родительской нежности; долговременными страданиями приобрел право на уважение потомства».

А что стало с детьми этой несчастной пары? Про Ивана Антоновича мы уже писали — он погиб в 1764 году в Шлиссельбурге. Судьба остальных отпрысков августейшего семейства была не лучше.

Екатерину во время переворота 1741 года гвардейцы уронили на пол, из-за чего она осталась глухой на всю жизнь. Катя из-за глухоты была косноязычной, и окружающие разговаривали с ней лишь жестами.

Елизавета в десятилетнем возрасте упала с лестницы и расшибла себе голову и с тех пор страдала головными болями. В 1767 году, будучи нецелованной девицей 23 лет от роду, она влюбилась в одного из своих охранников — сержанта Трифонова. Трифонов был добрым человеком и понимал, как тяжело молодым людям в неволе. Он часто сопровождал их на прогулках и даже играл им на флейте. Однако начальству показалась подозрительной эта сердобольность, и Трифонова убрали от узников. Из-за этого Елизавета оказалась на грани помешательства.

Петру тоже не повезло — «в самом детстве поврежден, отчего имеет небольшой горб и один бок несколько крив, так, как и ноги».

Только младший сын Антона, Алексей, не имел явных физических недостатков.

Несмотря на годы заточения, они выросли добрыми и скромными людьми, умели читать и писать.

Наконец в 1780 году Екатерина II решила, что дети Антона и Анны ей уже не опасны (она за это время сумела укрепить свою власть), и выслала их за границу к их тетке королеве Дании Юлиане-Марии. Императрица расщедрилась — преподнесла детям прекрасные подарки: серебряную посуду, одежду и всевозможные украшения. На корабле их и побочных детей Антона отправили вниз по Двине в Архангельск. Здесь они пересели на яхту «Полярная звезда» и отплыли в Данию, при этом их разлучили с внебрачными детьми отца. Екатерина Великая назначила этим детям пожизненные пенсии, а одна из бастардок Антона — Амалия позже вышла замуж за поручика Карикина, который был ее начальником охраны в Холмогорах.

На жительство в Дании детям Антона был отведен городок Хоренс, расположенный в глубине страны. Их приняли холодно — тетка-королева даже не захотела встретиться с ними. В чужой стране, в чужой обстановке детям (да какие уж дети, если они провели в затворничестве 37 лет!) жилось скверно, хотя они и получали большую денежную помощь от русского двора. Они тосковали по России и постоянно просили вернуть их обратно. Свобода — она штука относительная. Как сказал один поэт: «Сегодня мне дали свободу, а что я с ней делать буду?» Несвобода порой лучше свободы. Но на просьбы вернуться им всегда следовал отказ.

И они умирали один за другим, отравленные воздухом свободы, так и не женившись и не заведя детей. Елизавета умерла в 1782 году, Алексей — в 1787-м, а Петр скончался в 1798-м. Дольше всех прожила старшая дочь Антона — глухая Екатерина, она умерла лишь в 1807 году в возрасте 66 лет. Она до конца своих дней дорожила единственной реликвией, которая у нее сохранилась — серебряным рублем с изображением императора Ивана VI, ее родного брата. К слову сказать, ныне эти рубли — большая редкость, так как Елизавета приказала весь их тираж уничтожить, а того, у кого они найдутся, ждала суровая кара.

Потеряв своих родных братьев и сестру, Екатерина просила императора Александра I разрешения вернуться в Россию и принять постриг в Киево-Печерской лавре, но ответа так и не получила. Своему духовнику, отцу Феофану, она писала: «Что мне было в тысячу раз лючше жить в Холмогорах, нежели в Горсене. Что мой мы придворные датские всегда не любят, и часто от того плакала… Что они всякий день ездили в гости и прогуляться, а мне всегда дома оставляли, ни кем дома могла говорить, ни одно слово. Что они заперли меня в комнате, что бы никто не знал, что бы я делаю, и они никого не пускали, что они мне крепка запретили… И я теперь горьки слезы проливаю, проклинаю себя, что я давно не умерла».

Что сказать в заключение этой грустной, полной трагизма истории? Анна Леопольдовна и свою судьбу загубила, и судьбу своего мужа принца Антона Ульриха, и, главное, судьбу своих детей. Сын Иван, с младенчества пребывавший в заточении, был убит. Остальные дети, проведя долгие годы в узилище, скончались на чужбине. У них отняли юность.

Кто в этом виноват? Виновата, прежде всего, императрица Анна Ивановна — ведь она и сама вела праздный образ жизни, и Анну ничему не учила. И тем не менее она назначила ее в наследницы. Но при Анне Ивановне хоть были Бирон, был Миних, был Остерман — они-то и управляли государством. А Анна Леопольдовна их всех прогнала и осталась одна, совершенно не способная к государственным делам. Да и чего можно было требовать от 23-летней девушки, начитавшейся французских галантных романов?

Казалось, все заботы по управлению страной должен был взять на себя принц Антон, однако у него, кроме личной храбрости, ничего не было. Он был мягкотелым и бесхребетным человеком. Вежливым и скромным. А ему надо было бы подличать, интриговать, рубить головы, наконец, в общем, вести себя так же, как вели себя правители во все времена. Однако он органически был к этому не способен. Мы уже отмечали в рассказе о царевне Софье и князе Голицыне, что мягкость, беспечность и великодушие до добра не доводят. Такие правители долго не держатся. Так оно и случилось с Анной и Антоном. Их можно только пожалеть. А что до лесбийских забав Анны, групповухи, эксгибиционизма и бисексуальности — грех, конечно, но это личное дело каждого. Дай Бог каждому такой широкий выбор сексуальных пристрастий иметь. Если их использовать в меру, конечно. А меры Анна Леопольдовна-то и не знала…

Веселая царица

Императрица Елизавета

Веселая царица была Елисавет:
Поет и веселится, порядка только нет.
                                        А. Толстой

То, что написал граф Алексей Толстой относительно порядка на Руси, не может быть правдой хотя бы потому, что в царствование императрицы Елизаветы Петровны в стране порядок какой-никакой, а все же был. Это он для красного словца такое ввернул. А вот то, что Елизавета пела и веселилась, и всякому другому занятию предпочитала песни и пляски, — это истинная правда.

Елизавета пришла к власти в 1741 году путем дворцового переворота, свергнув законного императора – младенца Ивана VI, а вместе с ним и его мать – правительницу Анну Леопольдовну. Она сделала это, как сказали бы сейчас, нелегитимно. Ну, да бог с ней, нелегитимно так нелегитимно, дело-то прошлое. Нас больше интересует личная жизнь Елизаветы, а не политика. Вот к ней-то мы и обратимся.

Елизавета родилась в 1709 году и была дочерью Петра I и Екатерины. Ее личная жизнь строго делится на два этапа: до 1730 года и после этой даты. Почему? Позже вы узнаете почему, а пока в год рождения дочери Петр I праздновал победу в Полтавской баталии. Его войска готовились с триумфом вступить в Москву. Узнав о появлении на свет дочери, он якобы сказал: «Отложим празднество о победе и поспешим поздравить с восшествием в мир дочь мою, яко со счастливым предзнаменованием вожделенного мира». Празднование победы было отложено на три дня, после чего был дан пир в Коломенском с участием пленных шведских генералов. Так Петр праздновал свою личную победу на любовном фронте с Екатериной.

Он очень любил маленькую Лизу, назвал в ее честь один из кораблей, а в письмах называл не иначе как «дочкой-бочкой», потому как она была полненькой и пухленькой малышкой. В 1711 году эта малышка наконец приобрела законных родителей. Как так, спросите вы? А так, что Елизавету Петр завел вне брака, и только в 1711 году узаконил отношения со своей любовницей Екатериной и признал прижитых от нее детей своими. Это обстоятельство попортило много крови Елизавете, так как считалось, что она — незаконнорожденная дочь Петра. Вот если бы Петр состоял в браке с Екатериной и она родила ему дочь — тогда бы Елизавета, впрочем, как и ее сестра Анна, были бы законными детьми. Эти тонкости тогда строго соблюдались и не раз становились препятствием восшествию на престол «дочки-бочки». В конце концов, она завладела троном сама.

Итак, девочка росла до 1730 года в довольстве и достатке. Сначала, до 1725 года, ее опекал отец-император, затем императрицей стала ее мать Екатерина I, а потом страной правил ее племянник Петр II. Так что беспокоиться за свою судьбу ей было абсолютно нечего, и она жила в свое удовольствие. И только тогда, когда в 1730 году императрицей стала Анна Ивановна (представительница другого клана), ей пришлось туговато. Но об этом потом.

Лиза получила неплохое образование. В ее воспитателях ходили иностранные графини, виконтессы и толковые учителя, тоже из иноземцев. В результате Елизавета могла разговаривать на немецком, французском и итальянском языках, великолепно танцевала и блестяще освоила верховую езду. Правда, в географии она была несильна — не знала, что Англия находится на островах, и считала, что до нее можно добраться по суше. Да и зачем девочке надо было знать такие тонкости географии — ведь жизнь так прекрасна, создана для радости и веселья! И она предавалась им вовсю.

В 1718 году, то есть когда Лизе было только 9 лет, она уже отличилась на танцах на петровских ассамблеях и прогуливалась со своей сестрой Анной по Петербургу. Все на нее обращали внимание. Одетая по походной форме в бархатный лиф, красную короткую юбку, а особенно в мужской костюм, обрисовывающий все ее прекрасные формы, Елизавета была неотразима. Она еще в раннем возрасте возбуждала мужчин, очаровывая их своей молодостью и веселостью.

Еще раньше, в 1717 году, французский посол Кампредон признал ее необычайно красивой. Это было действительно так — Елизавета, по отзывам современников и сохранившимся портретам, была божественно красива и очаровательна. Придворные льстецы даже утверждали, что краше нее нет в целом мире. Отмечали ее высокий рост, тонкую талию, величественную осанку, грациозность движений, великолепный цвет лица и обворожительные глаза. По обычаю барышень из Немецкой слободы, юная Елизавета на ассамблеях носила иногда ангельские крылья за спиной. В январе 1722 года, объявляя ее совершеннолетней в присутствии многочисленных гостей, Петр I, согласно обычаю все той же Немецкой слободы, эти крылья обрезал ножом. Так ангел превратился в девушку...

Елизавета в молодости была живой, веселой, кокетливой девушкой, она хорошо танцевала и ездила верхом. Она наслаждалась жизнью, своей молодостью и красотой — легкая на подъем, веселая и шаловливая Елизавета украшала двор. При Петре II она носилась в охотничьем костюме на быстром скакуне по осенним полям, раскрасневшись от ветра, в сопровождении своего племянника. Она была чудо как хороша!

Неудивительно, что многие мужчины от нее были без ума. И любовников у нее тоже хватало. А вот с этого места поподробнее, пожалуйста, наверняка попросит читатель. Ну, что же, можно, и даже нужно рассказать о ее амурах поподробнее, учитывая специфику нашей книги.

Первый сексуальный опыт Елизавета получила в... 14 лет, что даже по тем, совсем не пуританским временам было рановато. После этого ее личная жизнь протекала ох как бурно. К 1731 году число ее любовников перевалило за десяток, учитывая, что молодой шалунье исполнилось всего 22 года! Их имена по большей части неизвестны. Елизавету можно было бы назвать легкомысленной, глупой или развратной, но это не так. Судя по всему, она каждый раз влюблялась в очередного кавалера по-настоящему (а иногда в нескольких сразу!), а то, что она увлекалась мужчинами в среднем раз в два месяца, — то такое уж у нее было свойство характера. Наверняка, дорогие читатели, и вам знаком этот тип женщин — влюбчивых и непостоянных. И ведь даже обидеться на них невозможно! Порхают по жизни как бабочки, от одного цветка к другому, вернее, от одного чувака к другому, и сами искренне верят, что они влюблены. При этом они расстаются с вами так же легко, как и сходятся. Ну что с ними поделаешь? Такой характер…

Именно такой женщиной и была Елизавета. При этом на ее личную жизнь действовали постоянные попытки выдать ее замуж. За кого только ее не выдавали!

Когда Петр I был в Париже в 1719 году, он вздумал выдать ее замуж за малолетнего короля Людовика XV. Елизавете было 10 лет, а Людовику — 9, но это Петра не смутило. Французов шокировало такое предложение, и они, сославшись на молодость короля, Петру отказали. Им совсем не улыбалось принимать в свою семью дочь вчерашней прачки, к тому же рожденную до брака. Однако Петр I был упрям — ему очень хотелось породниться с династией Бурбонов, и тогда он предложил выдать Елизавету замуж за принца Конде. Французы тоже отказали. Тогда он предложил свою дочь герцогу Шартрскому, но и здесь его постигла неудача. Петр I не оставлял своей затеи выдать Елизавету замуж за Людовика XV до той поры, пока он не женился в 1725 году на Марии Лещинской, дочери польского экс-короля. К тому времени Петр I уже умер, а «невесте» было всего 14 лет. Знал бы Петр, за какого «ходока» он хотел выдать свою ненаглядную Лизетту! Натерпелась бы она с ним, подлым изменщиком, как и Мария Лещинская, ох и натерпелась бы!

Факт. *Людовик XV (1710—1774) вначале отличался своим целомудрием. Когда он был совсем юн, маршал де Вальяр написал: «В свои четырнадцать с половиной*

лет он сильнее и развит более другого восемнадцати-
летнего юноши, и прелестнейшие дамы не скрывают,
что они всегда к его услугам». Однако он не поддавался
на провокации. В 1725 году 15-летний Людовик женился на дочери польского экс-короля Марии Лещинской.
Их медовый месяц продолжался целых три месяца —
так ему по нраву пришлась юная красавица. Он был
очарован прелестями королевы, и та отвечала ему
взаимной страстью. Старания Людовика не пропали даром — Мария исправно рожала ему детей.
Всего до 1737 года у них было 10 отпрысков. Однако
с 1732 года Мария заартачилась: «Что за жизнь! Все
время спать с королем, быть беременной и рожать!»
Король был оскорблен этим заявлением, но продолжал
хранить верность Марии, пока не встретил марки-
зу Марию-Юлию де Майи. Это была очаровательная
женщина. Уже на втором свидании он изменил королеве. Их связь целых три года сохранялась в тайне,
однако Мария Лещинская все равно узнала о ней. Она
пришла в ярость, потеряла сознание и заперлась в своей комнате. Все попытки примирения со стороны короля ни к чему не привели. Тогда Людовик заявил, что
больше никогда не появится в спальне Марии. Монарх,
уже ни от кого не скрываясь, стал открыто встречаться с мадам де Майи. Молодая маркиза, чтобы
развлечь его, принялась устраивать увеселительные
пикантные ужины, полные выдумки. Эти ужины вскоре превращались в оргии — приглашенных на них дам
раздевали, и каждый мужчина старался «выказать им
свое расположение»; затем их пускали по кругу. Потом
гости опять пили. Под утро приходили слуги и доста-
вали из-под стола короля и приглашенных женщин.

Эти вечеринки были лишь началом распутной жизни
Людовика. Вскоре похождения короля привели к серьез-

ным последствиям. Он подхватил сифилис. Летописец короля отметил, что его камердинер тайно приводил к нему каких-то девушек. Вскоре выяснилось, что сифилисом его наградила дочь мясника Пусси, которую, в свою очередь, заразил один дворцовый стражник.

В конце 1738 года мадам де Майи опрометчиво познакомила короля со своей сестрой Полин де Несль. Эта очаровательная особа покинула монастырь с явным намерением заменить свою сестру в постели Людовика. Она тотчас приступила к делу и вскоре стала его очередной любовницей. Пока мадам де Майи сокрушалась по этому поводу, для новой фаворитки короля поспешно подыскивали мужа. Им стал Феликс де Винтимиль, племянник архиепископа Парижа. Состоялась свадьба, и молодые отправились в замок, чтобы провести первую брачную ночь. Однако Феликс, получивший от короля 200 тысяч ливров за этот фиктивный брак, только сделал вид, что отправляется на брачное ложе — на самом деле его место занял Людовик. С этого дня мадам Полин повсюду следовала за королем; он осыпал ее подарками, а в 1740 году даже подарил замок Шуази, в котором они уединялись для занятий любовью. Полин отличалась бурным темпераментом, и король засыпал только тогда, когда «семь раз доказывал мощь своего скипетра». Благодаря таким «заботам» мадам де Винтимиль в 1741 году родила сына, получившего титул графа де Люка. Она скончалась в том же году из-за родовой лихорадки.

Тогда король снова бросился в объятия мадам де Майи, чему она была очень рада, но уже в 1742 году переключился на еще одну сестру — герцогиню де Лорагэ. Она обладала «приятной полнотой форм» — именно такие женщины считались тогда привлекательными для мужчин. Он «любил» ее везде — на скамьях, на диванах, на лестничных ступенях; при этом герцогиня издавала сладострастные вопли. Однако этого Людовику показалось мало — он потребовал, чтобы и мадам де Майи присоединилась к ним, желая «спать между двумя сестрами». Надо сказать, что сестры представляли собой резкий контраст — если мадам де Майи была худышкой, то герцогиня Лорагэ являлась толстушкой. Вероятно, Людовику понравилась такая экзотика, но ненадолго — вскоре он избавился от обеих сестер.

Очевидно, сестры мадам де Майи обладали какой-то особой притягательностью, и Людовик решил заняться четвертой из них — женой маркиза де Флявкура. Однако супруг оказался страшно ревнив, и королю не удалось уложить ее в постель. Ревнивый муж пригрозил жене расправой, если она будет вести себя так, «как ее шлюхи-сестры». Но монарх не унывал и сделал предложение пятой сестре — Мари-Анне, вдове. Та согласилась, но выдвинула свои условия — придать ей статус официальной любовницы, иметь в Лувре свои апартаменты, свой Двор, неограниченное количество денег из казны, которые бы выдавались за ее подписью, и признать своих детей от короля, буде те появятся, законными. Губа не дура!

Король согласился на все! Он в 1744 году передал ей не то что апартаменты, а целое герцогство Шатору! Не один раз он занимался, по привычке, любовью одновременно с двумя сестрами — герцогиней де Лорагэ и вдовой Мари. В конце концов требовательная нахалка после двух недель секс-марафона с королем умерла.

Тут Людовик растерялся. Ресурсы семьи де Несль оказались исчерпанными, и где взять новую любовницу, король не знал, хотя коридоры Версаля ломились от девушек, мечтавших переспать с ним. В 1745 году на бале-маскараде он обратил внимание на Жанну Пуассон и приказал камердинеру привести ее к себе.

Но, увы, у Людовика внезапно возникла слабость, и он оконфузился перед прелестницей. К счастью, король быстро восстановил силы и вскоре доказал Жанне мощь переполнявших его чувств. Однако вот беда — против новой любовницы короля восстал весь его Двор, министры, священники и даже сын-наследник. Тогда хитрая мадам Пуассон решила сделать так — она написала королю письмо о том, что, мол, ее муж очень ревнив и она опасается доноса о своей связи с королем. Поэтому она просила у него защиты. Людовик поверил во весь этот бред и предложил хитрюге укрыться в Версале, а сам послал одного своего придворного к мужу Жанны, чтобы объявить ему о том, что его жена стала любовницей короля. Огорченный супруг вынужден был покинуть Париж. Счастливый Людовик не отказывал ей ни в чем: купил для нее титул маркизы, подарил земли в Оверне с 12 тысячами ливров годового дохода, назначил фрейлиной королевы и признал официальной фавориткой.

И нахалка развернулась вовсю — кроме занятий любовью с королем, она захотела еще и управлять государством. Эти занятия у нее отнимали много времени, и Людовик нашел себе новую пассию — мадам де Куазен. Узнав об этом, Жанна решила отвадить Людовика от свежей любовницы и с помощью почтмейстера, читавшего Людовику выдержки из перлюстрированных писем, опорочила мадам Куазен. Монарх снова поверил в эту чушь и расстался с бедняжкой.

Тем временем Жанна потеряла былую привлекательность, и Людовик утешался с разными девицами, предпочитая девственниц, которых тайно приводили ему друзья. Однажды молодой человек по имени Казанова (тот самый!) познакомился с одной очаровашкой по имени Луизон Морфи. Она так понравилась ему, что

Казанова даже заказал одному художнику ее портрет в обнаженном виде. Этот художник, случайно оказавшись в Версале в 1753 году, показал копию этого портрета придворному, который как раз и занимался тем, что подыскивал королю новых «подружек». Он решил, что такая красотка достойно украсит коллекцию Людовика, и показал ему портрет. Король ухватился за эту мысль и решил познакомиться с оригиналом. Сестра Луизон немедленно доставила ее в Лувр, а наутро у нее уже был свой дом около дворца. Девушка прожила в этом доме около двух лет, и Людовик постоянно навещал ее там. Однажды она непочтительно высказалась о Жанне, чего король терпеть не мог, и они расстались, даже несмотря на то, что она родила ему дочь.

Луизон Морфи вынуждена была покинуть этот дом, где ее на «боевом» посту поочередно сменили ее сестра Бриджит, мадемуазель Фукэ и мадемуазель Эно.

Впоследствии Людовик XV занялся тем, чем не занимался никто ни до него, ни после — создал гарем, называемый Олений парк, в котором содержал десятки своих наложниц. Причем все это было сделано по закону — он покупал маленьких девочек у их родителей, воспитывал до определенного возраста, а потом наслаждался юными девственницами. Маленьких девочек в возрасте от 9 до 12 лет, обязательно здоровых (король очень боялся заразы), король сам любил купать, раздевать, наряжать и… преподавать им религию! Когда они подрастали, он преподавал им уже другие уроки.

В 1756 году началась Семилетняя война, были введены новые налоги, тяжким бременем легшие на простой народ. Во всем обвиняли Людовика и его фаворитку. В 1757 году на короля было совершено покушение, а в 1764 году умерла Жанна Пуассон. Людовик выжил, а смерть Жанны встретил равнодушно — они давно уже не были любовниками, и монарх предавался своим развлечениям в Оленьем парке. Однако не только с девочками, но зрелыми женщинами: мадемуазель де Роман и Луиза Тирсэлен быстро сменили друг друга. Наконец, король познакомился с великосветской проституткой мадам д'Эспарбэ, в постели которой «весь город перебывал». Возможно, она и стала бы очередной официальной фавориткой короля, но этому воспротивились его министры.

Мадам де Грамон и мадам де Брезе, на несколько месяцев заменившие потаскуху, уже не могли удовлетворить короля. Ему требовалось что-то новое, необычное. Гонцы французского короля рыскали по провинции в поисках юной особы, но так никого и не нашли. Наконец в 1756 году граф дю Барри решил избавиться в пользу короля от надоевшей ему любовницы. Ее звали мадемуазель Жанна Бекю. Граф спокойно уступал ее за деньги своим друзьям, когда оказывался на мели. Таким образом она побывала в постели герцога Ришелье и маркиза де Вильруа. Раньше она «работала» в одном сомнительном заведении и взяла себе псевдоним Манон Лансон. При посредничестве Ришелье Манон оказалась в постели Людовика. Первый раз Людовику показалось, что она увидела в нем мужчину, а не короля, поскольку все его прежние любовницы не могли избавиться от преклонения перед ним. Манон же ему дерзила и позволяла себе всякие выходки. Эта манера поведения восхитила короля. К тому же она старалась каждый вечер находить королю все новые любовные забавы.

В 1768 году состоялась свадьба бывших любовников — графа дю Барри с Манон Лансон. Вся церемония была обычным фарсом — так как в брачном контракте было записано, что молодые не должны жить как муж и жена. При этом безродная шлюха была записана во дворянство. Став титулованной любовницей, проститутка, ранее отдававшаяся кому ни попадя за несколько экю, зажила в отдельном доме, завела себе слуг и охрану. Все это делалось на деньги короля, естественно, он назначил ей содержание в миллион двести тысяч франков ежегодно и осыпал богатыми подарками.

Вскоре в народе пошли слухи о том, что любвеобильность короля достигается разными стимулирующими средствами. В этом не было ничего удивительного, так как употребление возбуждающих средств тогда было обычным делом и Людовик охотно ими пользовался. Де Ришелье писал: «Именно так он добился расположения некоторых знатных дам и покорил мадам де Сад... Несколько придворных дам умерли от последствий этих постыдных оргий». Вот так — даже умерли от «любви» со шпанскими мушками, тогдашней «Виагрой». Во всех этих извращениях обвиняли мадам Манон Лансон, но король был без ума от нее. Между тем Людовику уже стукнуло 60 лет, а он был все таким же страстным любовником, как и в юношестве.

В доме Манон проходили собрания министров и принимались послы. Это возмутило многих придворных, и они начали искать шлюхе замену. Сначала они попытались уложить в королевскую постель принцессу Монако. Не вышло. Тогда нашли молодую англичанку, и король переспал с ней, но тут же забыл. Настала очередь жены придворного музыканта мадам Бэш — тот же результат.

Манон, конечно, разгадала все эти уловки и обратилась за советом к аббату Террэ. Тот рекомендовал ей стать сводней, чтобы и очередная королевская пассия была у нее под контролем, и самой любовную власть не потерять. Ушлый аббат имел в виду одну из своих незаконнорожденных дочерей мадам д´Амерваль и таким образом намеревался вытеснить Манон с королевской постели. Однако Людовик всего несколько дней наслаждался этим подарком и вернулся к Манон.

Тем не менее Манон Лансон следовала совету аббата. Она заставила Людовика закрыть Олений парк и организовала ему целый гарем. Для начала она отдала королю свою племянницу мадемуазель Турнон, а затем перезнакомила его со всеми актрисами «Комеди Франсэз». Однако актрисы были начисто лишены всяческого воображения, и королю в постели с ними было откровенно скучно. Наконец, фаворитка короля привела к нему мадемуазель Рокур, известную своим бесстыдством настолько, что заслужила прозвище Великой Волчицы. С первой же их встречи ее пыл и изобретательность сильно увлекли Людовика.

В 1774 году король опасно заболел оспой. По мнению сведущих людей, он заразился этой болезнью от шестнадцатилетней девушки, предоставленной ему мадам Манон. Бедняжка не знала, что носила в себе этот опасный вирус, и скончалась на день позже Людовика XV. Любвеобильный монарх умер 10 мая 1774 года на 64-м году жизни, в переносном смысле, можно сказать, от любви.

Когда Петр I умер, ее мать, Екатерина I, завещала женить Лизу на Карле-Августе Голштинском, епископе Любекском. Он был вызван в Россию, или, как тогда говорили, «выписан» из Гольштейна. Елизавете в случае такого замужества единовременно выдавался 1 миллион рублей и по 100 тысяч ежегодно. Кроме того, ей полагалось 300 тысяч рублей приданого.

Милый и приветливый юноша (в те времена и юнцы могли быть епископами!) уже считался женихом Елизаветы, когда внезапно умер от оспы в 1727 году в Петербурге в двух шагах от алтаря. Память о нем Елизавета до конца жизни хранила в своем сердце. Недаром же она покровительствовала голштинской династии — вызвала в Россию своего племянника Петера (будущего Петра III), его невесту Софию-Фредерику-Августу (будущую Екатерину II), мать которой была двоюродной сестрой того самого Карла-Августа. Это пример того, что Елизавета каждый раз влюблялась по-настоящему.

Одно время в претендентах на руку Елизаветы ходил сын Меншикова, сын герцога Бирона и сын князя Долгорукого, одного из восьми «верховников», подсунувших на подпись Анне Ивановне те самые «кондиции». Веселую и общительную Елизавету хотели видеть невесткой во всех этих домах, правда, здесь было больше политического расчета, чем сердечной привязанности.

А вот к кому Елизавета была сама сильно привязана — так это к своему племяннику, императору Петру II, сыну невинно убиенного царевича Алексея. Он очень любил свою тетку (а «тетке» было всего 15—16 лет). Они вместе охотились, проводили много времени, выпивали (оба пристрастились к этому слишком рано), катались на коньках, пели песни и плясали. В общем, весело проводили время, и это им очень нравилось. Министр Остерман настоятельно рекомендовал матери Елизаветы, императрице Екатерине I, женить свою дочь на Петре — тогда династическая ситуация стала бы прозрачной и ясной. И самое главное то, что против такого поворота событий были не против ни «жених» с «невестой», ни мать! Правда, юношеская влюбленность 13-летнего Петра II в свою тетку не имела ничего общего с влюбленностью самой Елизаветы — она любила его любовью тетки, старшей подруги, и не более того. Тем не менее дело шло к свадьбе.

Однако эту брачную сделку запретил Священный синод. Тогда Екатерина I обратилась за помощью к вселенским патриархам, но тоже получила отказ — все-таки они были близкими родственниками. А кровосмешение ни одной религией не поощряется. Так что брак Елизаветы с Петром II оказался невозможен, но он до конца своих дней (умер от оспы в 1730 году) был влюблен в свою тетку и шугал от нее как поклонников, так и потенциальных женихов. Например, он отказал прусскому послу Вратиславу, который сватал за Елизавету курфюрста Карла Бранденбургского. Известна также история, случившаяся с поклонником Елизаветы Александром Бутурлиным.

В 1720 году Бутурлин окончил Морскую академию в Петербурге и был взят Петром I в денщики. Как мы уже писали ранее, круг обязанностей царских денщиков был очень широк, и из них выходили толковые военачальники. Так что Александр Бутурлин был при Петре I чем-то вроде чиновника для особых поручений. Елизавета в это время проживала в Александровской слободе под Москвой. Ее основными занятиями в то время были соколиная охота на зайцев, хороводы, катание на салазках и коньках, пение песен с крестьянками, крещение младенцев, травля волков и разведение фруктового сада в Курганихе. Вот в эту-то Курганиху и наведался однажды Александр Бутурлин. Увидев Елизавету, он влюбился в нее. С тех пор он стал там частым гостем. Елизавета, верная своей привычке, тоже влюбилась в бравого денщика отца, и у них закрутился роман. Говорят, что он был первым мужчиной в ее жизни, но это вряд ли — половые контакты она имела и раньше. Она назначила его своим камергером и познакомила с Петром II. В 1728-м его наградили орденом Александра Невского и присвоили звание генерал-майора. Петр II, узнав о шашнях своей тетки с Бутурлиным, в 1729 году отослал его в действующую Украинскую армию воевать с крымскими татарами, а потом на персидскую границу. В общем, загнали человека, куда Макар телят не гонял. Говорят, что тут не обошлось без наушничества князей Долгоруких, желавших заполучить Елизавету в женихи одному из представителей их клана. Как бы то ни было, но Бутурлин исчез с горизонта Елизаветы; впоследствии он стал заслуженным человеком — генерал-фельдмаршалом и московским генерал-губернатором. Кстати, в то время когда они занимались с Елизаветой любовью, Бутурлин был вдов. Его первая супруга, дочь фельдмаршала князя Голицына, умерла в 1727 году. После своего изгнания из Александровской слободы и вынужденного отъезда на Украину Бутурлин в 1730 году женился вторично на княжне Куракиной. Вот так.

Однако Елизавета, кокетка, была непостоянна, как ветер. Очередным ее избранником после Бутурлина стал обер-егермейстер императорского Двора Семен Нарышкин (Двор во времена Петра II тогда находился в Москве). Он приходился ей двоюродным братом, поскольку Наталья Нарышкина была матерью Петра I, а Петр, в свою очередь, был отцом Елизаветы. Отношения между ними стали настолько «задушевными», что в Москве стали поговаривать даже о возможной свадьбе Семена и Елизаветы. Однако в ситуацию опять вмешался Петр II и своим указом отослал Нарышкина путешествовать за границу. Он выехал во Францию и поселился там под фамилией Тенкин. После воцарения Елизаветы Петровны он вернулся в Россию, был пожалован в камергеры, но уже не претендовал на покои рядом со спальней императрицы. Был послом в Англии, а в Германии познакомился с невестой будущего императора Петра III Софией (будущей Екатериной II), заслужил ее милость и стал очень богатым человеком.

Однако все это будет еще впереди, а пока наступил 1730 год, и Елизавету ожидали неприятности. Умер ее племянник Петр II, и на престол вступила представительница другого клана, Анна Ивановна. Жизнь Елизаветы утратила прежний блеск. Анна Ивановна недолюбливала свою двоюродную сестру, видя в ней соперницу по трону. К тому же ее раздражало в Елизавете все — молодость, красота (сама Анна Ивановна красотой не блистала), изящество, беззаботность, множество поклонников, умение танцевать и тонкий вкус. Она была немым укором Анне Ивановне, у которой ничего этого не было. И Елизавете при дворе Анны Ивановны было скучно — веселые балы и пиры сменились драками и глупыми выходками шутов и карликов.

Анна Ивановна опять перенесла столицу в Петербург; вместе с ней в Северную Венецию вынуждена была переехать и Елизавета. У нее был свой Летний дворец, который находился близ Смольного двора, а также Зимние дворцы, расположенные на Царицыном лугу (ныне Марсово поле) и на Садовой улице. Елизавета удалилась от большого Двора и завела свой, большей частью состоявший из ее сверстников, кавалеров и дам. В Петербурге Лиза не отказалась от своих привычек, проводя время в куртуазных похождениях, балах и хороводах. При этом Елизавета не забывала, что она дочь Петра Великого, но до поры умело скрывала это, делая вид, что политика ее не касается. Она была поглощена любовью и удовольствиями: пела, плясала, охотилась и кутила. Цесаревна на время затаилась, стараясь не высовываться и не привлекать к себе особого внимания. Однако, несмотря на это, Анна Ивановна и здесь ее «доставала». Однажды Елизавете, как цесаревне, привезли ее ежегодное пособие в несколько миллионов рублей. Она вышла во двор и ужаснулась: в ворота въезжала целая череда тяжело груженных телег, доверху уложенных мешками с… медной монетой! Анна Ивановна платила ей не золотом или серебром, а медью! Елизавета, конечно, возмутилась и приказала сбросить все эти деньги в Мойку. Правда это или байка, мы не знаем, но и сегодня находятся умники, которые платят штрафы или судебные издержки мелкой монетой. Формально они правы — монеты наравне с бумажными деньгами являются законным платежным средством. Но только формально, а по существу — это издевательство. Так Анна Ивановна тонко поиздевалась над Елизаветой. И та вынуждена была терпеть.

Как раз в это время у Лизы появился новый любовник — гвардии сержант Алеша Шубин. Надо сказать, что все мужчины Елизаветы, которым она дарила свою любовь, были красавцами. Она и сама была красива, и кавалеров себе подбирала под стать. Так вот, Алешка Шубин был красив до невозможности, и цесаревна влюбилась в него по уши. Он отвечал ей взаимностью, да так, что чуть не устроил дворцовый переворот в ее пользу! Что не сделаешь ради любимой женщины! Все мы, мужики, совершаем порой безумства ради своих любимых. За это нам, скажу без ложной скромности, честь и хвала! Вот только какая расплата нас ждет впереди? И Алеша поплатился, слава богу, что не головой. Анна Ивановна сначала сослала его в Ревель, где посадила в каменный мешок, в котором было невозможно ни сидеть, ни стоять. Потом, в 1732 году, последовал указ выслать его в Сибирь, и не куда-нибудь, а на забытую богом Камчатку. И поступила с ним жесточайшим образом — раз он мечтал жениться на красавице

Елизавете, то пусть возьмет себе в жены безобразную камчадалку! Делать было нечего, и Шубин женился. Анна Ивановна и здесь насолила, как могла, Елизавете! Безутешная Лизавета долго переживала эту любовную драму и даже сочиняла на эту тему грустные песни. Они сохранились до нашего времени, и в них есть такие слова: «Легче б тебя не знати, нежель так страдати…» Алешка Шубин был, безусловно, одним из ее любимейших фаворитов. Ссылка Шубина продолжилась почти десять лет, до той поры, пока не умерла императрица Анна Ивановна. При ней нечего было и думать об освобождении Алексея из камчатской глухомани. Когда же правительницей стала Анна Леопольдовна, Елизавета кинулась разыскивать Шубина. Анна Леопольдовна, к слову сказать, зная не понаслышке, что такое разлука с любимым, помогала Елизавете, чем могла. Перво-наперво она обратилась к Бирону, и тот издал соответствующий указ о розыске ссыльного Шубина. Но вот беда — никто за давностью лет не знал, куда его сослали! Вроде был такой ссыльный, а куда подевался — неизвестно; может, уже и умер. Второй указ о розыске ненаглядного Елизаветиного Алешеньки подписала уже сама Анна Леопольдовна. Успех был тем же — нулевым. И только тогда, когда за дело взялся фельдмаршал Миних, дело сдвинулось с мертвой точки — его нашли где-то на Камчатке. Шубину нужно было проехать 15 тысяч верст, чтобы добраться до Петербурга. Дорога тогда занимала не месяц и не два, а иногда целые годы! В общем, к тому времени, когда Шубин прибыл в столицу, Елизавета уже стала императрицей. Он был ласково встречен Елизаветой, но это был уже другой человек — одичалый и нервный, хотя сохранил на своем лице следы былой красоты. Лиза произвела его в майоры Семеновского полка и генерал-майоры по армии за «невинное претерпение». Алексей Шубин хотел было снова занять место фаворита при Елизавете, но потерпел неудачу. Во-первых, против этого был личный врач Елизаветы Жано Лесток (наверняка читатели знают его по фильму «Гардемарины, вперед!»), к которому она очень прислушивалась. Дело в том, что Лесток был косвенно повинен в ссылке Шубина в Сибирь при Анне Ивановне. Но, главное, место фаворита было уже занято Алексеем Разумовским (о нем речь пойдет впереди). Быстро смекнув, что при дворе ему делать теперь нечего, он, награжденный орденом Александра Невского, уехал в пожалованные ему имения в Нижегородской губернии и больше в столицу не возвращался. Умер Алексей Шубин в 1765 году, пережив Елизавету на четыре года. А какая была у них любовь!

А пока, в царствование Анны Ивановны, предложения руки и сердца Елизавете поступали, без преувеличения, со всех концов цивилизованного мира. Среди претендентов были принц Георг Английский, инфант Мануэль Португальский, инфант дон Карлос Испанский, герцог Эрнст-Людвиг Брауншвейгский, шах Надир Персидский и, конечно же, франт и щеголь Мориц Саксонский, разбивший когда-то сердце самой Анны Ивановны. Впрочем, мы вовсе не уверены в том, что перечислили всех кандидатов в мужья Елизавете — уж слишком велико было их количество! Вот это невеста так невеста!

Однако Анна Ивановна сочла всех этих женихов слишком знатными для Елизаветы. Ей хотелось бы женить ее на правителе какого-нибудь захудалого королевства. Помните фразу из «Золушки»: «Королевство у нас маловато — разгуляться негде»? Чтобы Елизавете с пристрастием к веселью на самом деле «разгуляться было негде». Или отправить ее в какую-нибудь глухомань, на задворки Европы, вроде той же самой Курляндии, в которой она сама прозябала. И чтобы оттуда ей уже никогда выбраться было невозможно. Анна Ивановна все тянула и тянула, и в итоге Елизавета так и осталась незамужней.

Но это не беда, и Елизавета решила свою судьбу сама. Став императрицей в 1741 году, она уже на следующий год тайно обвенчалась с Алексеем Разумовским, с которым не расставалась до конца своей жизни. Кто это такой — спросите вы? О, его судьба просто удивительна, а взлет к вершинам власти непостижим! И главное, что он добился этого не какими-нибудь выдающимися заслугами, а прекрасным голосом и потрясающей внешностью. Мы уже писали, что Елизавета и сама была красавицей, и кавалеров себе выбирала непременно из красавцев. Однако все они были какими-то недоделанными, пустыми и кроме красивой оболочки ничем не обладали. Это у Екатерины II были что ни любовник — то выдающийся государственный деятель, хотя порой рожа иного кавалера была чуть краше, чем у обезьяны. Один одноглазый Григорий Потемкин чего стоит! Екатерина выбирала себе «галантов» по уму, а Елизавета — по внешности. И в этом большая разница. Фавориты Екатерины реально правили страной, были опорой трона, а фавориты Елизаветы являлись вахлаками, ни к какой государственной службе не приспособленными. Однако все по порядку.

Алексей Разумовский и Елизавета Петровна были одногодками; оба 1709 года рождения, только он родился в марте, а царевна в декабре. Их близость началась еще в период правления Анны Ивановны. В 1731 году ей пришла в голову очередная блажь — создать капеллу из украинских (тогда говорили — малороссийских) певцов. Как известно, украинцы поют не хуже итальянцев: а поскольку Анна Ивановна была горазда на разные чудачества, то решила у себя завести такое новшество. В Малороссию для набора певцов был командирован полковник Вишневский. В селе Лемеши Черниговской губернии он обратил внимание на молодого церковного певчего, который, стоя на клиросе, выводил громким басом псалмы. Это и был Алексей Разумовский. Вишневский немедленно забрал Алексея в Петербург и определил в придворную капеллу. За свою «находку» полковник Вишневский получил чин генерал-майора.

Изначально фамилия у него была Розум (разум, по-русски). Причем это была даже не фамилия, а казацкое прозвище его отца, который, подвыпив, рассуждая о каком-нибудь влиятельном лице, любил повторять: «Шо за голова, шо за розум!» Настоящей фамилии Алексея не знает никто. Он был сыном простого казака и в детстве пас коров. Грамоте и пению его научил дьячок из соседнего села. И вот волею судьбы Алексей оказался при Дворе Анны Ивановны. В столице ему переменили фамилию на русский лад, и он стал Разумовским. Елизавета, как мы уже писали выше, очень любила пение и сразу же обратила внимание на малороссийского певчего с трубным голосом архангела, обладающего к тому же потрясающей внешностью. Вернее, первой на него обратила внимание приятельница Елизаветы, Анастасия Нарышкина. Вот что рассказывал в своих записках французский посол де ла Шетарди: «Женщина… обладающая большими аппетитами (Анастасия), была поражена лицом Разумовского, случайно попавшегося ей на глаза. Оно действительно было прекрасно. Он брюнет с черной, очень густой бородой, а черты его, хотя и несколько крупные, отличаются приятностью, свойственной тонкому лицу. Он очень высокого роста, широкоплеч… Нарышкина обыкновенно не оставляла промежутка времени между возникновением желания и его удовлетворением. Она так искусно повела дело, что Разумовский от нее не ускользнул. Изнеможение, в котором она находилась, возвращаясь к себе, встревожило цесаревну Елизавету и возбудило ее любопытство. Нарышкина не скрывала от нее ничего. Тотчас было принято решение привязать к себе этого… человека». Данный инцидент относится к 1732 году.

То есть, говоря современным языком, Нарышкина, похотливая бабенка, соблазнила простого украинского парня (который, поди, и женщин-то еще не познал). Он, должно быть, и не сопротивлялся, когда расфуфыренная фрейлина, соблазнительно пахнувшая французскими духами (это тебе не коровий навоз нюхать!), задрала перед ним свои юбки. После этого она, еще не остывшая после близости с Алексеем, рассказала о чудесном любовнике Елизавете. Та, услышав о необыкновенном, симпатичном «трах…щике», тут же решила приватизировать его. Нарышкина не возражала (еще бы ей возражать!) — у нее и так хахалей хватало, и свела казачьего сына с принцессой. Так возникла их связь.

Разумовский был назначен камердинером Елизаветы, а после того как он потерял голос (но это было уже неважно) — она присвоила ему чин придворного бандуриста. Прусский посол Марденфельд, посвященный во многие интимные тайны Елизаветы, докладывал своему королю о Разумовском следующее: «Особа, о которой идет речь, соединяет в себе большую красоту, чарующую грацию и чрезвычайно много приятного… Родившись под роковым созвездием… в минуту нежной встречи Марса с Венерой, он ежедневно по нескольку раз приносит жертву на алтарь… Аму-ра, значительно превосходя такими… делами супруг императора Клавдия и Сигизмунда…»

То есть, судя по этому докладу, Алексей по несколь-ко раз в день удовлетворял Елизавету, а саму Елизаве-ту сравнил с такими ненасытными любовницами, как жены Клавдия и Сигизмунда.

Прусский посол выражался витиевато, призывая на помощь знание античной мифологии, что было тогда в моде; тем интересней его доклад. Однако чи-таем дальше: «Первым жрецом, отличенным ею (Ели-заветой), был подданный Нептуна, простой рослый матрос…» Ага, вот мы и узнали, кто был первым мужчиной у Елизаветы в ее 14 лет — «рослый ма-трос»! Не какой-нибудь знатный кавалер, а рядовой матрос (по всей видимости, это был матрос Максим Толстой), что было неудивительно при порядках, ца-ривших в семье Петра I. Ведь ее мать была блудницей, наставляя развесистые рога отцу, а сам отец перепро-бовал множество женщин, включая матросских жен. Так что яблоко недалеко от яблони катится.

Идем дальше: «Теперь эта важная должность не за-нята в продолжение двух лет. До того ее исполняли жрецы, не имевшие большого значения (для Елиза-веты) Возжинский (Войчинский), Лялин, Скворцов и др. (От себя добавим — а потом и Петр Шувалов, Роман и Михаил Воронцовы, Сиверс и Мусин-Пуш-кин)». То есть после Алешки Шубина у нее были еще любовники, которым она значения не придавала — с которыми она «спала» так, для души, для здоровья.

«Наконец нашелся достойный в лице Аполлона с громовым голосом, уроженец Украины, и должность засияла с новым блеском. Не щадя сил, он слишком усердствовал, и с ним стали делаться обмороки, что побудило однажды его покровительницу отправиться в полном дезабилье (то есть полураздетой) к Гиппократу, посвященному в тайны, чтобы просить его оказать помощь больному».

Ну что за мужики хилые были в те времена! Помните, как принцу Антону, супругу Анны Леопольдовны (о которых рассказывалось в книге «Неофициальная жизнь Романовых. Царский декамерон»), тоже в «этом деле» помощь потребовалась? Но тогда Антона добрым советом спас его адъютант Кейзерлинг, а вот Елизавета была вынуждена обратиться к доктору. Представляете сцену — любовник теряет сознание во время полового акта, а его пассия мчится полураздетая к эскулапу? Потрясающе!

Но кто же этот загадочный Гиппократ, которого Марденфельд сначала не называет по имени? А это тот самый француз Жано Лесток, личный врач Елизаветы и «особа, приближенная к императору». Позже так и будет, только не «к императору», а к императрице Елизавете.

А дальше нас ждет самое интересное: «Застав лекаря в постели, она уселась на край ее и упрашивала его встать. А он, напротив, стал приглашать ее позабавиться. В своем нетерпении помочь другу сердечному она отвечала с сердцем: «Сам знаешь, что не про тебя печь топится!» — «Ну, — ответил он грубо, — разве не лучше заняться этим со мной, чем со столькими из подонков?» Но разговор этим ограничился, и Лесток повиновался».

Вы представляете, что произошло? Наследница российского престола, дочь Петра I, полуголая мчится к личному врачу за помощью своему любовнику, а наглый французишка предлагает ей поразвлечься с ним, а всех «галантов» Елизаветы обзывает подонками? Это, в первую очередь, характеризует саму Елизавету, позволившую хаму такие выходки. В итоге: «она не ответила на его притязания, хотя легкость нрава цесаревны подавала лейб-медику основательные к тому надежды. И все же любовь к Разумовскому и желание помочь ему как можно быстрее оказались сильнее плотской чувственности, постоянно обуревающей Елизавету». Вот так — в принципе, она могла и с Лестоком переспать, но любовь к Разумовскому оказалась сильнее. Так и хочется воскликнуть: «Что за времена, что за нравы?»

Елизавета действительно заботилась об Алексее Разумовском, и не только в сексуальном плане. Так, выходя в сильный мороз из театра, она заботливо запахивала ему шубу и поправляла ее, а на официальных обедах Алексей сидел рядом с цесаревной. Официально он управлял имениями Елизаветы.

В дворцовом перевороте 1741 года Алексей Разумовский никакого участия не принимал.

Интересно, что за спиной Елизаветы во время переворота и до него никто не стоял! Были, конечно, французы — тот же Шетарди с Лестоком, которые подзуживали ее к этому, наушничая, что, мол, Анна Леопольдовна хочет постричь ее в монахини, ссужали деньгами и так далее. Подбивали Елизавету на совершение государственного переворота и ее любовники — тот же Разумовский, Шувалов с Воронцовым, однако сами за ней не пошли! Испугались, должно быть.

В результате дворцовый переворот Елизавета совершила в полном одиночестве; за ней не было ни могущественного клана Орловых, ни Потемкина, как при Екатерине II, — никого! За спиной Екатерины I хоть стоял Меншиков, устремления Анны Ивановны поддерживал верный Бирон, а за спиной Елизаветы была одна пустота! Обычно государственные перевороты устраивают целые команды профессиональных интриганов. Его долго готовят, склоняют на свою сторону или подкупают нужных людей; привлекают войска опять же... А переворот Елизаветы был самым плохо подготовленным и неорганизованным переворотом в России; это был даже не переворот, в экспромт какой-то. И тем не менее он увенчался успехом!

Многочисленные любовники Елизаветы как в воду канули, ничем не поддержав ее, хотя бы морально, а только науськивая на переворот. Бравый вояка Алешка Шубин, конечно, ей бы помог, однако он находился в ссылке, а больше ей ни на кого рассчитывать не приходилось. Алексей Разумовский, этот трус и ничтожество, так тот вообще остался на охране дворца, то есть барахла. И это в тот момент, когда, возможно, шла речь о судьбе Елизаветы! Если бы переворот не удался, то за это ей полагалась плаха! Или же вечная ссылка в Сибирь с вырезанием языка, вырыванием ноздрей, битьем кнутом и прочими придумками заплечных дел мастеров. Разумовскому нужно было находиться рядом с любящей его женщиной со шпагой в руках, охранять ее и в прямом смысле прикрывать ей спину, а он остался сторожить шмотки! Нет — он был не мужик! Многие ли из современных мужчин согласны броситься ради любящей женщины в огонь и в воду? И может быть, даже погибнуть вместе с ней? Я думаю, что большинство, в крайнем случае половина. Даже учитывая наш прагматичный век, где все определяет выгода — это огромный процент! А тогда был век романтический, гламурный, когда за честь женщины (не говоря уже о жизни!) с легкостью клали жизнь. И, если кто меня спросит — любил ли Разумовский Елизавету, я отвечу — нет, не любил. Настоящие мужчины так себя не ведут. Полагаю, что Алексей Разумовский был настоящим альфонсом — позволял любить себя, вкусно жрал и сладко пил, носил одежды и драгоценности, которыми одаривала его любовница, жил на ее «хате» (в данном случае во дворце) и за ее счет. Знаете, женщин, которые находятся на содержании у богатого папика, называют «содержанками», а Разумовский по аналогии с этим был «содержанцем».

Лично у него за душой ничего не было, да своей службой России он ничего не заработал, так как вообще не служил. Есть такие низкие типы: ему в данный момент хорошо — и ладно, выгонят — ну, что ж, умоется и уйдет, не высказывая никаких претензий. Одним словом, Алексей Разумовский вел паразитический образ жизни. Паразит, одним словом.

И Елизавета любила же этого паразита! За что, спрашивается? Только за то, что был красив лицом? Или за то, что был хорош в постели? Женская логика — вещь непостижимая, и разгадать эту загадку невозможно. Так что не будем и пытаться — все равно ничего не получится, примем это как данность. Это все равно что доказать пресловутую теорему Пуанкаре…

Отметим только одно: и все прочие любовники Елизаветы были на манер Разумовского, красивые, холеные… жеребцы-кастраты, ни на что больше не годные, в смысле государственных дел. Такие уж прихоти были у матушки Елизаветы… Ей ничего не оставалось, как лично вести «на дело» гвардейцев, проявив при этом немалый героизм и мужество. Елизавета действительно оказалась достойной своего отца — Петра Великого. Никакой женской эмансипации в ту пору и в помине не было — женщины действительно были слабыми, женственными существами, а мужчины действительно были мужественными… мужчинами! Елизавета в этом отношении проявила истинно мужские качества! Смелая была женщина, что и говорить!

Как мы уже писали выше, во время правления Анны Ивановны Елизавета затаилась, однако водила дружбу с гвардейцами. Судя по всему, она была действительно хорошим человеком — добрым, веселым и приятным в общении. Говорят, природа отдыхает на детях, зато лучшие черты дедов передаются их внукам. В данном случае лучшие черты царя Алексея Романова передались его внучке Елизавете. Ее знаменитый дед мог крестить детей у своих стольников, запросто разговаривать с неродовитыми людьми и в хорошем смысле был прост. Так же и Елизавета с удовольствием ходила к гвардейцам на именины, пила с ними водку, закусывая пирожками с морковкой, весело отплясывала на свадьбах и крестинах. И гвардейцы отвечали ей тем же — любовью и уважением; никто из них не сомневался, кого нужно сажать на престол — только дочь Петра! Императрица Анна Ивановна проглядела момент, когда из легкомысленной и взбалмошной девушки Елизавета превратилась в расчетливую и умную женщину, овладевшую искусством придворной интриги. Анна Ивановна считала: пусть она пляшет в домах солдат, крестит их детей — это и к лучшему, пусть петровское отродье путается с худородными людьми и в политику не лезет. А Елизавета таким способом привлекала к себе гвардию, и она не подвела ее!

Слухи о заговоре Елизаветы дошли до ушей правительницы Анны Леопольдовны, и она, вместо того чтобы решительно пресечь намечавшийся переворот, просто сделала внушение принцессе. Однако кое-какие меры все же предприняла — приказала удалить гвардию из Петербурга якобы для отражения шведской агрессии (которой и в помине не было). Тогда 25 ноября 1741 года гвардейцы пришли во дворец Елизаветы и заявили, что их, мол, высылают из города и медлить больше нельзя. Елизавета попросила дать ей время помолиться и во время молитвы клятвенно пообещала, что если заговор удастся, то она никого смертной казнью казнить не будет. (Забегая вперед, скажем, что она свое слово сдержала — за все свое 20-летнее правление смертной казни не удосужился ни один преступник! Другое дело, что битье кнутом, вырывание ноздрей, заточение в Шлиссельбургскую крепость, отсечение рук и прочие пыточные «прелести» здоровья людям не добавляли, но это уже отдельный разговор — главное, преступников при Елизавете прилюдно не казнили.)

После молитвы она привела к присяге пришедших к ней солдат и затем отправилась в казармы Преображенского полка. Она обратилась к гвардейцам с краткой речью: «Ребята! Вы знаете, чья я дочь, ступайте за мною!» Елизавета и с них взяла клятву умереть за нее и в знак решимости надела на себя кирасу. 308 гвардейцев молча выступили к Зимнему дворцу (перед тем они искололи барабаны штыками, чтобы никто не поднял тревоги). Елизавета от волнения не могла идти, и гвардейцы на руках внесли ее в Зимний. Стража дворца примкнула к заговорщикам. Опять резали тугую кожу барабанов, чтобы уже во дворце никто не смог предупредить правительницу. А дальше произошла сцена, описанная нами в очерке об Анне Леопольдовне[1] — Елизавета подошла к спящей, положила ей руку на лоб и произнесла: «Пора вставать, сестрица!»

Итак, дворцовый переворот свершился, и императрицей стала Елизавета Петровна. Но она всю жизнь боялась, что и ее так же свергнут, как она свергла Анну Леопольдовну. Спать она не ложилась до рассвета, что-

---

[1] См. «Неофициальная жизнь Романовых. Царский декамерон».

бы никто ее не смог захватить врасплох ночью. Каждую ночь она спала в другой комнате. Постоянной спальни у нее не было. Специальный человек должен был дежурить в ее спальне, и если Елизавете начинали сниться кошмары, он должен был положить ей руку на лоб и произнести: «Лебедь белая». После этого дурные сны отступали. За свои труды лакей, клавший руку на лоб императрицы, получил дворянство и фамилию Лебедев. Караульным у дверей своей спальни Елизавета платила по 10 рублей за ночь (неслыханные по тем временам деньги!). По всей стране шел поиск стариков, которые страдали бессонницей и могли не спать всю ночь. Одного такого нашли, но Елизавета его разоблачила — старый хрыч умудрялся спать с открытыми глазами! Его, конечно, вышибли из дворца; тогда императрица стала проводить ночи в компании с несколькими придворными дамами — это позволяло ей хоть немного поспать и действовало успокаивающе. Сколько же сил и энергии уходило у Елизаветы, чтобы побороть собственные страхи! Ей бы обратиться к хорошему психотерапевту, однако таковых, увы, тогда не существовало.

И, надо сказать, Елизавета опасалась заговоров не зря — они действительно были. Вот только небольшая хронология открытых «предумышлений». 1742 год — офицер Ивашкин в Москве вербует сторонников, чтобы вернуть трон законному государю Ивану Антоновичу. 1743 год — подполковник Лопухин в пьяном виде поносит Елизавету последними словами и опять же грозит возвести на трон младенца-императора Ивана VI. 1749 год — к Петру Федоровичу (будущему Петру III) обращается подпоручик Батурин и обещает немедленно возвести его на трон, взбунтовав гвардейцев. 1756 год — дело мещанина Зубарева — опять в цари прочат младенца Ивана.

1757 год — во время болезни Елизаветы (а она, как и ее отец, Петр I, была подвержена приступам эпилепсии) троном хотела завладеть Екатерина (будущая Екатерина II). 1761 год — заговорщики задумали поставить на престол малолетнего Павла (будущего Павла I) или отдать трон Екатерине, супруге наследника Петра Федоровича. И так далее, и тому подобное. Прямо скажем, Елизавета все свое царствование провела как на пороховой бочке. Она отдавала себе отчет, что трон захватила незаконно, и от этого мучилась. Значит, у нее совесть, наряду с другими ее приличными качествами, была. Другой бы на ее месте, силой захватив престол, стал бы упиваться своей властью, казнить недовольных направо и налево, а Елизавета нет — никого не казнила и всю жизнь морально страдала. Такая вот совестливая женщина пришла к власти в 1741 году.

Чтобы исключить возможность переворота, Елизавета вызвала из Голштинии своего племянника Карла-Петера-Ульриха (будущего императора Петра III) и в 1742 году назвала его наследником русского престола.

Небольшое отступление. Если Елизавета назначила наследником племянника еще в 1742 году, значит, она точно знала, что собственных детей у нее не будет? Это в свои-то 33 года? Тут кроется какая-то тайна. Историки просто пишут — назначила наследником Карла, а почему она так поступила — не объясняют. Логично было бы назвать наследником собственного ребенка! Или у Елизаветы был неудачный аборт, после которого она не могла иметь детей? Или что-то другое? Ведь мужчин у нее хватало! Да и венценосных женихов тоже… Что ей стоило уже после вступления на престол выйти замуж за того же английского или португальского принца или, на худой конец, герцога Брауншвейгского, родить ребенка и передать трон ему. Разгадка этой шарады нам кажется проста. Предложения от заморских принцев Елизавете поступали до ее вступления на престол. В этом случае она должна была уехать из России в ту же Англию, Испанию или Португалию и стать соответственно английской, испанской или португальской королевой. После воцарения Елизаветы об этом, разумеется, и речи не могло быть. Что же касается ее возможного замужества на более мелком владетельном принце, то эта коллизия могла бы осуществиться запросто. В таком случае у Елизаветы был бы муж, такой, как у Анны Леопольдовны — принц или герцог. Она — императрица, он — представитель правящей династии: все по закону. У них могли родиться дети, которым бы Елизавета и передала престол. Однако Елизавета почему-то так не сделала — после того, как она стала императрицей, не вышла замуж за какого-нибудь принца, а сочеталась тайным браком с Алексеем Разумовским. Почему? Или она считала, что брак императрицы с принцем — это неравный брак? Или она вышла замуж за Разумовского по любви? Не думаю, что она это сделала из-за любви или неравенства брака. Тут были какие-то другие причины, нам неведомые. Так или иначе, а наследником русского престола стал наполовину немец Карл-Петер-Ульрих Голштинский (будущий Петр III).

Как же отблагодарила Елизавета верных ей гвардейцев за совершение государственного переворота? А отблагодарила их она прямо по-царски. Уже 31 декабря 1741 года всех гвардейцев, принимавших участие в перевороте, в числе более трехсот человек, она свела в особую команду, получившую название лейб-кампании (нечто вроде гвардии из гвардии). Она присвоила им особую форму и собственное знамя. Сама Елизавета стала капитаном в этой воинской части, а все офицерские чины в ней приравнивались к генеральским. Чины прапорщика приравнивались к подполковничьим армейским чинам, а все унтер-офицеры (то есть, по-современному, сержанты) были приравнены к офицерам. Кроме того, все недворяне из них получили дворянство; им были даны поместья. Лейб-кампания получила в Зимнем дворце особое помещение, в котором Елизавета Петровна любила бывать, пить с «кампанцами», которые называли ее кумой (у многих из них она была крестной матерью их детей), и закусывать морковными пирогами. Обращались они с императрицей исключительно на «ты». Петр III, кстати, придя к власти, всю эту свору бездельников разогнал.

Не забыла она и своего фаворита Алексея Разумовского, хотя он в перевороте, как мы уже писали, участия не принимал. Прямо наутро после переворота Елизавета пожаловала его в действительные камергеры, присвоила звание поручика лейб-кампании в чине генерал-лейтенанта, потом наградила его орденом св. Анны, а в день своей коронации (25 апреля 1742 года) возвела его в чин обер-егермейстера с объявлением его кавалером ордена Александра Невского. Во как! За какие такие заслуги она присвоила ему военный орден и генеральский чин, ведь он сроду не воевал, не знал, наверное, с какого конца пистолет заряжается! «За постельные заслуги», не иначе!

Других своих любовников Елизавета тоже не забыла: заодно с Разумовским Воронцов был назначен поручиком лейб-кампании в чине генерал-лейтенанта, а братья Шуваловы — подпоручиками в чине генерал-майоров.

Дальше — больше: придворная карьера Алексея Разумовского росла как на дрожжах. В 1744 году он был пожалован в графское достоинство Римской и Российской империй, в 1745 году повышен в воинском чине до капитан-поручика лейб-кампании, в 1746 году заимел польский орден Белого Орла, в 1748 году ему было присвоено звание подполковника лейб-гвардии Конного полка и, наконец, в 1756 году — звание фельдмаршала! Быть русским фельдмаршалом — это вам не хвосты коровам крутить! Фельдмаршал, который никогда пороху не нюхал и не воевал — это что-то новое! Но таковы были прихоти императрицы Елизаветы. Она называла Разумовского «другом нелицемерным». Он и вправду никогда не лицемерил, в государственные дела не лез и не подсказывал Елизавете, как ей править. Его значение в управлении государством было ничтожным и стремилось к нулю. Образ жизни он вел примерно такой же, как в родном селе, — спал, ел, молился Богу и ни о чем особенно не заботился. Он не только не принимал участия в политической жизни, но и не читал книг, не учил языков и был совершенно равнодушен к искусству. Одним словом, он никак не воспользовался внезапно открывшимися перед ним фантастическими возможностями…

Однако, надо отдать должное Алексею Разумовскому, он сам понимал свое ничтожество. Он с иронией относился к титулам и наградам, которыми осыпала его Елизавета, и однажды заявил ей: «Ты можешь из меня сделать кого пожелаешь, но ты никогда не сделаешь того, что меня примут всерьез, хотя бы как простого поручика». Когда император Священной Римской империи по просьбе Елизаветы пожаловал ему графство и приписал ему выдуманное княжеское происхождение, Алексей высмеял это. Хоть и самокритичен был граф Разумовский, однако же награды и титулы принимать изволил! Наверное, он делал это, чтобы не сердить свою любовницу…

Кроме этого, так сказать, морального поощрения Разумовскому, выражающегося в титулах и наградах, Елизавета побеспокоилась и о его материальном положении. Она отдала ему конфискованное у Миниха имение Рождествено-Поречье и другие вотчины. Подарила ему дома в Москве и Петербурге, Аничков дворец и свой личный дворец на Царицыном лугу. Пожалования Елизаветы превратили Разумовского в одного из богатейших в России помещиков.

В общем, Алексей Разумовский жил не тужил и катался как сыр в масле. Теперь бы сказали: «он был весь в шоколаде» и отлично «упакован». Он даже стал законодателем придворной моды — первым стал носить бриллиантовые пуговицы, алмазные пряжки на туфлях, алмазные пояса, бриллиантовые кавалерские звезды и эполеты. Все малороссийское стало модным при дворе Елизаветы — на придворных пирах появились украинские блюда, голосистых певцов обязательно приглашали в основном из Хохляндии, в Петербурге появились ансамбли бандуристов.

При дворе Разумовский, осознавая свое ничтожество, держался скромно — настолько скромно, что даже врагов себе не нажил. Алексей никогда не вмешивался в политику (еще бы — он в ней ни бельмеса не понимал). Вместе с тем он был крут на руку и вспыльчив, особенно в пьяном виде. Графиня Шувалова каждый раз служила благодарственный молебен, когда ее муж Петр, возвратившись с охоты, не бывал бит Разумовским под пьяную руку. Известие о буйствах Разумовского в нетрезвом состоянии закрепил в своем докладе и английский посланник Вильямс — однажды фаворит за завтраком чуть не избил генерал-адмирала Апраксина, и тот смолчал. Вильямс назвал Апраксина трусом, но это как сказать — против хахаля императрицы не попрешь: себе будет дороже. Алексей Разумовский имел при дворе большой вес, а генерал-адмирал был умным человеком... Эта же черта в характере Разумовского обозначена и в записках Екатерины II: «Это человек, обыкновенно такой кроткий, в нетрезвом состоянии проявлял самый буйный нрав». Ну, что ж — грех винить русского человека за пьянство, а житье в «золотой клетке» Разумовскому порой было не по нраву: вот он и пил от тоски по родным украинским просторам.

Алексей Разумовский, как мы уже писали, был красив собой: имел высокий рост, стройную фигуру, смуглое лицо с черными глазами и черными бровями. Этот портрет дополняет маркиз де ла Шетарди: «Это в самом деле красавец, брюнет с окладистой черной бородой, черты которого, уже сложившиеся, имеют всю привлекательность, какую только может иметь деликатное лицо. Рост его тоже бросается в глаза. Он высок, широкоплеч, с нервными членами. Хотя в его манере держаться остается нечто неуклюжее, результат воспитания и происхождения, однако заботы... направленные на то, чтобы вышколить их и, — хотя ему уже тридцать два года, — научить танцевать... под руководством создавшего здешние балеты француза, могут исправить этот недостаток». Де ла Шетарди искренне полагал, что недостатки «воспитания и происхождения» можно исправить танцами! Наивный человек, этот Шетарди, эти недостатки не лечатся! Ну, да бог с ним, с этим французом; как явствует из его записей, он сделал их, когда Алексею было 32 года, то есть в 1741 году. Он был тогда еще с бородой, тогда как на всех портретах Разумовский выступает гладко выбритым. М. И. Пыляев в своей книге «Старый Петербург» дает такую характеристику Разумовскому:

«Не имея никакого образования, он обладал широким умом. Осыпанный почестями, он не отличался гордостью. Наружностью он был красивый и видный, чертой его характера была щедрость и великодушие». Помимо этого он был фантастически ленив — на большинстве портретов Разумовский изображен полулежащим.

Разумовский очень любил свою семью и стремился помогать всем родственникам. Любил выпивать с украинскими гостями, которые часто у него бывали — Алексей никогда не забывал свою малую родину — Малороссию. В то же время он тщательно следил, чтобы его родственники не докучали Елизавете, когда она на две недели остановилась в Козельце, неподалеку от его родного села. Когда мать увидела, каким важным паном стал ее сын, она сначала даже не узнала его. Ему даже пришлось раздеться, чтобы по родимым пятнам доказать, что он ее сын. Алексей по требованию Елизаветы перевез мать Наталью Дементьевну с сестрами и своего брата Кирилла в Петербург: все они получили место при дворе. Простая украинская крестьянка Розумиха, как ее называли односельчане, до этого ходившая босиком, получила шифр статс-дамы. Однако матери скоро наскучила жизнь в огромном, непонятном для нее мире-городе, и она вернулась в родные Лемеши.

А брат Разумовского Кирилл остался в Петербурге — ему понравилась столичная жизнь. В 16 лет он был привезен из родного села в Петербург, возведен в графское достоинство, а затем его послали учиться в Европу. Через два года он вернулся и тут же был назначен Елизаветой президентом Академии наук. В свои 22 года он стал гетманом Украины, что приравнивалось к чину фельдмаршала. Хотя граф Кирилл и сделал фантастическую карьеру, ни в каких великих делах замечен не был. Разве что любил собственноручно коптить окорока и поедать их с «цыбулею» (луком), да находясь под мухой, бить морды придворным. Вот и все…

К чести Алексея Разумовского, этого фаворита и первейшего вельможи елизаветинской эпохи, следует отметить, что он был чужд гордыни, ненавидел коварство и, не имея никакого образования, но обладая от природы дельным умом, был ласков и снисходителен в обращении, любил ходатайствовать за несчастных и пользовался всеобщей любовью. Особенно императрицы… Под его влиянием украинские казаки стали освобождаться от крепостной зависимости. За это его они просто боготворили.

Итак, мы выяснили, что Елизавета была красивой, доброй, веселой, строгой, но справедливой женщиной. Также мы кое-что узнали о ее характере — она была смелой, влюбчивой и богобоязненной дамой. Какой же она была в быту — ведь повседневное существование тоже в определенном смысле накладывает свой отпечаток на характер? Обратимся к описанию Елизаветы историков, когда она была уже в зрелых годах. Н. И. Костомаров так описывал ее внешность: «…У нее были превосходные каштановые волосы, выразительные голубые глаза, здоровые зубы, очаровательные уста… Ее роскошные волосы не обезображивались пудрою по тогдашней моде, а распускались по плечам локонами, перевитыми цветами». Рассказывали, что у нее был слегка приплюснутый нос, и поэтому она не любила, когда ее изображали в профиль. При Петре I в моде было все голландское, при Анне Ивановне — все немецкое, а при Елизавете Петровне — французское. Французский язык вошел у русской знати во всеобщее употребление. Елизавета знала не только французский язык, но и итальянский и немного немецкий. Она хорошо танцевала менуэты, кадрили и мазурки, а также лихо отплясывала под русские песни и мелодии.

Она любила слушать страшные народные сказки, верила в домовых, русалок и леших. Играла в бильярд, была страстной охотницей: с соколами и также с борзыми на зайцев. К этому ее приучил Петр II. Ради охоты она вставала в 5 часов утра или вообще не ложилась спать. По вторникам Елизавета устраивала маскарады, за неявку на которые без уважительной причины полагался штраф в 50 рублей. Эти маскарады начинались около 6 часов вечера и продолжались до 2 часов ночи; на них могли прийти все, кому заблагорассудится, но в чине не ниже полковника. Ей нравилось переодевать придворных дам в мужские костюмы. При этом мужчины, естественно, вынуждены были напяливать на себя женское платье. Екатерина II позже вспоминала: «Императрице вздумалось приказать, чтобы на придворные маскарады все мущины являлись в женских нарядах и все женщины в мужских, и при том без масок на лицах… Мущины в огромных юпках на китовых усах… а дамы в мужских придворных костюмах. Такие метаморфозы вовсе не нравились мущинам, и большая часть их являлась на маскарад в самом дурном расположении духа, потому что они не могли не чувствовать, как они безобразны в дамском наряде. С другой стороны, дамы казались жалкими мальчишками, кто был постарше, того безобразили толстые и короткие ноги».

Зачем она это делала, спросите вы? Екатерина II поясняет: «И из всех них мужской костюм шел только к одной императрице. При своем высоком росте и некоторой дородности, она была чудовищно хороша в мужском наряде. Ни у одного мущины я никогда в жизнь мою не видала такой прекрасной ноги». Придворные дамы, часто толстые и безобразные, не могли тягаться с ней в красоте. Это необычайно льстило Елизавете, и она была в восторге от своей выдумки. Современник вспоминал: «Стройная, высокая, гибкая Елисавета Петровна была очень красива в мужском костюме и поэтому любила наряжаться мужчиною». Но это на маскараде, а главной ее одеждой, конечно, были платья. К ним у нее была настоящая страсть. Елизавета никогда не надевала одного платья дважды, а могла в течение одного бала сменить свои наряды трижды! Императрица была настоящей модницей! Она носила замысловатые прически, убранные множеством драгоценных камней, самые дорогие платья и так далее. По молодости она вполне могла бы претендовать на звание Мисс Мира или Мисс Вселенная, если бы такие конкурсы проводились в то время. Только в Москве при пожаре 1753 года у нее сгорело 4 тысячи платьев! Однако она не тужила, так как в запасе у нее было еще 15 тысяч нарядов! И два сундука шелковых чулок! Плюс к этому несколько тысяч пар обуви! Н. В. Гоголь ошибся, посылая своего кузнеца Вакулу за черевичками в Петербург к Екатерине II, надо было его к Елизавете послать! Вот у нее обуви было навалом!

Елизавета и сама была необычайной модницей, и дам высшего света не забывала. У нее была «милая» привычка утверждать фасоны платьев именными указами! Вся в отца — тот своими именными указами поучал, как подданным жениться или покойников хоронить, какой должна быть глубина могилы или длина гроба, а его дочь указывала, какие дамам платья носить. Впрочем, это была невинная забава, и не забава вовсе, а так — причуда. Когда в Петербург заходили иностранные корабли с галантереей, Елизавета стремилась скупить все новинки, пока их не расхватали другие дамы. Когда она носила новую вещь, придворные дамы не смели надевать такие же наряды. Причем это правило распространялось не только на платья, но и аксессуары к ним. Однажды произошел такой случай: фрейлина Лопухина явилась на бал с такой же розой в волосах, как у Елизаветы. Разгневанная императрица заставила ее стать на колени, срезала ножницами цветок вместе с прядью волос, а затем надавала дерзкой пощечин. На красоту Елизаветы не смел покушаться никто!

С этой Лопухиной (ее звали, кстати, Натальей Федоровной) связана грустная история. Ее подвел бабский, охочий до сплетен и басен, язык. Не все были довольны воцарением Елизаветы, вот Лопухина и стала высказываться в таком духе, что, мол, скоро снова на престол взойдет Брауншвейгская династия (муж поддерживал эти сплетни), то есть власть вернется к Анне Леопольдовне. Конкретно ничего сделано не было — так, одна бабская трепотня, но Лесток усмотрел в этих сплетнях заговор против Елизаветы. В 1743 году началось следствие, последовали пытки, и обвиняемые, разумеется, сознались во всем. Приговор был ужасен: Лопухину с сыном и мужем, генерал-поручиком, следовало колесовать. Поскольку Елизавета отменила смертную казнь, то колесование заменили битьем кнутом и вырезанием языка. Эту сцену показывали в фильме «Гардемарины, вперед!», только Лопухину почему-то назвали Ягужинской. Наверное, авторы фильма руководствовались какими-то своими соображениями, но общая сюжетная линия была правильной — никакого заговора в действительности не было, а была одна болтовня не сдержанной на язык женщины. Ей, кстати, его и отрезали. Однако молва приписала эту казнь проискам Елизаветы. Говорили, что на придворных балах еще в царствование Анны Ивановны Лопухина, женщина выдающейся красоты, затмевала собой Елизавету Петровну, и это соперничество породило вражду между ними. Рассказывали, будто однажды Лопухина пригласила весь двор к себе на бал, в том числе и цесаревну Елизавету. Перед этим она подкупила горничных Елизаветы, через которых достала образец материи, из которой та шила себе платье к этому балу. Это была желтая парча, шитая серебром. В назначенный день к Лопухиной прибыла Анна Ивановна со своей свитой. Та провела их в гостиную, где все стены, стулья, диваны и кресла были обиты той же материей, из которой шила себе платье ничего не подозревавшая Елизавета. Наконец прибыла цесаревна, вошла в гостиную… и раздался взрыв хохота. Елизавета смутилась, потом оглянулась и сразу все поняла. Она тотчас покинула дом Лопухиной, вернулась к себе и долго плакала.

Сплетничали, что Наталью Федоровну привлекли к этому делу только за слишком шикарные бальные платья, ее выходку на балу да дерзкие высказывания в адрес императрицы. И еще за кокетничанье с Алексеем Разумовским. Это было неправдой, до такой низости Елизавета никогда бы не опустилась. В реальности же были интриги придворных лиц и трепотня базарной бабы. Думать надо, прежде чем рот раскрывать! Кстати, из ссылки несчастную, искалеченную Лопухину вызволил только Петр III, наверное, в память о своей бывшей возлюбленной фрейлине, на которой ему не дали жениться.

Однако пойдем дальше. В другой раз Елизавета както неудачно покрасила волосы и, чтобы скрыть эту промашку, перекрасила их в черный цвет. Чтобы ничем не отличаться от придворных дам, она заставила их обрить головы наголо и приказала носить черные парики! Ну не могла она допустить, чтобы у кого-то волосы были красивее, чем у нее. Для нее это было просто невыносимо! Самодурство — спросите вы? Не без этого. Несомненно, за это фрейлины были готовы ее покусать. А какая из нынешних модниц не заботится о своей красоте и терпит, чтобы прочие женщины одевались так же, как и она! Женская красота — это, знаете ли, страшная сила и… страшная забота. Вспоминается такой случай: в один дальний северный гарнизон Военторг завез партию одинаковых по покрою, по фасону и расцветке женских шуб. Что тут было! Можно себе представить ярость женщин! Бедного начальника торга чуть не растерзали! Как так можно, чтобы жена полковника и жена прапорщика носили одинаковые шубы? А вы говорите — императрица! Она тем более не могла позволить придворным дамам одеваться так же, как и она. У нее по определению должны быть наряды лучше!

Как-то Елизавета приказала одной из своих фрейлин, княгине Гагариной, носить балахонистое платье, чтобы не показывать свою фигуру, которая была лучше, чем у императрицы. Смекалистая дама вышла из положения просто — она поддевала под платье фижмы с мощными пружинами и спокойно танцевала на балах, а когда лакей провозглашал, что идет императрица, приталенное платье одним движением превращалось в бесформенный балахон. Похоже на анекдот, но это была правда. Бывали и случаи, когда Елизавета вообще не появлялась на балах, когда была не в форме и чувствовала, что ее кто-нибудь затмит.

Порой доходило до смешного — новым иностранным послам неизменно задавали вопрос: кто из придворных дам красивее всех? Правильный ответ был, разумеется, Елизавета! На этот вопрос сумели даже ответить китайские послы, но при этом они высказались в таком духе: царица Елизавета, конечно, красивее всех, вот только бы у нее ноги были покороче, глаза с разрезом, лицо покруглее, нос поменьше, а фигура поплоще. А так все нормально!

Характерно, что, обладая колоссальной государственной властью, Елизавета дальше бабских игрищ вокруг своей красоты не заходила. Ну, пунктик у нее был такой — что тут поделаешь? Правда, она могла и вспылить, и по щекам отхлестать — но исключительно за дело. Своих блудливых фрейлин Елизавета била по щекам, ставила в угол коленями на горох; даже тех, кому перевалило за тридцать. Интересно, что особенно старательно она била по физиономиям и выдерживала на горохе тех дам, кто изменял воюющим мужьям, находящимся в действующей армии! И это при том, что сама Елизавета была отнюдь не пуританского поведения.

Был случай, когда она собственноручно выпорола розгами юную, но уже проституирующую фрейлину Шаховскую. Рано утром, застав блудницу в чужой постели, она разложила ее на диване и всыпала по первое число — чтобы в свои 15 лет та не бегала по гвардейским поручикам! Елизавета в данном случае вела себя по-матерински. Родительски наказав фрейлину за то, что она бегает по поручикам, Елизавета потом с шумом выдавала ее замуж, наделяла немалым приданым, плясала на ее свадьбе, а потом и на крестинах ее ребятишек. Все это укладывалось в образ поведения царицы-матушки, которой, по большому счету, и была Елизавета.

При этом доставалось всем, даже невестке. Екатерина II потом вспоминала: «Она меня основательно выбранила, гневно и заносчиво… Я ждала минуты, когда она начнет меня бить, по крайней мере, я этого боялась: я знала, что она в гневе иногда била своих женщин, своих приближенных и даже своих кавалеров». Вот так! Даже кавалеров била!

Елизавета была крайне охоча до различных сплетен и слухов по поводу семейной жизни своих придворных, их романов, похождений и скандалов. При этом она любила допрашивать «виноватых» самолично, допытываясь до самых интимных подробностей. Естественно, для сей невинной забавы государыне надо было постоянно находиться в курсе событий. Для этого у нее имелся целый штат осведомительниц, самой выдающейся и влиятельной из которых оказалась графиня Мавра Егоровна Шувалова. Да-да, жена того самого Петра Шувалова, которого Разумовский охаживал батогами. В девичестве ее фамилия была Шепелева, и родилась она в 1708 году, то есть они с Елизаветой почти одногодки. Мавра оказалась в числе служанок у десятилетней царевны Елизаветы в 1719 году, еще при жизни Петра I. Девчонки вскоре подружились, и Мавра стала самой верной подругой Лизы, посвященной «во все сокровенные дела принцессы». Состоять же при Елизавете было небезопасно, особенно во время правления Анны Ивановны и Анны Леопольдовны. Возможность ссылки, а то и монашества была для Елизаветы реальностью. При этом пострадали бы и близкие ей люди — Разумовский, братья Шуваловы, Воронцов, Шепелева и другие. Они понимали, что сделать придворную карьеру можно только с воцарением «дщери Петровой». И они не прогадали — переворот 1741 года изменил их судьбу, и эта компания стала влиятельнейшими вельможами елизаветинской эпохи. В 1742 году Мавра вышла замуж за графа Петра Шувалова. Елизавета была крестной матерью детей от этого брака, и поэтому Мавра запросто называла ее кумой. Вначале она была фрейлиной императрицы, а затем получила титул статс-дамы. Мавра Егоровна проживала во дворце рядом с государыней. Граф Петр Шувалов, интриган и казнокрад, пользовался доверительными отношениями Мавры с Елизаветой для достижения своих, не всегда праведных целей. «Граф Петр Иванович Шувалов по обыкновенному искусству через супругу свою Мавру Егоровну, которая тогда в великой у ее величества милости и доверенности находилась, во дворце жила, так, как и прочие свои надобности по желанию произвел и хитро домогался… от ее императорского величества таких решений, которые ему были выгодны», — писал Яков Шаховский, немало натерпевшийся от шуваловских интриг. С одной такой шуваловской интригой было связано падение фаворита Елизаветы Никиты Бекетова, но об этом потом. Мавра Егоровна служила своей императрице буквально до конца своих дней и умерла в 1759 году, еще при жизни Елизаветы. Были у Елизаветы и другие наперсницы, но рангом пониже — Мария Румянцева и Мария Чоглокова, например. Они были приставлены следить за нравственным поведением молодой Катюши (будущей Екатерины II).

В разговорах с Елизаветой запрещалось говорить о болезнях, смерти и красивых женщинах (вот оно, тщеславие красавицы!). Императрица была в меру религиозна — она могла простоять в церкви на коленях много часов подряд, ходила пешком на богомолья, причем делала это она своеобразно — походы на богомолье у нее могли тянуться неделями и даже месяцами. Дело было в том, что, доходя до определенного места пешком, она могла в любой момент прервать паломничество и поехать отдыхать или заниматься другими, более интересными делами; потом ее опять привозили к месту, где она прервала паломничество, и дальше она опять шла пешком. Во время постов Елизавета питалась квасом и вареньем. На Масленицу могла съесть две дюжины блинов. Говорят, что Разумовский пристрастил Елизавету к жирной украинской пище, отчего она якобы располнела — однако думается, что это все враки: пышными формами в XVIII веке гордились, и лишний вес был признаком благосостояния. Русский придворный стол отличался всяческим изобилием, и наши самодержцы ничем в пище себя не ограничивали. Например, Екатерина II и слушать не желала о какой-либо диете — ела все подряд. Лишь на рубеже XVIII—XIX веков в моду постепенно вошла подтянутая фигура, а лишний вес начал считаться признаком лени или болезни. Да и по портретам Елизаветы видно, что это была императрица-пышка, с очень соблазнительными для настоящего знатока женского тела формами. Даже в наши дни существует такое мнение — половина мужчин любит пышных женщин, а другая половина тщательно это... скрывает! Так что в середине XVIII века мужчины поголовно предпочитали женщин с выдающимися формами; влюбиться в какую-нибудь стиральную доску с прыщиками вместо груди считалось верхом неприличия. Как говорится: возьмешь в руки — маешь вещь!

Обычно она спала до 12 часов дня (о ее тревожном сне мы уже писали), любила, чтобы перед сном ей чесали пятки.

Интересна перлюстрированная переписка де ла Шетарди с французским двором: «Мы здесь имеем дело с женщиной, на которую ни в чем нельзя положиться... Каждый день занята она различными шалостями: то сидит перед зеркалом, то по нескольку раз в день переодевается, — одно платье скинет, другое наденет, и на такие ребяческие пустяки тратит время... Ее лучшее удовольствие — быть на даче или в купальне... Что в одно ухо к ней влетит, то в другое напрочь вылетает». Нелестная, скажем прямо, характеристика императрице Елизавете. А зачем же тогда, спрашивается, тот же самый Шетарди подбивал ее на совершение дворцового переворота? Лукавит маркиз, ох как лукавит! Это правда, что Елизавета забывала даже самые важные дела, путала подробности и отвлекалась по пустякам. У нее просто была избирательная память — важные для нее вещи: балы, маскарады и прочее — она помнила, а неважные в ее понимании дела, как то государственные заботы, забывала. Уже в 1742 году канцлер Бестужев жаловался саксонскому министру на беспечность и рассеянность императрицы. Среди занимавших ее удовольствий Елизавета с трудом находила время для чтения бумаг и выслушивания докладов. Важнейшие документы неделями ожидали подписи государыни.

Современник Елизаветы поэт Г. Р. Державин так отозвался о ее правлении: «Царствование императрицы Елизаветы век был песен». Историк В. О. Ключевский заключил, что: «…с правления царевны Софьи никогда на Руси не жилось так легко, и ни одно царствование до 1762 года не оставляло по себе такого приятного воспоминания». Этим сказано все — царствование императрицы Елизаветы по меркам того жестокого времени было действительно легким и приятным.

Немного об обстановке, в которой жила Елизавета — о ее дворе. Это был странный двор, и при всей его веселости он был донельзя неуютным. Солдаты из охраны, лейб-кампанцы, обращаются с императрицей на «ты». Прислугу в первую половину дня вообще не дозовешься, а когда она появляется, то вся пьяная и своевольная: когда слушается, а когда и нет. Полы во дворце и стенные панели были грязными, на столах — горы немытой и неубранной посуды. По углам воняло — это гнили груды объедков, везде наблевано, а то нас..но. Найти место для ночлега невозможно, даже если ты и званый гость — во всех постелях и прямо на полу дрыхнут пьяные. К вечеру дворец оживал, накрывалась часть столов, при этом грязная посуда просто сдвигалась в сторону либо вообще сбрасывалась на пол; вместо нее появлялась новая. Ставилась еда и выпивка, и шумное веселье продолжалось до утра. Везде шлялись какие-то приблудные личности, и не всегда было понятно, кто это — граф, или князь, или просто рвань кабацкая, пришедшая к прислуге погостить. Прислуга и «кампанцы» сидят за одним столом с государыней, орут песни, выпивают — в общем, полная демократия! Известен случай, когда Екатерина Алексеевна (будущая Екатерина II) чуть не умерла после родов. Она лежала в своей постели одна, и даже некому ей было принести воды попить. Появился, правда, какой-то лакей, да и тот пьяный, ничего не сделал, ушел, да так и не вернулся. Двор императрицы в это время был очень занят — праздновали появление на свет наследника Павла Петровича, которого Екатерина же и родила! Так проходили дни и годы. Зато было весело!

А теперь к главному: в начале нашего повествования мы упоминали о том, что Елизавета тайно обвенчалась с Алексеем Разумовским. Достоверных свидетельств этому нет. По легенде, их венчание произошло 24 ноября 1742 года в подмосковном селе Перово в присутствии свидетелей — графини М. Шуваловой и лекаря Лестока. Опять же, по преданию, у Разумовского сохранились соответствующие бумаги. Когда к Екатерине II с ножом к горлу пристал Григорий Орлов, с тем чтобы она, по примеру Елизаветы, вышла за него замуж, та послала к Разумовскому узнать: действительно ли они оформили свои отношения церковным браком? Старик поступил мудро: вынул из шкатулки бумаги, дал их прочитать посланцу императрицы графу М. Воронцову, а затем бросил их в огонь. Екатерина II якобы была очень благодарна Разумовскому за этот поступок, так как выходить замуж за Орлова ей вовсе не хотелось. Этот эпизод не единожды обыгрывался в различных исторических фильмах, однако это всего лишь легенда.

Легенда-то легендой, но Европа с пристальным вниманием прислушалась к таким байкам. В 1747 году после запроса, сделанного французским двором, версальский посланник д'Алльон сообщал, что все считают этот брак фактом, так как графиня Шувалова и Лесток присутствовали при этом. При этом он даже допускал, что Елизавета может в один прекрасный день объявить о нем публично и разделить корону со своим мужем. Однако этого не произошло, а графиня Шувалова с Лестоком хранили молчание.

Подумаем о другом: более-менее понятно, что брак оставался тайным — сын простого украинского казака не мог жениться на особе царских кровей. Однако, по правде говоря, и сама Елизавета была не особо чистой крови — ее мать была дочерью белорусского крестьянина Самуила Скаврощука, а один из ее дедов по отцовской линии был стрелецким головой в Тарусе. Но в тех конкретных исторических условиях императрице стать Елизаветой Разумовской было невозможно. Это потом в европейских государствах придумали такое понятие, как морганистический брак: это когда принцесса выходит замуж за особу не из правящей, то есть худородной, семьи. Тогда суженого объявляют принцем-консортом, а их дети становятся наследниками престола. Бывает и по-другому — примерно через 80 лет после этого наследник престола цесаревич Константин откажется от трона, женившись на женщине ниже его по происхождению. В данном случае их дети права на престолонаследие уже не имели. И подобных случаев в семействе Романовых было немало, но уже в XIX—XX веках, а сейчас на дворе был XVIII век. Так что ни Россия в частности, ни Европа в целом такого опыта еще не имели. При таких условиях тайный брак влюбленной в своего «принца» императрицы был вполне возможен. Но это, повторяем, всего лишь легенда.

И, наконец, самое пикантное — были ли дети у Алексея с Елизаветой? Тайная свадьба Елизаветы с Разумовским стала источником множества слухов о якобы родившихся у них детях. Называли то сына и дочь, то даже двух сыновей и дочь или двух дочерей и сына. Например, когда у жены наследника престола Екатерины в 1754 году родился сын Павел, то все при дворе уверяли, что на самом деле это отпрыск Елизаветы и Разумовского, а беременность Екатерины была подложной. Впоследствии объявились несколько женщин, называвших себя дочерьми императрицы Елизаветы. При этом будто все они носили фамилию Таракановых. Странная фамилия — не правда ли? По мнению большинства историков, это недоразумение. Дело в том, что у Алексея Разумовского были племянники от сестры Веры, носившей в замужестве фамилию Дараган. Они воспитывались при дворе Елизаветы, а потом жили в Швейцарии. Фамилия Дараган вполне могла быть переиначена на более привычное русскому уху слово «таракан». Так Дарагановы стали Таракановыми.

Из «сынов лейтенанта Шмидта», то есть «дочерей императрицы Елизаветы», наибольшей известностью стала особа, именовавшая себя Елизаветой II. Она была явной авантюристкой и аферисткой. Эта дама появилась в Париже в 1772 году (то есть через 20 лет после смерти императрицы Елизаветы). Она называла себя то Елизаветой II, то княжной Таракановой, то княжной Владимирской, то персидской принцессой Али Эмете, владетельницей Азова, то графиней

Силинской (Зеленской) и так далее, в зависимости от обстоятельств. О ее подлинном происхождении ничего не было известно. Предполагали, что ее родиной была Германия или что она появилась на свет в семье парижского трактирщика или нюрнбергского булочника. Хотя это вряд ли возможно, так как она была хорошо образована и знала языки. Отличаясь редкой красотой, она имела ряд богатых поклонников, которых доводила до разорения и тюрьмы. Преследуемая кредиторами, «Елизавета II» путешествовала по Европе в компании таких же, как и она, шулеров и авантюристов, настойчиво пытаясь привлечь к себе внимание. Из Киля она перекочевала в Берлин, затем в Гент, оттуда в Лондон, из Лондона в Париж и так далее. Поселившись в 1772 году в Париже, она стала называться княжной Владимирской и стала рассказывать, что она происходит из богатого русского рода мифических князей Владимирских, воспитывалась у дяди в Персии и приехала в Европу с целью получения наследства (тоже мифического). Новые богатые поклонники помогли ей безбедно и весело прожить два года. В 1774 году под влиянием некоторой части польских эмигрантов во главе с князем Радзивиллом она объявила себя дочерью императрицы Елизаветы и обещала им освободить Польшу от «русского ига».

Потом самозванка побывала со своей свитой во Франкфурте, Венеции, Дубровнике, Риме и Неаполе.

Активность «дочери лейтенанта Шмидта» не на шутку встревожила Екатерину II. Она сознавала, что заняла трон незаконно, а тут объявилась вроде бы законная наследница русского престола, дочь императрицы Елизаветы! В свое время существовала версия, что супруги Алексей Разумовский и Елизавета специально прятали свою дочь за границей в проти-

вовес Екатерине II, чтобы та знала — в случае чего
у нее есть серьезный конкурент. К этому добавились
как внутриполитические факторы, так и внешние отношения с зарубежными странами. Полыхало Пугачевское восстание — и лже-Елизавета немедленно
объявила смутьяна своим братом, «князем Разумовским» (вообще-то он называл себя «Петром III»).
Шла русско-турецкая война — и княжна Тараканова
предложила туркам свои услуги. Самозванку требовалось немедленно «изъять из обращения». Екатерина приказала Алексею Орлову, командующему Сре-
диземноморской эскадрой, пленить авантюристку.
Дальнейшая ее история известна по многочислен-
ным романам и фильмам. «Влюбившись» в «Елизавету», Орлов в феврале 1775 года заманил ее на свой
корабль, где она и была арестована и доставлена
в Петербург. Самозванку поместили в Алексеевский
равелин Петропавловской крепости и начали допрашивать. Она созналась, что на самом деле является
черкешенкой и родилась в 1753 году, однако вряд ли
это было правдой. Допросы вел фельдмаршал А. Голицын, во время которых она давала различные по-
казания, одно противоречащее другому, при этом
дополняя их немыслимыми фантазиями. Князь в отчаянии докладывал Екатерине II: «Разные варианты
повторяемых ею басен ясно показывают, что эта женщина вероломная, хитрая, лживая, безо стыда и безо
совести. Во время последнего разговора я указал ей,
что она своей несокрушимой неприступностью осуж-
дает себя на вечную тюрьму, и с этим ушел. Я использовал все средства, чтобы заставить лгунью сознаться:
и увещевания, и тюремные строгости, и уменьшение
количества пищи, одежды и другие соответствующие
способы. Теперь ей оставлены только необходимые

вещи. Она окружена в каземате часовыми и оставлена совсем одна без служанки, и, несмотря на это, кроме известных Вашему Императорскому Величеству сказочек, от нее невозможно узнать ничего. Быть может, время и утрата надежды на получение свободы заставят ее сделать признания, более правдоподобные…»

Однако «более правдоподобных» признаний Голицын не дождался — в тюрьме самозванка родила от Орлова сына (который вскорости умер), а на следующий, 1776 год скончалась от чахотки и была секретно похоронена на территории крепости. Кем она была на самом деле — так и осталось неизвестным, во всяком случае, не русской. Несмотря на то, что она рассказывала, будто до 9 лет жила с матерью, императрицей Елизаветой, она не понимала по-русски ни слова.

Банальная смерть от чахотки не устроила художника К. Флавицкого, который изобразил ее на картине «Княжна Тараканова» погибающей при катастрофическом наводнении 1777 года. Оказывается, и в те времена были люди, такие как Флавицкий, писавшие, как сказали бы сейчас, для «желтой прессы», а на самом деле отображавшие на полотне ложные, но романтические события.

Еще одну «княжну Тараканову» звали Августой Тимофеевной. Она родилась около 1746 года. Почему «Тараканова»? Появилась новая версия, что ее назвали по имени одной знатной дамы, госпожи Дороган, с которой она была отправлена за границу (кем и когда отправлена?). Там она получила хорошее образование. До 40 лет от роду она жила за рубежом, и только в 1785 году ее привезли в Россию и представили пред ясные очи Екатерине Великой. Она долго беседовала с загадочной женщиной и уговорила ее уйти в монастырь. Предмет разговора императрицы с таинственной особой остался неизвестным. Августа стала монахиней под именем Досифея в московском Ивановском монастыре, где ее содержали в глубокой тайне. На ее содержание из казны были выделены определенные деньги. Характерно, что этот монастырь предназначался «для призрения вдов и сирот знатных и заслуженных людей». (Значит, Досифея все-таки была знатной?) К ней запрещалось допускать кого бы то ни было, кроме игуменьи, духовника и келейницы. Окна ее кельи были постоянно задернуты плотными шторами, на стене висел портрет императрицы Елизаветы. Монахиня Досифея постоянно ощущала какой-то необъяснимый страх и при малейшем шорохе «тряслась всем телом». Сблизившейся с Досифеей госпоже Головиной монашка рассказала, что ее в 1785 году хитростью заманили в Италию якобы для осмотра русского корабля, пленили и силой привезли в Россию. (Вспомним, что ровно 10 лет назад, в 1775 году, А. Орлов проделал ту же операцию с «Елизаветой II».) Прошло много времени со дня смерти этой самозванки, однако Екатерина II все еще опасалась, что престол у нее могут отобрать, хотя Августа Тимофеевна никаких претензий на него не предъявляла. После смерти Екатерины II в 1796 году и по воцарении Павла I режим содержания Досифеи несколько смягчился. К ней приезжали высшие московские чиновники и митрополит Платон. Последние годы жизни Досифея провела в полном уединении и скончалась в 1810 году. На ее похоронах при большом стечении народа присутствовал московский главнокомандующий граф Гудович, шедший во главе погребальной процессии, родственники Разумовских и богатые вельможи. Досифея была похоронена в Новоспасском монастыре. Интересно, что там же находилась родовая усыпальница дома Романовых.

В 1996-м в монастыре проводились реставрационные работы и могилу загадочной монашки вскрыли. При антропологическом обследовании скелета оказалось, что она была небольшого роста и была горбатой вследствие перенесенной в детстве травмы.

Некоторые современники утверждали, что у Разумовского и Елизаветы было восемь (!) детей, которые считались дочерьми его еще одной сестры, Анны. Все они якобы носили фамилию Закревские. Был еще некий 18-летний офицер из Нарвы, Опочинин. В 1769 году он объявил, что является сыном Елизаветы и «аглицкого короля» (?) и поэтому Екатерину II нужно арестовать и посадить в крепость. После ареста самозванца выяснилось, что он действительно сын, но не английского короля, а русского генерал-майора. За дерзость его сначала приговорили к смертной казни, а потом просто сослали на службу в Иртышский гарнизон.

Биограф Алексея Разумовского А. Васильчиков по поводу этих детей в 1880 году писал: «Строго взвесив эти противоречащие друг другу известия, мы дошли до окончательного убеждения, что у Елизаветы Петровны никогда никаких детей не бывало. Нет возможности допустить, чтобы Елизавета, имевшая несомненно доброе сердце, могла заточить кровь и плоть свою по разным монастырям обширного своего государства... Если бы у Елизаветы были дети, то они воспитывались бы во дворце... Басня, сочиненная от нечего делать придворными... получила права гражданства в Европе, напечатана была публицистами... как нечто несомненное, и из Германии и Франции снова залетела к нам в Россию, чтобы здесь облечься в форму преданий о всяких монахинях Досифеях...»

И еще. Как Елизавета могла взять в любовники и много лет обожать такого ленивого и скучного человека, как Разумовский? Ни одна умная, энергичная женщина, обладающая чувством собственного достоинства, с Разумовским долго бы не выдержала. Это в первую очередь характеризует ее, а не Алексея. Как мы уже писали выше, это было в натуре Елизаветы — подбирать себе в любовники вахлаков, которые ничем, кроме высокого роста и красоты, не выделялись.

В конце концов в 1750 году она завела себе нового кавалера — актера Никиту Афанасьевича Бекетова. Она разлюбила Разумовского, но оставила ему все его звания, имения и Аничков дворец — муж все-таки, хоть и тайный. Мы уже рассказывали, что Елизавета была влюбчивой женщиной и расставалась со своими бывшими любовниками так же легко, как и сходилась. Но сначала одно замечание — как-то Бернард Шоу заметил: «Когда два человека находятся под влиянием самой безумной, обманчивой и преходящей из всех страстей, от них требуют (в церкви. — *Автор*.), чтобы они поклялись, что останутся в этом неестественном состоянии до конца дней своих». Тонко подмечено! На самом деле любовь до гроба существует — это так называемая любовь-дружба. Есть еще любовь-страсть, которая, по данным современных исследователей, длится от трех до десяти месяцев, а потом уходит без следа, или любовь-безумие, продолжающаяся не больше месяца.

Несомненно, что у Елизаветы и Алексея после любви-страсти наступила любовь-дружба, при которой и нового кавалера можно завести. Дружба — она и есть дружба.

Прежде чем перейти к рассказу о Бекетове, кратко опишем дальнейшую судьбу Алексея Разумовского, потому что на страницах этой книги он больше не появится. Он до конца жизни Елизаветы оставался ей самым близким и верным другом, даже когда у нее появились новые фавориты. Перебравшись из покоев императрицы, он стал жить в Аничковом дворце. Его часто посещал наследник престола Петр Федорович (будущий император Петр III), любивший по вечерам после ужина выкурить трубку перед камином или поиграть в карты. Как мы уже писали, его очень уважала Екатерина II и даже предложила ему титул «Императорского Высочества», но он от него отмахнулся. После смерти Елизаветы Разумовский перебрался на жительство в Москву, ничем особо не занимался и умер в 1771 году бездетным. Все его колоссальное состояние перешло к его брату, украинскому гетману и президенту Академии наук Кириллу Разумовскому.

Итак, императрица влюбилась в Бекетова. Как же это произошло? Никита Бекетов, по правде говоря, был не настоящим актером, а актером любительского театра. В России любительские спектакли начали ставить еще в XVII веке. Никита Бекетов был сыном подполковника 1729 года рождения, то есть на 20 лет моложе Елизаветы, которой стукнул уже 41 год. Разница в 20 лет — ничего себе! Однако Елизавету это не смущало, тем более что Никита был красив, как Аполлон! Воспитывался Бекетов в Сухопутном кадетском корпусе в Петербурге и участвовал в любительских спектаклях. Заметим, что игра в любительских спектаклях была тогда модным поветрием, наподобие синематографического поветрия начала XX века. Тогда тоже все хотели стать артистами немого кино.

Это был первый русский любительский драматический театр, которым руководил бригадир по военной должности и стихотворец по призванию А. Сумароков. В нем разыгрывались не церковные сюжеты, как раньше, а светские, в которых была и любовь, и верность, и благородство, и коварство, а также рассуждения о вере и долге. Успехи его театра были так велики, что он рассказал о них Разумовскому, зная, что императрица Елизавета была заядлой театралкой. Разумовский в тот же день рассказал о новом театре Елизавете, которая распорядилась перенести постановку пьесы в Эрмитажный театр. Первый спектакль этого театра прошел в январе 1750 года. Речь шла о судьбе одного из первых основателей Киева — Хориве. Играл в этом спектакле и Бекетов, причем главного героя. Успех спектакля превзошел все ожидания. Императрице понравилась эта постановка, и Сумароков был назначен руководителем труппы из 17 кадетов-актеров, среди которых был и Никита. В следующий раз, в 1751 году, драматург поставил спектакль «Синав и Трувор» (Синеус и Трувор) на тему древнерусской истории. В этой трагедии был сильно проработан лирический любовный сюжет. Это не оставило равнодушной Елизавету Петровну. Синеуса опять же играл Бекетов — пылкого, несчастного любовника и храброго героя. Императрица положила глаз на красивого юношу, и когда пришло время одевать артистов, она сама помогла облачиться Бекетову. Никита был воодушевлен вниманием государыни, играл горячо и страстно, однако от волнения стал засыпать прямо на сцене. Елизавета сидела с влажными от вожделения глазами и смотрела на спящего красавца.

Внимание императрицы к Никите Бекетову сразу же обрело зримые черты — через несколько дней он был произведен в сержанты, а еще через некоторое время его отчислили из кадетского корпуса и перевели в капитаны гвардии, назначив адъютантом Разумовского! Воистину в XVIII веке карьеры делались прямо фантастические! Особенно постельные. В мае 1751 года Никита уже стал полковником и поселился во дворце вместе с Елизаветой Петровной. Так у императрицы появился новый фаворит. А что же старый, Разумовский — спросите вы, не ревновал ли он? История об этом умалчивает, но, судя по всему, не ревновал. Помните, мы задавались вопросом: любил ли Алексей Елизавету? Наш вывод был таков — не любил. Данный случай этому подтверждение. Раз не любил, значит, и не ревновал. Ему бы морду набить молодому нахалу да на дуэль вызвать, как поступил бы настоящий мужчина! А Разумовский — нет, не стал делать ни того, ни другого. Нет, не мужик был Алексей, и даже не баба, а так, пустое место...

Однако за Разумовского это сделали другие люди, а именно братья Шуваловы. Мы уже писали, что одно время любовником Елизаветы был Петр Шувалов, и клану Шуваловых нельзя было терять влияние на императрицу. Но канцлер Бестужев, этот старый интриган, был против этого и стал подбивать неискушенного в таких делах Никиту выступить против Шуваловых. Это его и сгубило. Петр Шувалов, находившийся с Бестужевым на ножах, решил вызвать у Елизаветы неприязнь к Бекетову. С Бестужевым ему было тяжело тягаться — канцлер все-таки, чуть ли не премьер-министр. Ход Петра Шувалова был коварен и жесток. Имея кое-какие познания в химии, он лично приготовил крем для лица, который якобы выводил веснушки. Никита нравился императрице прежде всего свежестью лица и очень расстраивался, когда у него по весне появлялись веснушки. Одна из подкупленных Шуваловым придворных дам, взяв это зелье, подарила его Никите, выдав за парижскую продукцию для ночных масок на лицо. Ничего не подозревавший Бекетов принял этот презент, намазался им, а наутро у него все лицо покрылось гнойными прыщами! После этого Елизавете жена Петра Шувалова, Мавра Егоровна, шепнула, что ее фаворит заболел какой-то дурной кожной болезнью. Так участь Бекетова была решена — его, не допуская к императрице, отправили служить в дальний гарнизон, правда, с сохранением полковничьего звания. Еще была версия, что Бекетов был отставлен из фаворитов за безнравственное поведение — якобы он заставлял придворных певчих разучивать песни своего собственного сочинения. Мы нисколько не сомневаемся в этом — чтобы усилить эффект от мази, и оговор хорош.

О, это коварство придворных! На страницах этой книги мы уже не раз убеждались, что они и маму родную, не то что царскую невесту или фаворита государыни, не пожалеют, лишь бы поближе к трону! И Елизавета тоже хороша — не удосужилась провести расследование и приняла лживые слова придворных на веру! Прав был Кирилл Разумовский, гетман Украины, что лупил елизаветинских придворных по мордасам, считая их лукавыми и подлыми людьми!

А что же Никита? Какова его дальнейшая судьба-злодейка? Прыщи у него, как только он перестал мазаться этой дрянью, сразу же прошли, но было поздно — Елизавета уже отвернулась от него. Впоследствии он участвовал в Семилетней войне командиром полка, попал в плен и вернулся в Россию только в 1760 году. Императрица не забыла красавца-актера и присвоила ему чин генерал-поручика. Уже при Екатерине II Бекетов стал астраханским губернатором. В 1780 году он вышел в отставку и поселился в своем имении неподалеку от Царицына, где занимался литературой и музыкой. Умер Никита Бекетов в 1794 году, так и не женившись, очевидно, из-за тоски по своей первой любви — императрице Елизавете. Вот такая грустная история приключилась с Никитой Бекетовым.

После оклеветанного Никиты Бекетова у государыни появился новый фаворит — Иван Шувалов. Представляется, что Елизавета без любовников жить не могла — да и вправду, с чего это сорокалетняя женщина должна вдруг оставаться одна? Стареющей Елизавете рядом нужен был молодой и красивый юноша, чтобы самой чувствовать себя молодой и продолжать свое нескончаемое веселье.

Он родился в 1727 году (опять же почти на 20 лет был моложе Елизаветы) в Москве и был сыном капитана. Получил домашнее образование и был пристроен своими двоюродными братьями, Петром и Александром Шуваловыми, ко двору Елизаветы, при которой они выдвинулись на первые роли. Но алчным братьям хотелось большего — одному из них стать фаворитом императрицы. Петр Шувалов, правда, в любовниках Елизаветы побывал, но фаворитом, увы, не стал, а Александр для такой роли не годился. Тогда они решили действовать через Ивана: он был то, что надо, — красив, статен, обходителен и услужлив. С 1749 года он стал камер-юнкером императрицы, а после краха Никиты Бекетова в 1751 году — и новым фаворитом.

Многим тогда казалось, что Иван Шувалов в фаворитах будет ходить недолго и его сменит другой юноша, но придворные ошиблись — он был им до самой смерти Елизаветы. Казалось бы, братья Шуваловы должны радоваться — их Ванюша стал неприкасаемой особой, и через него они могли теперь обделывать свои темные делишки, но не тут-то было! Иван Шувалов оказался так же ленив и лишен всяческого честолюбия, как и Разумовский! Остается сделать вывод, что именно таких, малахольных, больше всего Елизавета и любила!

Он не оправдал надежд братьев и не проявил характерной для них наглости и жадности в обретении земель, богатств, титулов и должностей. «…в молодом и благородном родственнике своем, Иване Ивановиче, встречали скорее тормоз, чем подпору», — писал Васильчиков в 1880 году.

Хотя возможности у него были огромные — под конец жизни Елизаветы Иван Шувалов был ее единственным докладчиком, готовил для нее тексты указов и объявлял монаршую волю министрам. Фаворит мог бы озолотиться, однако он этого не сделал… Иван Шувалов для своего времени был уникальным царедворцем: «ночной император России» не только отказывался от всех почестей, но и казенной копейки в карман не положил!

Екатерина II вспоминала, что она «вечно его находила в передней с книгой в руке… этот юноша показался мне умным и с большим желанием учиться… он был очень недурен лицом, очень услужлив, очень вежлив, очень внимателен и казался от природы очень кроткого нрава». Таким и был Иван Шувалов — Екатерина тонко подметила основные черты характера нового фаворита Елизаветы, забыла только добавить о его честности и щепетильности.

Для начала Елизавета пожаловала его несколькими высокими военными и придворными званиями, наградила его орденом Александра Невского. В 1757 году вице-канцлер Воронцов представил Елизавете проект указа о присвоении Шувалову титула графа, чина сенатора, выдаче ему 10 тысяч крепостных. Представьте себе: Иван от всего этого отказался! В трудах поздних историков его называют графом — и зря, так как этого титула он никогда не носил. «Могу сказать, что рожден без самолюбия безмерного, без желания к богатству, честям и знатности», — однажды сказал он. И это было абсолютной правдой. В этом проявилась еще черта Елизаветы — она подбирала себе фаворитов-нестяжателей, таких, какими были Разумовский и Шувалов, за что их и любила.

Разумеется, Иван не бедствовал — жил в Зимнем дворце на полном пансионе, построил собственный дворец на Невском проспекте, и все-таки никто не мог назвать его вором, потому что такого не было и быть не могло! Находиться у вершины власти и остаться честным, бескорыстным, ни в чем не запятнанным человеком — это настоящий подвиг! Иван Шувалов — это исключительное явление на политической сцене России. Рассказывали, что после смерти Елизаветы он передал Петру III миллион рублей — ее прощальный подарок наследнику. Другой бы на его месте зажилил эти деньги — поди потом узнай, что делала государыня в свой последний час! А Шувалов отдал!

А еще Шувалов… ревновал! Как-то Елизавета приметила в свите принца Карла Саксонского, приехавшего в Петербург, чтобы императрица сделала его герцогом Курляндским вместо Бирона, красавца графа Францишека Ржевуского и «осталась небезразличной к его привлекательности». Только ревность Шувалова «послужила препятствием к зарождающейся склонности». Пока Ржевуский пребывал в России, между Шуваловым и ним постоянно происходили мелкие стычки. Наконец поляк убрался к себе домой, и только тогда Иван успокоился.

Иван Шувалов был достаточно интеллигентен, чтобы чему-то научиться, знать языки и стать покровителем науки и искусств. Он способствовал открытию Московского университета в 1755 году, Академии художеств в 1757 году, покровительствовал Ломоносову, переписывался с Вольтером и Дидро, помогал многим поэтам и художникам. А еще Шувалов был меценатом — собрал и потом передал Академии художеств огромную коллекцию картин, книг и гравюр. Был директором Сухопутного кадетского корпуса.

По воспоминаниям современников, Шувалов был очень начитан, добродушен, мягок, миролюбив и спокоен, хотя и ленив. Он не обладал умом государственного деятеля. Иван старался поддерживать дружеские отношения со всеми, всех мирил, и поэтому у него было мало врагов. Прямо как у Разумовского! Определенно у них были общие черты!

«Речью и видом бодр, но слаб ногами, лицо у него было всегда спокойное, обращение со всеми упредительное; в разговорах имел речь светлую, быструю; русский язык его был с красивой обделкой в тонкостях и тонах, французский он употреблял, когда хотел что сильнее выразить» — так описывали Шувалова современники.

После кончины своей благодетельницы в 1761 году к власти пришел Петр III, которого Елизавета объявила своим преемником еще в 1742 году. Во главе государства опять стали немцы, поскольку Петр Федорович был выходцем из германской Голштинии. По их оговору Шувалов был вынужден уехать за границу и проживал во Франции и Италии. В изгнании он тосковал по России и строил свои планы на будущее. Своей сестре он писал: «Если Бог изволит, буду жив и, возвратясь в свое отечество, ни о чем ином помышлять не буду, как вести тихую и беспечную жизнь, удалюсь от большого света… не в нем совершенное благополучие почитать надобно, но собственно в малом числе людей, родством или дружбою со мною соединенных. Прошу Бога только о том, верьте, что ни чести, ни богатства веселить меня не могут».

Иван Иванович Шувалов вернулся в Россию только в 1777 году, уже в царствование Екатерины II. Та обласкала его, присвоила чин действительного тайного советника и наградила орденами Андрея Первозванного и Св. Владимира. Императрица благоволила к нему — часто играла с Шуваловым в карты; он сопровождал ее при поездке в Крым. Вернувшись в России, он никаких должностей не занимал, а поселился в своем доме, окруженный близкими друзьями и родственниками. Так он и жил в окружении картин и книг. Никогда не женился и не имел детей. (Как и Разумовский с Бекетовым — прямо сговорились они, что ли?) В своем доме Шувалов устроил литературный салон. «Светлая угловая комната, — вспоминал современник, — там, налево, в больших креслах у столика, окруженный лицами, сидел маститый, белый старик, сухощавый, средне-большого росту в светло-сером кафтане и белом камзоле… Лицо его всегда было спокойно поднятое, обращение со всеми… веселовидное, добродушное».

Скончался Иван Шувалов, последний фаворит императрицы Елизаветы, в 1794 году и был похоронен в Александро-Невской лавре с почетом и уважением.

Теперь перейдем к последним годам царствования Елизаветы. Мы уже упоминали о том, что Елизавета, так же как и ее отец, Петр I, была подвержена приступам эпилепсии. В 1757—1758 годах это стало известно всем. Согласно «Запискам» Екатерины II в сентябре 1758 года на праздничной литургии в Царском Селе с Елизаветой случился припадок, после чего последовало резкое ухудшение ее здоровья. С ней часто случались продолжительные обмороки, но она бодрилась и всеми силами пыталась сохранить былую красоту. Но всевозможные ухищрения парикмахеров и визажистов, как сказали бы теперь, помогали мало. Елизавета стала замкнутой, раздражительной и все реже появлялась на людях. Французский посланник Лафермиер отмечал, что «для нее ненавистно всякое упоминание о делах, и приближенным нередко случается выжидать по полугоду удобной минуты, чтобы склонить ее подписать указ или письмо». Императрица и раньше не особо была склонна заниматься государственными делами, а теперь болезнь усилила это отвращение.

Как это нередко случается с больными людьми, они зацикливаются на своей болезни, и происходящие события их нисколько не волнуют. Они думают только о себе, несчастных. Но это так, к слову.

Доктора прописывали ей разные лекарства, но она не желала их принимать. Государыню приходилось долго уговаривать и даже тайком класть пилюли в конфеты и мармелад. Елизавета страшно боялась смерти — даже это слово при ней было запрещено произносить. Осенью 1761 года в Царском Селе бушевала гроза, шел сильный дождь, небо озарялось яркими вспышками молнии. Суеверная Елизавета сочла это дурным предзнаменованием, все-таки осенняя гроза — явление необычное. С того времени она уже не вставала с постели. В ноябре 1761 года состояние здоровья Елизаветы Петровны немного улучшилось, но уже в декабре появилось кровохаркание, и 17 декабря она поспешила объявить амнистию некоторым категориям преступников. Ей становилось все хуже и хуже. По преданию, лежа на смертном одре, Елизавета просила Петра III не причинять вреда своим фаворитам — Алексею Разумовскому и Ивану Шувалову. Всю жизнь обожавшая праздники, Елизавета Петровна скончалась, не приходя в сознание, на Рождество — 25 декабря 1761 года. Она была последней представительницей Романовых на троне по прямой женской линии; после нее престол перешел к Шлезвиг-Гольштейн-Готторпской династии, каковыми были все последующие русские цари-немцы.

Историк В. Ключевский так писал о ней: «Смолоду Елизавета была мечтательна... Вступив на престол, она хотела осуществить свои девичьи мечты в волшебную действительность... Елизавета умная и добрая, но беспорядочная и своенравная русская барыня XVIII века, которую по русскому обычаю многие бранили при жизни и тоже по русскому обычаю все оплакали по смерти». Ей было всего 52 года...

Не плакал лишь один человек — наследник Петр Федорович, а теперь уже император Петр III. Хотя он и прожил в России уже около 20 лет, но русским человеком так и не стал, хотя его мать была русской. Сказывалась приверженность к западной культуре, к тому же ощущался недостаток воспитания. Елизавета к концу жизни стала понимать, что Петру трон передавать нельзя. Хоть он и был уже вполне взрослым человеком, но вел себя как скверный мальчишка. Например, он просверлил дырки в стене комнаты, где его тетка-императрица занималась любовью с Алексеем Разумовским. Он не только сам наблюдал за «этим», а еще и приглашал своих дружков заглянуть в глазок! И подобных примеров было множество. Можно себе представить гнев Елизаветы, когда она узнала об этой гнусной проделке Петра! Отныне она часто называла его то уродом, то дураком, а то и «проклятым племянником». Елизавета серьезно задумывалась о том, чтобы не передавать трон сыну Петра Павлу, а его самого выслать из страны вместе с супругой. Однако сделать этого она не успела. Петр III прекрасно знал об этих планах императрицы — вот почему он и не плакал.

А что до стишка Алексея Толстого, что, мол, при Елизавете порядка на Руси не было, то он не прав — порядок был. Развивались ремесла и промышленность, велась активная внешняя торговля; при ней творили такие люди, как Ломоносов, Крашенинников, Сумароков, Тредиаковский, Растрелли и другие выдающиеся личности. И, наконец, в ходе Семилетней войны русские войска впервые взяли штурмом Кенигсберг в 1758 году, а в 1760 году — и Берлин. Вот так.

Русская Мессалина

ИМПЕРАТРИЦА ЕКАТЕРИНА II

В императрице Екатерине Великой постоянно жила какая-то вечно не умирающая тяга к любви. Даже в зрелые годы она увлекалась молодыми гвардейскими офицерами. Все они, как на подбор, были богатырского телосложения, сильными, здоровыми и цветущими молодцами. В Европе ее называли русской Мессалиной за бесчисленное количество любовников, которое, по самым скромным подсчетам, превышало 80 человек.

«Век золотой Екатерины...» — кажется, так пел Игорь Тальков в своей песне «Россия». Действительно, это был золотой век русской истории. Теперь вот отмечается столетие со дня рождения Л. Брежнева, и снова звучат те же слова — «золотой век социализма». Времена меняются. Меняются и оценки — если на заре «демократических» преобразований была тоска по прошлым, давним, еще царским временам (помните фильм С. Говорухина «Россия, которую мы потеряли»?), то сегодня актуальны ностальгические воспоминания о нашем недавнем, советском прошлом. Пристально вглядываясь в глубь веков, понимаешь, что обе эпохи были хороши. По большому счету — это тоска по великой, стабильной и сильной России. Только правление Л. Брежнева было «золотым веком» для простого человека, а царствование Екатерины II — для дворянства, отличительной особенностью которого являлся фаворитизм.

Вообще-то фаворитизм как явление был присущ многим королевским дворам Европы, но в России он достиг пика своего развития. Екатерина II правила при помощи своих фаворитов-любовников, и правила успешно — почти каждый ее фаворит был выдающимся государственным деятелем, исключая случайные связи. Писать о Екатерине II одновременно и сложно, и легко. С одной стороны, существует масса литературы на эту тему, а с другой стороны — попробуй-ка из нее вычленить интересующие нас подробности интимной жизни императрицы! Вот этим-то мы и займемся: не будем вдаваться в историю ее царствования, а остановимся только на этих пикантных подробностях. Всего у Екатерины Великой было 12 официальных любовников, с которыми она жила более-менее продолжительное время. Об этих-то личностях в основном и пойдет наше дальнейшее повествование.

Однако сначала вкратце расскажем о том, как эта немка оказалась на русском троне. В предыдущей главе мы уже говорили, как императрица Елизавета в 1742 году вызвала из Германии своего сироту-племянника Карла-Петера-Ульриха Голштинского и назначила его своим преемником. Бездетная Елизавета выбрала именно его потому, что он был внуком Петра I и сыном ее сестры Анны. Его крестили по православному обряду и назвали Петром Федоровичем. На следующий, 1743 год она решила его женить на Софии-Фредерике-Августе Ангальт-Цербстской. В те времена Германия была раздроблена на массу мелких княжеств, герцогств, епископств и прочих курфюртшеств (мы выше уже писали об этом), число которых порой доходило до 200—300. Самым крупным германским образованием было королевство Пруссия. Так вот, отец Софии, князь Ангальт-Цербстский, был настолько беден, что был вынужден служить в прусской армии генералом за жалованье. Выбор в невесты своему племяннику Софии сама императрица Елизавета объяснила так: «...хотя она из знатного, но столь малого рода, дабы ни связи, ни свита принцессы не возбуждали особенного внимания или зависти здешнего народа». Под «народом», конечно, разумелись придворные круги. И действительно, никакой зависти или внимания к столь худородной германской принцессе поначалу не было. И еще Елизавета питала привязанность именно к Голштинии, потому что родной брат матери Софии, Карл-Август, был помолвлен с ней, но умер в 1727 году. Всю жизнь она хранила теплые воспоминания о нем. Так что в выборе невесты для своего племянника тут сыграла роль еще и печаль по умершему жениху.

В 1744 году Софию вместе с матерью и домашним скарбом (который состоял всего из нескольких вещей) привезли в Россию. Кстати, на границе ее встречал начальник почетного эскорта барон Мюнхгаузен (да-да, тот самый барон Мюнхгаузен, ставший впоследствии знаменитым вралем). Он был тогда на русской службе. В этом же году ее окрестили под именем Екатерины Алексеевны, а на следующий, 1745 год выдали замуж за Петра Федоровича. Они были почти одногодками — невесте шел 15-й год, а жених был несколько постарше: ему уже стукнуло целых шестнадцать лет!

Генеалогические отношения в Германии были настолько запутанными, что оказалось: невеста жениху приходится троюродной сестрой! Молодых, естественно, о предыдущем бракосочетании никто не спрашивал.

Кстати о происхождении Екатерины (теперь будем называть ее так). Официально она была дочерью князя Христиана Августа Ангальт-Цербстского и принцессы Иоганны Елизаветы Голштейн-Готторпской. Местом ее рождения был северогерманский город Штеттин. Дата — 21 апреля 1729 года. Однако вот незадача — в церковно-приходских книгах этого города нет записи о ее рождении! С другой стороны, сам князь Христиан писал, что в городе Штеттине у него родилась дочь, имени которой он не называет. Запись датирована 2 мая 1729 года. Нестыковка? И еще какая! Несомненно, речь идет о будущей царице Екатерине. Но почему нет записи об этом событии в церковных книгах и почему есть разница в датах? Загадка… Князь Христиан Август не мог не знать, где родятся его дети, хотя, может быть, и не был достаточно осведомлен, каким образом они появлялись на свет. Историки того времени попытались разобраться в этой нестыковке и обнаружили некую запись, казавшуюся им подлинной, о том, что Екатерина на самом деле родилась в городе Дорнбург и там же была крещена. Город Дорнбург был местом жительства семьи Екатерины II. Однако ничем не доказано, что мать в апреле 1729 года пребывала в этом городе. Скорее, наоборот, с неопровержимой точностью было установлено, что ее мать, Иоганна Елизавета, летом 1728 года была в Париже. В это же время в столице Франции находился на дипломатической службе Иван Бецкой.

По некоторым косвенным фактам можно предположить, что ее отцом на самом деле был этот Бецкой, внебрачный сын князя Ивана Трубецкого. Во времена Елизаветы он находился на дипломатический службе, в Париже сблизился с матерью Фике (так Екатерину называли в юности) Иоганной-Елизаветой, которая, будучи женщиной легкомысленной, с удовольствием наставляла рога своему мужу. Во время правления Екатерины II Иван Бецкой занимал высокое положение, возглавлял Академию художеств, много сделал для воспитания детей и юношей. Существует легенда, будто, навещая Бецкого, Екатерина целовала ему руку. Ивану Ивановичу было позволено сидеть в присутствии государыни (немыслимая честь!), тогда как другие стояли. Якобы во время одного из кровопусканий Екатерина промолвила: «Пусть из меня вытечет вся немецкая кровь и останется одна русская». Подобных косвенных свидетельств было немало. Но однозначно заявить, что отцом Екатерины II был Иван Бецкой, за неимением прямых свидетельств, конечно, невозможно. Во всяком случае, Бецкой никогда не был женат.

Есть и вторая версия происхождения Екатерины. Якобы ее отцом на самом деле был прусский король Фридрих Великий. Как раз около 1729 года он, будучи 16-летним подростком-принцем, проживал возле города Дорнбурга, где мог встречаться с матерью Фике. Якобы он-то и поспособствовал тому, чтобы его внебрачная дочь стала женой наследника русского престола. Так это или нет, мы не знаем, но слухи об этом ходили упорные. Это первая тайна в жизни Екатерины II, которых будет еще немало.

Итак, Катя стала женой наследника русского престола и стала жить во дворце. Роскошь и блеск русского императорского двора ослепили ее — такого в родной Германии она не видела! Куда там! Родители ютились в обветшавшем замке, а на обед подавали вчерашний суп из брюквы. Кофе — только по праздникам, а мяса вообще не видать: в общем, бедность и нищета, хотя и князья. И Екатерина во что бы то ни стало решила заякориться на столь чудном месте, вырваться из нищеты и бедности. Первый приз от судьбы она уже получила — благодаря случаю стала женой наследника, а дальше что? И она решила понравиться императрице Елизавете, мужу Петру и всему русскому народу. Точно так же себя ведут бедные девушки, попадая в богатую семью, — стараются понравиться всем домочадцам жениха. И точно так же ведут себя провинциалки, приехавшие покорять Москву или Петербург, — всеми правдами и неправдами пытаются осесть в столице, добыть хлебное место, удачно выйти замуж за аборигена, прописаться, а еще лучше родить ему ребенка. Тогда он уж точно не выгонит ее обратно в глухомань. Вот что она говорила об этом в своих «Записках»: «Поистине я ничем не пренебрегала, чтобы этого достичь: угодливость, покорность, уважение, желание нравиться, желание поступать как следует, искренняя привязанность — все это с моей стороны постоянно, к тому было употребляемо с 1744 по 1761 год. Признаюсь, что, когда я теряла надежду на успех в первом пункте, я удваивала усилия, чтобы выполнить два последних; мне казалось, что не раз успевала я во втором, а третий удался мне во всем объеме, без всякого ограничения каким-либо временем, и, следовательно, я думаю, что довольно хорошо исполнила свою задачу».

И 15-летняя Екатерина принялась учиться — старательно изучала русский язык, штудировала Тацита, Вольтера, Дидро и Руссо, перечитала все книги на русском языке, которые смогла достать, став образованнейшей женщиной своего времени. Она наблюдала придворную жизнь и нравы русского дворянства, часто «выходила в народ». Причем делала она это оригинально: «Приписывают это глубокому уму и долгому изучению моего положения. Совсем нет! Я этим обязана русским старушкам… И в торжественных собраниях, и на простых сходбищах и вечеринках я подходила к старушкам, садилась подле них, спрашивала о их здоровье, советовала, какие употреблять им средства в случае болезни, терпеливо слушала бесконечные их рассказы о их юных летах, о нынешней скуке, о ветрености молодых людей; сама спрашивала их совета в разных делах и потом искренне их благодарила. Я знала, как зовут их мосек, болонок, попугаев, дур; знала, когда которая из этих барынь именинница. В этот день являлся к ней мой камердинер, поздравлял ее от моего имени и подносил цветы и плоды из ораниенбаумских оранжерей. Не прошло и двух лет, как самая жаркая похвала моему уму и сердцу послышалась со всех сторон и разнеслась по всей России. Самым простым и невинным образом составила я себе такую громкую славу, и, когда зашла речь о занятии русского престола, очутилось на моей стороне значительное большинство». Не так легко и просто было завоевать доверие русских барынь, слушая их нудные россказни о стародавних временах и своих болячках, как это кажется! А уж тем более запоминать клички их собак и попугаев! Однако игра стоила свеч — Екатерина научилась понимать «загадочную русскую душу» и завоевала популярность в дворянской среде.

Забегая вперед, отметим, что чужаки в русской среде всегда стараются казаться более русскими, чем сами русские. Особенно правители — это доказывает пример немки Екатерины II и грузина Сталина: более русских по духу людей, которые так бы заботились о России, о приумножении ее богатств, народонаселения, расширении ее пределов и еще о многом-многом другом, составляющем славу и гордость империи, трудно себе представить. В нашей истории мало найдется таких патриоток, как Екатерина. Она не жалела сил для своей новой родины и называла Петра I своим «дедом».

Вспомним, что когда Елизавета пригласила своего племянника Петра в Россию и назначила его своим наследником, то обязала всех подданных присовокуплять к его имени титул «внук Петра I» (он был сыном Анны, дочери Петра I, и сестры Елизаветы). По этой аналогии и Екатерина тоже была «внучкой» Петра великого. Хитро Катюша придумала, и возразить было нечего!

Однако пойдем дальше. Перейдя в православие, она старалась строго соблюдать церковную обрядность, все посты и отмечать храмовые праздники. Скоро она совсем превратилась в русскую женщину. Отметим, что не все заморские принцессы, жены великих князей, так поступали. Некоторые даже не удосуживались выучить русский язык и до самой смерти разговаривали на немецком, французском или английском. Некоторые не принимали православия, так и оставаясь протестантками или католичками. Все это происходило от чванства и зазнайства к этой «варварской» стране — России. Однако Екатерина была не такая — так как на кону было большее: «Он (Петр Федорович) был для меня почти безразличен, но небезразлична была для меня русская корона» — так потом писала сама императрица. В 1756 году она писала английскому посланнику Ч. Уильямсу: «Я буду царствовать или погибну!» Провинциалка замахнулась на русский трон! Катерина захотела стать русской царицей и с азартом принялась воплощать эту идею в жизнь.

Усилия Екатерины чуть не испортила ее мамаша — Иоганна-Елизавета, очутившись при русском дворе, она начала шпионить в пользу прусского короля Фридриха II. Узнав об этом, Елизавета выслала Иоганну из России, а заодно и всех немцев, приехавших с ней. И чуть было не отправила домой ее дочь. Екатерине было запрещено переписываться с матерью; об этом она не очень-то и жалела, так как мать являлась препятствием для достижения заветной мечты. Опасаясь, что Катя будет заниматься тем же, Елизавета приставила к ней своих шпионов, но было уже поздно — она уже успела завоевать популярность в среде гвардейцев и части дворянства, а также окружить себя преданными людьми.

Кстати, мать Екатерины, Иоганна-Елизавета, вернувшись в Германию, вскоре уехала в Париж, сошлась с одним французом и жила в свое удовольствие, наделав много долгов, и вела жизнь, «не делающую чести ее дочери». Она умерла в 1760 году, и Екатерине пришлось приложить немало усилий, чтобы уговорить императрицу Елизавету заплатить долги своей матери — полмиллиона рублей!

Вернемся немного назад. Если императрица Елизавета называла своего племянника Петра Федоровича дураком, то Екатерина ей сразу понравилась. Она была живой и жизнерадостной, любознательной, настойчивой и не любила скуки. Государыня к ней благоволила и ждала, когда у молодой четы появится ребенок. Желала этого и Екатерина, и еще как желала, но родить никак не могла. Целых ДЕВЯТЬ лет Катерина оставалась бездетной! Дело было в том, что супруги, мягко говоря, не сошлись характерами.

Оставшись сиротой, Петр был отдан на воспитание своим дальним родственникам. Современник писал: «Будущий российский император в детстве был несчастен. Матери он не помнил, а отец его скончался, когда Петру исполнилось одиннадцать лет. Чтобы пристроить сироту хоть куда-нибудь, его отправили к родственнику, занимавшему епископскую кафедру в Любеке. Епископ дал в наставники мальчику двух учителей — фон Брюммера и Берггольца. Оба они были невежды, пьяницы и грубияны. Они часто били мальчика, держали его на хлебе и воде, а то и просто морили голодом, ставя на колени в угол столовой, откуда он наблюдал, как проходит обед». О том, как били будущего императора, есть рассказ другого современника: «Я вас так велю сечь, — заходился в крике Брюммер, — что собаки кровь лизать станут».

Цитируем дальше: «Если же Петр крал из кухни кусок хлеба, то к экзекуции добавлялось и нечто новое: поставив принца на колени, в руки ему давали пучок розог, а на шею вешали рисунок, на коем был изображен осел. Петр рос худым, болезненным, запуганным и начисто лишенным чувства собственного достоинства. Ко всему прочему он стал лжив и патологически хвастлив. Учителя, любившие попойки, приучили своего воспитанника к спиртному, и он стал предпочитать всем прочим общество кучеров, лакеев, слуг и служанок… Он не хотел учиться и все время посвящал забавам и потехам. Любимым его занятием были игры с оловянными солдатиками…» Он просто обожал все военное. Хотя Петра и много учили, он получил полное отвращение к наукам. Из искусств наиболее всего он предпочитал скрипку и выучился неплохо играть на ней. В России его стали снова учить. Но частые болезни и женитьба помешали ему получить систематическое образование.

Короче, Петр вырос очень закомплексованным человеком с искалеченной психикой. Недоиграв в детстве в солдатики, он всю жизнь оставался ребенком и мечтал о том, как станет всемирно известным императором. Историк В. О. Ключевский нарисовал такой его портрет: «Его образ мыслей и действий производил впечатление чего-то удивительно недодуманного и недоделанного. На серьезные вещи он смотрел детским взглядом, а к детским затеям относился с серьезностью зрелого мужа. Он походил на ребенка, вообразившего себя взрослым; на самом деле это был взрослый человек, навсегда оставшийся ребенком». Н. Костомаров писал: «…Великий князь, наследник русского престола, капризный до наивности человек ума чрезвычайно мелкого…» По словам другого историка, С. Соловьева: «Петр Федорович обнаруживал все признаки остановившегося духовного развития, он являлся взрослым ребенком».

Итак, характеры жизнерадостной Екатерины и инфантильного Петра не сошлись. Они не только не смогли полюбить друг друга, но даже понять. Общение Петра и Екатерины показало полное несходство их интересов. Да и внешне они разительно отличались — долговязый, узкоплечий и хилый жених проигрывал на фоне необыкновенно привлекательной невесты. Когда Петр Федорович перенес оспу и его лицо обезобразили свежие шрамы, то Екатерина ужаснулась. И правда, на портретах Петр III не выглядит красавцем-мужчиной. Но главное заключалось в другом — потрясающему пофигизму Петра противостояла деятельная, целеустремленная и честолюбивая натура знающей себе цену женщины. Если верить дневникам самой Екатерины II: «Мой возлюбленный муж мною вовсе не занимается, а проводит свое время с лакеями, то занимаясь с ними шагистикой и фрунтом в своей комнате, то играя с солдатиками или же меняя в день по двадцать разных мундиров. Я зеваю и не знаю, куда деться от скуки».

Мы не зря употребили здесь словосочетание «если верить». Дело в том, что мемуары Екатерины существуют в нескольких редакциях — до 1762 года, когда был убит Петр III, и после. Поздние редакции подчищены и исправлены самой Екатериной, чтобы показать, каким ничтожеством был ее муж; такого кретина не грех было свергнуть с престола и убить. Например, в ранних «Записках» она отзывается о Петре так: «Тогда я впервые увидела великого князя, который был действительно красив, любезен и хорошо воспитан. Про одиннадцатилетнего мальчика рассказывали прямо-таки чудеса». (Речь идет о первой их встрече в Гамбурге.) Спустя десятилетия Екатерина выбрасывает это предложение и пишет другое: «Тут я услыхала, как собравшиеся родственники толковали между собою, что молодой герцог наклонен к пьянству, что приближенные не дают ему напиваться за столом». Чувствуете разницу? То был хорошо воспитан, а то вдруг стал пьяницей! Дело в том, что сохранились оба варианта этих мемуаров — Екатерина II, не рассчитывая на свою скорую смерть, просто не успела уничтожить их ранний вариант. Позже мы еще вернемся к этому варианту записок Екатерины II. Еще в 1797 году Карамзин решительно заявил по этому поводу: «Обманутая Европа все это время судила об этом государе со слов его смертельных врагов или их подлых сторонников…» За «смертельными врагами» последовали знаменитые историки, которых мы цитировали выше, пользовавшиеся все теми же мемуарами Екатерины II. Ныне проявляется тенденция

обелять Петра III и создавать ему ореол мученика...
Мы не знаем, каким был на самом деле Петр Федорович, и будем судить по дошедшим до нас воспоминаниям современников, в том числе и Екатерины II. В конце концов, нас интересует не политика Петра III, а его интимные отношения с супругой. Скажем только одно: он был глубоко несчастным человеком...

Итак, 21 августа 1745 года состоялась свадьба Петра Федоровича и Екатерины. Как мы уже писали, молодых об их желаниях никто не спрашивал. Если Екатерина спала и видела, как войти в царскую семью, то у Петра было другое мнение. Дело в том, что он был давно и безнадежно влюблен в княжну Лопухину. Да-да в ту самую Лопухину, о которой мы уже писали, — только не в мать, а в дочь. Как мы помним, Наталье Федоровне Лопухиной за болтовню вырезали язык и сослали в Сибирь. Молва напрямую связывала казнь Лопухиной с желанием Петра жениться на ее дочери. Однако расправа с Лопухиной состоялась в 1743 году, а Петр женился в 1745 году, и это не может иметь причинно-следственной связи. А правда состоит в том, что при первом же свидании с невестой, Екатериной, Петр признался ей, что любит Лопухину и хотел бы жениться именно только на ней. Императрица Елизавета, разумеется, и слышать ничего не хотела, и Петр вынужден был покориться воле тетки.

Однако и у Екатерины были свои амурные тайны. Мы уже писали, что она училась русским обычаям, в том числе и наблюдая жизнь императорского двора. А нравы при дворе Елизаветы были легкие, и Катерина рано научилась флиртовать, беря пример со своей распутной мамочки. Один из германских историков сообщал о первых опытах Екатерины на любовном поприще еще до приезда ее в Россию. Еще в Штеттине у нее был любовник, некий граф Б., имевший насчет Фике серьезные намерения, который, однако, своего слова не сдержал и привел к алтарю ее подругу. Скорее всего, это фантазии автора. Дворы маленьких германских княжеств не были, разумеется, храмами добродетели, но их принцессы не предавались разврату в 14 лет. Истина была в другом.

Еще до замужества, в свои 15 лет, она влюбилась в придворного ловеласа Андрея Чернышева. Неизвестно, был ли между ними интим, правда лишь то, что Чернышев с Екатериной вел себя дерзко и вызывающе. Наверное, был, раз он позволял себе такие выходки в отношении невесты наследника — раз Екатерина ему отдалась, то он уже считал ее своей. Знаете, есть такой тип мужчин — навоображают себе невесть что, а потом им хоть кол на голове теши: будут стоять на своем, и баста. Петр Федорович заметил амуры Чернышева с Катериной и жутко оскорбился — даже стал называть Катерину «невестой» Чернышева. Друзья Кати, которых она уже успела заиметь, посоветовали ей бросить Чернышева во избежание разрыва с наследником. Этого как раз она и опасалась, раз ее мечтой была русская корона. К счастью, до этого дело не дошло — Елизавета, узнав о романе Чернышева с Катериной, выперла любвеобильного мужика в Данию. Вернулся он оттуда только после свадьбы Екатерины с Петром.

Так что не только взаимная неприязнь была препятствием к нормальной супружеской жизни молодых, но и разные любовные устремления.

Итак, свадьба состоялась. Она была пышной и, как всегда, по елизаветинскому обычаю, веселой. После бала императрица отвела молодых в отведенные для них покои, где сама обрядила Екатерину в нарядную ночную рубашку и халат. Жених в это время со своими друзьями тоже удалился для переодевания. Когда все было готово, новобрачные стали перед Елизаветой на колени, она поцеловала их и благословила. Потом придворные уложили их в постель и удалились. Поутру по всему дворцу разнесся слух, что Екатерина встала с брачного ложа девственницей, как и легла. (Девственницей она, судя по всему, уже не была, но не в этом дело.)

Что произошло? Предоставим слово самой новобрачной: «плотно поужинавший в тот вечер супруг, улегшись подле меня, задремал и благополучно проспал до самого утра». По уверениям Екатерины, так продолжалось изо дня в день, из месяца в месяц, из года в год. Как-то она поделилась с канцлером А. Бестужевым-Рюминым своими печалями. Якобы по ночам они с Петром занимались экзерцициями с ружьем и попеременно стояли на часах у дверей. Она жаловалась канцлеру, что это занятие ей «весьма наскучило» и от ружья у нее болят руки и плечи. Она просила Бестужева «сделать ей благодеяние, уговорить великого князя, супруга ее, чтобы он оставил ее в покое, не заставлял по ночам обучаться ружейной экзерциции, что она не смеет доложить об этом императрице, страшась тем прогневить ее величество…». Представляете такую картину: Екатерина по требованию мужа изучает приемы обращения с оружием, как какой-то новобранец! Так и слышатся его команды: «На плечо!», «Оружие, за спину!», «Оружие, положить!», «Оружие, на грудь!». А потом стоят попеременно на часах! Во все это верится с трудом — вместо того чтобы интересоваться женскими прелестями (а Екатерину было за что потискать), муж занимается с ней ружейными приемами! И абсолютно равнодушен к сексу! А хоть бы и так: знаете, есть ролевые сексуальные игры. Например, врач — пациентка, русская разведчица — гестаповец, учитель — школьница. «Врач» принимает «пациентку», осматривает ее, медленно раздевая и нежно прикасаясь к ее телу, чем доводит до нужной кондиции, а затем овладевает ей. И так далее. Раз уж такое было, как описывает Екатерина, то можно предположить, что Петр играл с ней в сексуальную игру «новобранец — командир». При команде «Оружие, положить!» (здесь нужно наклоняться) Петр мог пристроиться к Екатерине сзади, задрать ей подол… и так далее. Но это так, наши фантазии. А правда состоит в том, что это вранье, нагроможденное позже, чтобы очернить убитого Петра.

С логикой у Екатерины было неважно — то она упрекает Петра, что он не может выполнять свой супружеский долг, то уверяет, что он волочился за фрейлинами. Опять дадим слово ей: «Если бы великий князь желал быть любимым, то относительно меня это вовсе не трудно, я от природы была склонна и привычна к исполнению своих обязанностей». Интересно знать: где это она в свои 15—16 лет обрела эту привычку? Вопрос, что называется, риторический — со своими любовниками, конечно. Сразу после свадьбы Петр Федорович стал ухаживать за фрейлиной Карр, потом за девицей Шафировой и другими придворными дамами, которые проявляли к нему хоть малейший интерес. Среди них была некая Теплова, Седрапарре, а также певичка-немка. Значит, Петр сексом все же интересовался, но Екатерина просто «не давала» ему! В 1746 году она писала: «Я очень хорошо видела, что великий князь совсем меня не любит. Через две недели после свадьбы он мне сказал, что влюблен в девицу Карр, фрейлину императрицы… Он сказал графу де Виейере (Девиеру), своему камергеру, что не было сравнения между этой девицей и мной».

Выходит, что Петру было что сравнивать, и значит, он все же спал с Екатериной? Или нет?

Дадим слово и другой стороне. Вот что писал сам Петр Федорович в декабре 1746 года, всего через полтора года после свадьбы: «К Великой Княгине. Милостивая Государыня. Прошу вас не беспокоиться нынешнюю ночь спать со мной, потому что поздно уже меня обманывать, постель стала слишком узка после двухнедельной разлуки. Ваш несчастный муж, которого вы никогда не удостаиваете этого имени, Петр». Это значит, что Екатерина действительно отказывала Петру в сексе, но с удовольствием занималась этим со своими любовниками. Он был ей противен, и она зря врала, что «готова к исполнению своих обязанностей» с Петром. Она была «готова» с другими, но только не с ним.

Екатерина врала потому, что императрица Елизавета требовала от нее рождения внука, а та никак не могла забеременеть. Государыня упрекала в этом Екатерину, но дело было не только в ней. В конце концов, Елизавета, по подсказке доверенных лиц, устроила врачебный осмотр супружеской четы. О его результатах мы знаем из сообщений иностранных дипломатов: «Великий князь был не способен иметь детей от препятствия, устраняемого у восточных народов обрезанием, но которое он считал неизлечимым. Великая княгиня, не любившая его и не проникнутая еще сознанием необходимости иметь наследников, не была этим опечалена». Это известие повергло Елизавету в шок: «Пораженная сею вестью, как громовым ударом, Елизавета казалась онемевшею, долго не могла вымолвить и слова, наконец, зарыдала». То есть Петр Федорович страдал фимозом — сращением крайней плоти, не позволявшим ему совершать нормальные сексуальные контакты.

Эти «известия» иностранных дипломатов по меньшей мере странны. Неужели врачи Елизаветы никогда не устраивали медосмотра наследнику русского престола? В добрые старые времена это было бы немыслимым упущением; лекарям полагалась казнь «за несбережение государского здоровья». Однако при всеобщем разгильдяйстве, царившем во время правления Елизаветы, это вполне могло иметь место. Потребовалось женить Петра, напрасно ждать от него внука и только потом узнать, что ему требуется обрезание! А где же был хваленый личный врач Елизаветы Жано Лесток? А Лесток занимался политикой, ему не до врачевания было. Уму непостижимо! Теперь другое — раз Петр сам считал свою болезнь неизлечимой, то он знал о ней! И не обратился к докторам! Мальчик, конечно, мог и ошибаться и стесняться, но куда смотрела его супруга Екатерина? Об этом красноречиво свидетельствует донесение еще одного иностранца: «Он так стыдился несчастья, поразившего его, что у него даже не хватало решимости признаться в нем, и великая княгиня, принимавшая его ласки с отвращением и бывшая в то время такой же неопытной, как и он, не подумала утешать его, не побудила искать средства, чтобы вернуть его в ее объятия».

Это Екатерина-то была «неопытной»? Она что, не видела у Петра этого «препятствия»? «Зри в корень», — говорил Козьма Прутков, а Екатерина-то на «корень» как раз и не смотрела! Или они занимались с Петром любовью в полной темноте, да еще и под одеялом? Не знаем, не знаем… Вероятнее всего, то, что Екатерина сама не хотела от Петра ребенка, и болезнь наследника здесь ни при чем. Так что она зря сваливала всю вину на Петра. Но как же быть с планом Екатерины стать русской царицей, не обзаведясь наследником? Парадокс! Или у нее были иные планы?

Как бы то ни было, а Елизавета дала согласие на операцию, однако это к успеху не привело — детей у супругов так и не было. Еще один иностранный дипломат сообщал о следующей выходке Петра: «Уязвленный словами императрицы, он решил удовлетворить любознательность насчет подробностей, которые она желала знать… он послал императрице в запечатанной собственноручно шкатулке то доказательство… которое она желала иметь…» То есть, говоря простым языком, он отослал Елизавете то, что осталось от операции — свою крайнюю плоть. Даже после обрезания Петр Федорович, по-видимому, остался импотентом. Во всяком случае, детей от Воронцовой или других пассий у него не было.

Молодые окончательно отдалились друг от друга. Екатерина нашла утешение в чтении самых разнообразных по тематике серьезных книг, в верховой езде (бывало, что она проводила на лошади по 13 часов в сутки) и многочисленных амурах. Она было завела кратковременный роман со шведским посланником графом Поленбергом, но тут из-за границы явился Андрей Чернышев. Его наглое поведение изумляло весь двор. Екатерина сначала не хотела его принимать, но он однажды силой ворвался к ней в спальню, переодевшись лакеем… И она не устояла. Связь Екатерины с Андреем Чернышевым и двумя его братьями, особенно с Захаром Чернышевым, стала известна Елизавете. Чернышевых арестовали и посадили в тюрьму, но Екатерина писала Андрею нежные письма и заботилась о своем возлюбленном. Письма передавал камер-юнкер Тимофей Евреинов. Как-то Елизавета перехватила эти письма, и Евреинова сослали в Казань, где он стал полицмейстером, а потом дослужился до полковника. (Кстати, братья Чернышевы — Андрей, Иван и Захар, были сыновьями той самой Евдокии Ржевской, любовницы Петра I, которая наградила его сифилисом и которой он восхищался, говоря: «Авдотья — бойбаба». Потом он выдал ее замуж за генерала Григория Чернышева. Возможно, они были сыновьями самого Петра Великого.) Самого же Андрея Чернышева сослали в Сибирь. Уже взойдя на престол, Екатерина II не забыла своего давнего увлечения и дала следующее повеление управляющему собственной канцелярией графу Олсуфьеву: «Я тебе поручаю выбрать место, или, одним словом сказать, хлеба дать Андрею Чернышову, генерал-адъютанту бывшего императора, да отставному полковнику Тимофею Евреинову...»

Петр Федорович тоже не скучал. Как раз в это время ему разрешили выписать полк голштинских солдат, и он целыми днями занимался с ними воинскими упражнениями и маневрами, публично вешал крыс, мучил собак (по словам все той Екатерины), пьянствовал и играл в оловянных солдатиков. А еще он влюбился! Избранницей Петра Федоровича стала Елизавета Воронцова, племянница канцлера. Жена наследника называла ее фаворит-султаншей. Современники сходились в едином мнении, что все любовницы Петра отличались тем, что были некрасивы, невоспитанны и глупы. Однако с лица воду не пить — что-то Петр Федорович в них все же находил. Особенно уродливой была Воронцова — маленькая, толстая, с лицом, изуродованным оспой, злая и недалекая. Французский посланник Бретейль сравнивал ее с «трактирной служанкой самой низкой пробы». Писатель А. Болотов, впервые увидев Воронцову, еще не зная, что за дама продефилировала перед ним, спросил: «Кто б такова была толстая и такая дурная, с обрюзглою рожей боярыня?» Услышав в ответ, что это фаворитка Петра Федоровича, Болотов впал в прострацию: «Ах, боже мой! Да как это может статься? Уж этакую толстую, нескладную, широкорожую, дурную и обрюзглую совсем любить, и любить еще так сильно государю…» Потом добавил: «В самом деле была она такова, что всякому даже смотреть на нее было отвратительно и гнусно». Заметим, что Болотов был недоброжелателем Петра Федоровича и вовсю пытался очернить как самого наследника, так и его фаворитку. Сама же Екатерина в своих «Записках» называла Воронцову «очень некрасивым, крайне нечистоплотным ребенком с оливковым цветом кожи», «толстой и нескладной», «с обрюзглым лицом», «широкорожей». В свою очередь Елизавета Воронцова называла Екатерину «дурной женщиной». Ясно, что Екатерина была не в восторге от любовницы мужа и могла обзывать ее как угодно. С портретов же на нас смотрит вполне приятная дама, с двойным подбородком и чуть одутловатым лицом.

Как тут не вспомнить фаворитку последней императрицы Александры Федоровны, жены Николая II, Анну Вырубову! Та тоже была низенькой, толстой, широколицей — губки бантиком, а нос гузкой. Видимо, в этих женщинах таилось нечто такое, что заставляло монархов любить их, несмотря на внешнее уродство. Преданность и честность, неподкупность и твердость характера — вот эти качества. Наверное, за это их и любили. А еще Петру Федоровичу, наверное, импонировало и то, что Воронцова, как и он сам, переболела оспой — как известно, общие страдания сближают людей.

Воронцова имела на Петра огромное влияние. Под горячую руку она могла побить наследника, особенно когда он спьяну начинал приставать к какой-нибудь фрейлине или даме. Это случалось почти каждый раз, перед тем как он напивался до бесчувствия (а что ему еще оставалось делать!) и лакеи выносили его из-за стола, взяв под мышки и за ноги. Иногда, будучи в подпитии, Петр кричал, что заточит Екатерину в монастырь и женится на Воронцовой.

Считается, что с 1746 года, после первых попыток Петра Федоровича переспать с женой, они до начала 1750-х жили порознь. Екатерина по-прежнему много читала, причем перешла на гламурные романы, которые были тогда в моде, например, «Пастушеская любовь Дафниса и Хлои». Там было такое место: «Дафнис лег, а Хлоя скользнула под него…» Такие книги были своеобразными учебниками по любви, и Екатерине они очень нравились. Сама же Екатерина позже сознавалась, что ее очень интересовала личность королевы Иоанны Неаполитанской, развращенной и непостоянной женщины, которая умела наслаждаться любовью сразу с несколькими мужчинами. (Иоанна Неаполитанская (1328—1382) была известна тем, что по ее приказу был задушен муж — король Андрей Венгерский.) Какая судьба! А ведь Екатерина тоже прикажет умертвить своего мужа! Однако до этого было еще далеко — Екатерине в ту пору было лишь 18 лет.

В это время за ней стал ухаживать Кирилл Разумовский, украинский гетман, родной брат фаворита императрицы Елизаветы Алексея Разумовского. Был ли у них интим, сказать трудно, но ухаживал он за ней достаточно упорно. Екатерина в это время отчаянно скучала. Как-то летом 1749 года она гостила в имении Чоглоковых Раево. Дальним соседом по имению был Кирилл, и она каждый день виделась с ним, приезжавшим обедать и ужинать. Затем он уезжал обратно в свое Покровское, проделывая, таким образом, до 60 верст в день! Двадцать лет спустя Екатерина спросила его, что побуждало его приезжать каждый день и делить скуку великокняжеского двора, тогда как он мог проводить время в лучшем московском обществе. «Любовь», — скромно ответил Кирилл, не задумываясь. «Любовь? Но кого же вы могли любить в Раеве?» — «Вас!» Екатерина якобы расхохоталась, ей это и в голову не приходило. Она, конечно, знала, что Разумовский в нее был влюблен, но и через 20 лет кокетничала с ним, притворяясь невеждой.

Однако мы забежали вперед. Откуда же появились эти Чоглоковы? А вот откуда — для контроля за Екатериной Елизавета приставила к ней статс-даму Марию Симоновну Чоглокову, а ее мужа сделала камергером великой княгини. Несмотря на то что Чоглоковы любили друг друга, Екатерина увлекла своего камергера, кокетничая с ним; он совершенно охладел к жене и влюбился в негодницу. Правда, Екатерина потом писала, что Чоглоков стал «волочиться» за нею, но такого амурного приключения она «вовсе не желала». Об этом скоро узнала жена, и Чоглокову здорово влетело.

Между тем детей у Екатерины все не было, что очень беспокоило императрицу Елизавету. Что произошло в дальнейшем, версии разнятся — но, главное, в жизнь Екатерины вошел камергер Сергей Салтыков. Он был старше ее на два года и ко времени их встречи был уже женат. В своих «Записках» Екатерина писала, что инициатором их близости был он: «Сергей Салтыков дал мне понять, какая была причина его частых посещений (официально он приходил к Чоглоковым)… Я продолжала его слушать; он был прекрасен, как день, и, конечно, никто не мог с ним сравняться ни при большом дворе, ни тем более при нашем. У него не было недостатка ни в уме, ни в том складе познаний, манер и приемов, какие дают большой свет и особенно двор. Ему было 25 лет; вообще и по рождению, и по многим другим качествам это был кавалер выдающийся… Я не поддавалась всю весну и часть лета». Да, Петр Федорович, несомненно, проигрывал в сравнении с Салтыковым! «Прекрасен, как день» — это надо же! Несомненно, Екатерина без памяти влюбилась в этого красавца!

О том, как развивался их роман дальше, пишет современник: «Как-то во время охоты на зайцев, оставшись наедине с Екатериной, Салтыков признался ей в страстной любви. «А ваша жена?» — спросила Екатерина. Сергей ответил, что это было юношеское увлечение, ошибка. Ответному чувству Екатерины способствовало то, что Петр Федорович тогда волочился за девицей Марфой Исаевной Шафировой…» И понеслось…

Императрица Елизавета, обеспокоенная таким «неправильным» поведением Екатерины, усла́ла Сергея на один месяц «отдохнуть» к родным в деревню, но уже в феврале 1753 года он вернулся в Петербург и снова принялся охмурять великую княгиню. А та и не возражала…

Дальше существует несколько версий произошедшего. Якобы Екатерина обратилась к канцлеру Бестужеву (с которым была дружна) с просьбой назначить Салтыкова своим камергером, чтобы иметь его поближе к себе. По другой версии, сама Елизавета спросила у Бестужева совета, кого Екатерине дать в любовники, чтобы тот вместо импотента Петра смог зачать ребенка. Бестужев предложил Салтыкова. Возможно, сама Екатерина инспирировала всю эту кутерьму с Салтыковым. Очевидно, для надежности императрица дала такое же задание и Марии Чоглоковой. Та, однажды отведя Екатерину в сторону, заявила, что замужество, конечно, хорошо, но существуют «положения высшего порядка, которые вынуждают делать исключения из правил». Таким «исключением из правил» является продолжение династии. Чоглокова от имени императрицы предложила на выбор Екатерине двух любовников — Сергея Салтыкова и Льва Нарышкина. Та, естественно, выбрала Сергея, поскольку их любовь была в самом разгаре.

Так Сергей Салтыков стал любовником Екатерины. Опять дадим слово современнику: «Когда у Екатерины появились первые признаки беременности, Елизавета Петровна запретила ей ездить верхом. Четырнадцатого декабря 1752 года Двор выехал из Петербурга в Москву, и по дороге у Екатерины произошел выкидыш. Петр Федорович заподозрил Екатерину в неверности, поскольку ее беременность для него была неожиданностью». Поговаривали, будто у Екатерины был еще выкидыш и в следующем, 1753 году.

Наконец, в 1754 году Екатерина снова забеременела и 20 сентября 1754 года (через 9 лет после замужества!) родила здорового мальчика, которого назвали Павлом (будущий Павел I). Перед этим она для отвода глаз снова сблизилась с Петром. Елизавета сразу же забрала долгожданного ребенка к себе. Как проходили роды Екатерины, мы уже писали — после них ей некому было даже воды подать.

Петр Федорович сразу же засомневался в своем отцовстве: «Бог знает, откуда моя жена берет свою беременность, я не слишком-то знаю, мой ли это ребенок и должен ли я принять его на свой счет?» Все тот же Болотов писал относительно Елизаветы Воронцовой и «сына» Петра: «Петр Федорович стал обходиться с ней (женой) с величайшей холодностью и слюбился напротив того с дочерью графа Воронцова и племянницей тогдашнего великого канцлера Елизаветой Ромáновною, прилепясь к ней так, что не скрывал даже ни перед кем непомерной любви своей, которая даже до того его ослепила, что не всхотел от всех скрыть ненависть к супруге и к сыну своему и при самом еще вступлении на престол сделал ту непростительную погрешность и с благоразумием совсем несогласную неосторожность, что в изданном первом от себя манифесте не только не назначил сына своего по себе наследником, но не упомянул о нем ни единого слова. Не могу изобразить, как удивил и поразил тогда еще сей его шаг всех россиян и сколь ко многим негодованиям и разным догадкам и суждениям подал он повод».

Переведя на современный язык писания Болотова, Петр III, взойдя на престол, в своем манифесте не упомянул своего сына и не назвал его своим наследником. Этим якобы были возмущены многие «негодующие россияне». А с чего бы это Петр III стал назначать не своего сына преемником? Тем более что Болотов отлично знал: Павел — от Салтыкова. Не мог не знать, так как об этом говорили все! При дворе открыто говорили, что новорожденного Павла Петровича следовало именовать Сергеевичем. Да и сам Сергей Салтыков открыто хвастался, что он является отцом Павла. Косвенным доказательством этому может послужить то, что императрица Елизавета выдала Екатерине «за труды» по деторождению 100 тысяч рублей, а Петр, как «отец», не получил ничего! Узнав об этом, он пришел в ярость — ведь он имел равные права на щедрость императрицы! Он закатил грандиозный скандал, и только после этого, спустя шесть недель, Елизавета распорядилась наградить Петра такой же суммой. За что, спрашивается — ведь трудился-то Салтыков!

Помните, мы говорили о двух вариантах мемуаров Екатерины? Так вот в первом из них, написанном на французском языке и предназначенном только для членов императорской фамилии, Екатерина пишет, что родила своего сына Павла не от мужа, а от Сергея Салтыкова. И сделала она это по приказу императрицы Елизаветы, которая служила в качестве сводни. Этот вариант мемуаров, написанный рукой самой Екатерины, был опубликован только в начале XX века по специальному разрешению Николая II академиком А. Пыпиным.

Позже, когда Павел подрос, обнаружилось заметное сходство с Сергеем Салтыковым, а особенно с его братом Петром. От них Павел унаследовал приметные черты лица — вздернутый нос и большие глаза. Эти признаки не были присущи ни династии Романовых, ни линии Гольштейн-Готторпских князей. Так что, может быть, к «созданию» Павла были причастны оба брата.

Кстати, о братьях Салтыковых. Они принадлежали к очень знатному роду. Их мать, урожденная княжна Голицына, в свое время славилась чудовищным развратом. Она ходила со своей служанкой по солдатским казармам, пьянствовала со служивыми и предавалась с ними грубому сладострастию. Современник сообщает, что у Салтыковой было около 300 любовников из среды гренадеров. Сама Екатерина писала о ней: «Она была красива, но вела себя так странно, что лучше было бы, если бы ее поведение не стало известно потомству».

Какова же дальнейшая судьба Сергея Салтыкова? Он хотя и любил Екатерину, но еще больше любил свою карьеру и в сложившихся обстоятельствах сильно за нее опасался. Сергей то появлялся в окружении Екатерины, то исчезал, объясняя это нежеланием скомпрометировать великую княгиню. Иной раз он назначал ей свидание, но сам не приходил, а Екатерина напрасно ждала его до трех часов ночи. После рождения Павла, и особенно после того, как Салтыков похвастался, чей он сын, императрица Елизавета посчитала его задачу выполненной и, чтобы не разносить слухов, отправила его с дипломатическим поручением в Стокгольм, а потом и дальше за границу. Он был дипломатическим представителем русского двора то в Гамбурге, то в Париже, то в Дрездене, чему был, по-видимому, несказанно рад — легко отделался.

В рождении Павла от любовника Екатерины не было ничего необычного — подобная практика была давно известна различным европейским дворам. Естественно, такие тайны хранились в секрете. Несомненно, Павлу была известна тайна его рождения, так же, как и его матери. Она называла его сыном Петра III из соображений стабильности монархии, а Павел, чтобы развеять любые сомнения в своем праве на трон, по любому поводу стремился подчеркнуть, что он является законным наследником династии. В стремлении лишний раз убедить в этом подданных, он приказал высечь на пьедестале памятника Петру I, установленного перед Михайловским замком, надпись: «Прадеду от правнука».

Итак, долгожданное событие свершилось — Екатерина родила наследника престола. Интерес к ней со стороны императрицы Елизаветы сразу же пропал, так как она тотчас забрала Павла к себе. Стоит ли говорить, что Петр Федорович не проявлял интереса к сыну, а тем более к жене. Да и сама Екатерина не питала к младенцу материнских чувств. Так мальчик при живых родителях стал сиротой, что позже наложило отпечаток на его психику. По существу, он повторил судьбу Петра III, тоже оставшегося сиротой.

Великая княгиня Екатерина Алексеевна осталась предоставленной самой себе. Она устроила свой малый двор и стала жить в свое удовольствие. После отъезда Сергея Салтыкова за границу она долго не скучала. Она тут же сошлась со вторым претендентом, которого Чоглокова предлагала ей в отцы Павлу — Львом Нарышкиным, обаятельным и остроумным кавалером. Лев Нарышкин по призванию был шутом, а по состоянию души — сводником. Он сам пользовался прелестями Екатерины и поставлял ей других любовников.

Екатерина с Нарышкиным прожила менее года, пока на ее горизонте не появился Станислав Август Понятовский, поляк, потомок династии древних польских королей — Пястов. Он родился в 1732 году, то есть был на три года моложе Екатерины, и благодаря своему аристократическому положению уже в 1752 году (то есть в 20 лет) был избран депутатом польского сейма. Он был обаятелен, имел успех у женщин; его речи в сейме, красивые и остроумные, были популярными. Правда, как он сам писал позже в своих мемуарах, «в остальном же я был крайне маленького роста, коренаст, неуклюж, слабого здоровья и во многих отношениях напоминал нелюдимого скомороха». Но это было в 16 лет, а с возрастом он расцвел и превратился в красавца и дамского угодника. Вступив на дипломатическую службу, в 1753 году он уехал в Париж, где целиком отдался веселой и распутной жизни высшего французского общества.

Небольшое отступление. Королем Польши тогда был Август III, который одновременно являлся и курфюрстом Саксонии. В течение нескольких лет при саксонском дворе английским послом являлся сэр Чарльз Вильямс, где и сошелся с parvenu (выскочкой) Станиславом Понятовским. На какой почве они сошлись — полнейшая загадка; известно только, что Вильямс занялся его политическим образованием. В 1755 году Англия, добивавшаяся заполучить себе в союзники Россию в случае ее войны с Францией, заменила своего посла Диккенса на Вильямса. Диккенс сам признавался в своей неспособности решить эту задачу, так как императрица Елизавета все дела решала между бесконечными балами, танцами и маскарадами. Британцы стали активно искать замену Диккенсу и остановились на кандидатуре Вильямса. Выбор был удачный. Зная страсть императрицы Елизаветы Петровны к танцам, английское правительство прислало в Россию паркетного шаркуна и прекрасного танцора Чарльза Генбюри Вильямса. Он действовал усердно, не пропустил ни одного бала, ни одного маскарада — но все тщетно! Императрица была вечно занята развлечениями, а если Вильямс настаивал на переговорах, она от них уклонялась. Через несколько месяцев он пришел к выводу, что с Елизаветой каши не сваришь; но приказ есть приказ, и Вильямс начал оглядываться, кого бы из русских склонить на свою сторону. Свое внимание ушлый бритт обратил на наследника престола Петра Федоровича и стал подбивать к нему бабки. Однако здесь его ждал облом — Петр оказался поклонником прусского короля Фридриха, злейшего врага Англии. Тогда Вильямс обратил свое внимание на супругу Петра — Екатерину Алексеевну. Но не просто так: зная о ее любовных приключениях с Салтыковым и Чернышовым, он решил пустить в ход секретное оружие — Станислава Понятовского, которого привез с собой.

Понятовский очень тепло отзывается в своих мемуарах о Вильямсе, который ввел его в курс русских дел и сориентировал в нужном направлении. Понятовский, которому местные сплетники тоже во всех подробностях описали взаимоотношения между Петром

Федоровичем, его фавориткой Елизаветой Воронцовой и Екатериной, быстро оценил обстановку и сделал ставку именно на нее. Он решил соблазнить ее!

Дальше события развивались так. Впервые Станислав и Екатерина увиделись на Троицу 1755 года. Он, вместе с неким графом Ламсдорфом, представился ей. Придворные начали расхваливать перед ней графа, однако Екатерина заметила, что поляк ей нравится больше. Эта единственная фраза, сказанная, впрочем, без всякого умысла, была подхвачена Львом Нарышкиным, который чувствовал, что Екатерина к нему охладела, и он постарался завести с Понятовским знакомство. Он передал Станиславу слова, сказанные Екатериной, «и не переставал сообщать все, что, по его мнению, должно было поддерживать во мне надежду». Однако Станислава останавливала политика — он был уверен, что Екатерина является представителем пропрусской партии при царском дворе (а поляки пруссаков терпеть не могли), и целых три месяца не показывался ей на глаза. В этом его старался разубедить Лев Нарышкин. У него был свой план — вовлекая Понятовского в амурную связь с Екатериной, он старался заслужить награду. Однако осторожный поляк считал все эти речи Нарышкина ловушкой и не шел у него на поводу. В конце концов он решил рискнуть — однажды он высказал по поводу одной придворной дамы «острое словцо» Нарышкину. Вскоре, проходя мимо Екатерины, он услышал от нее ту же фразу, которую, смеясь, произнесла великая княгиня. Потом она, обращаясь к Понятовскому, вымолвила: «Да вы живописец, как я погляжу…» И только после этого он решился передать ей записку через Нарышкина, который на следующий же день принес ответ.

Через несколько дней Нарышкин провел Станислава к Екатерине, причем предупредил ее только тогда, когда Понятовский уже находился у двери ее комнаты. Шел вечерний прием, мимо в любой момент мог пройти Петр Федорович, и ей ничего не оставалась делать, как впустить поляка к себе. Станислав на всю жизнь запомнил, как она была одета в тот день: «В скромное платье белого атласа; легкий кружевной воротник с пропущенной сквозь кружева розовой лентой были единственным украшением».

Так начались их встречи. Позже Понятовский писал: «Она никак не могла постичь... каким образом я совершенно реально оказывался в ее комнате, да и я впоследствии неоднократно спрашивал себя, как удавалось мне, проходя в дни приемов мимо стольких часовых и разного рода распорядителей, беспрепятственно проникать в места, на которые я, находясь в толпе, и взглянуть... не смел — словно вуаль меня окутывала».

Осведомленный современник отмечал, что Понятовский «стал все более определенно проявлять свои симпатии Екатерине, которая, в свою очередь, нуждалась в поддержке. Она заметила, что все ее фрейлины — либо любовницы, либо наперсницы ее мужа, не оказывают ей должного почтения... Все это еще больше сблизило Екатерину с Понятовским, который несколько раз недвусмысленно говорил ей о нежных чувствах, которые питает к ней...».

Станиславу Понятовскому было 23 года, а Екатерине — немногим больше. Оправившись от первых родов, она расцвела как женщина, наделенная от природы определенной красотой. Екатерина умела нравиться мужчинам, хотя и не была привлекательной. Она говорила: «Я умела нравиться, хотя и не считала себя особенно красивой». Хотя Понятовский был другого мнения о ее наружности — он считал Екатерину красавицей: «Черные волосы, восхитительная белизна кожи, большие синие глаза навыкате, много говорившие, очень длинные черные ресницы, острый носик, рот, зовущий к поцелую, руки и плечи совершенной формы; средний рост — скорее высокий, чем низкий, походка на редкость легкая и в то же время исполненная величайшего благородства, приятный тембр голоса, смех, столь же веселый, сколь и нрав ее…»

Конечно, это описание облика Екатерины дано влюбленным в нее человеком, который видел в ней лишь превосходные черты (влюбленному и страхолюдина покажется привлекательной), однако стоит заметить, что в молодости Екатерина была хороша.

Станислав Август был остроумным и блестящим кавалером; Екатерина очень недурно проводила с ним время. Он рассказывал ей о Париже, умел вести искусный разговор на отвлеченные темы и незаметно подходить к самым щекотливым темам. Он умел мастерски писать интимные записки и умел ловко ввернуть мадригал в банальный разговор. Понятно, что все это делалось втайне от Петра Федоровича. Канцлеру Бестужеву было известно об их любовной связи; он благосклонно на это смотрел, имея в виду сделать Понятовского польским королем.

Летом 1755 года Понятовский жил в Петергофе, а Екатерина — рядом, в Ораниенбауме. Он часто ездил туда для тайных свиданий со своей возлюбленной, для надежности переодеваясь. Однажды он чуть не пропал. Дело было так: однажды он, потеряв бдительность, не согласовав свой визит с Екатериной, поехал к ней на свидание наобум. Станислав, как обычно, нанял частную коляску, на запятки которой сел его лакей, и отправился в путь. Все это происходило ночью. На свою беду Понятовский невдалеке от Ораниенбаума столкнулся с пьяным Петром Федоровичем, скакавшим на лошадях со своей свитой; в числе сопровождающих великого князя была и Елизавета Воронцова. Повозку Понятовского остановили и поинтересовались у кучера, кого он везет. Тот ответил, что понятия не имеет. Тогда лакей Станислава ответил, что едет портной. Их пропустили, но Воронцова узнала Понятовского и стала зубоскалить по поводу «портного», путешествующего по ночам, и «делала при этом предположения, приведшие князя в мрачное настроение». После того как Понятовский провел несколько часов в павильоне Екатерины и вышел оттуда, три неизвестных кавалериста напали на него, схватили за шиворот и доставили к Петру Федоровичу, который ждал на темной лесной дороге. Узнав Понятовского, Петр велел всадникам со своим пленником следовать за ним. Дорога вела к морю. У Понятовского, понятное дело, душа ушла в пятки — он решил, что его хотят утопить, как нашкодившего котяру (до этого он наслушался ужасов, творившихся при императрице Анне Ивановне). К счастью, Петр не был кровожадным человеком и привез его в другой павильон, где напрямую спросил, спал ли он с его женой. Гордый поляк и джентльмен (честь дамы!), конечно же, ответил: «Нет!» Петр Федорович начал угрожать: «Скажите мне лучше правду. Скажите — все еще можно будет уладить. Станете запираться — неважно проведете время». После очередного отказа отвечать Петр вышел в соседнюю комнату, оставив порядком струхнувшего Понятовского под охраной часового. В томительном ожидании прошло два часа. Станислав не знал, что его ожидает, — удавят, колесуют, четвертуют, посадят в тюрьму или станут на дыбе пытать? Вихрь самых мрачных мыслей крутился у него в голове. Внезапно в комнату с искаженным лицом вошел Александр Шувалов, брат фаворита императрицы Елизаветы и начальник Тайной канцелярии. При виде его Понятовский чуть не лишился чувств: дело было в том, что, когда Шувалов был чем-то озабочен, его лицо искажал судорожный тик, уродовавший его и так некрасивое лицо. Вдобавок ко всему он был еще и заикой. Понятовский, понятное дело, всего этого не знал и при виде «великого инквизитора» чуть в штаны не наложил. Со страху Станислав выпалил, что для чести русского двора будет лучше, если вся эта история останется без шума. Шувалов пробормотал: «Вы правы, я этим займусь» — и вышел. Через полчаса он вернулся и отвез его в Петергоф, где все рассказал Екатерине. Та, не будь дурой, пошла к разгневанному мужу и во всем честно призналась — да, она спала с поляком. (По правде говоря, честность — лучшее из всех человеческих качеств: не нужно юлить, мудрить, врать, выдумывать какие-нибудь глупые отговорки. Проявленная честность может грозить серьезными последствиями, но это лучше, чем прослыть лжецом.) Она заявила Петру Федоровичу, что если он на всю Европу не хочет прогреметь рогоносцем, то лучше было бы, чтобы об этом никто не знал. (Скрытная Екатерина не сказала Петру, что она уже давно наставляла рога мужу. Как будто он сам об этом не знал!)

Следующий аргумент был более весомым — Екатерина заявила мужу, что ее связь с Понятовским возникла только в отместку за его амуры с Воронцовой. Если уж так случилось, то она обещала не только переменить свое отношение к Воронцовой, но и выплачивать ей солидное вознаграждение, избавив, таким образом, Петра от непосильных расходов на ее содержание. Петр Федорович согласился и обещал молчать.

«Случай, долженствовавший погубить великую княгиню, доставил ей большую безопасность и способ держать на своем жалованье… любовницу своего мужа», — писал современник.

А что же Станислав Понятовский? Он рано утром возвращался в выделенной им маленькой карете, «похожей на застекленный фонарь», в Петергоф. Не доезжая до места, он приказал кучеру остановиться и оставшуюся часть пути проделал пешком; чтобы сохранить инкогнито, он глубоко надвинул шапку на уши. Добравшись до своего пристанища, он решил не пользоваться дверью, а влезть в окно. От пережитых в эту ночь треволнений Станислав перепутал окна и влез в комнату своего соседа генерала Роникера, которого как раз брили. Увидев, что кто-то влезает к нему в окно, генерал подумал, что перед ним призрак. В свою очередь, Понятовский был удивлен, что в его комнате находится брадобрей со своим клиентом. Несколько минут они пялились друг на друга круглыми от изумления глазами, а потом расхохотались.

Два дня прошли для Понятовского в жестоких сомнениях. По выражению лиц придворных он видел, что им все известно, но никто ему ничего не говорил. Затем Екатерина сумела передать ему записку, из которой он узнал, что она предприняла кое-какие шаги, чтобы наладить добрые отношения с пассией своего мужа.

29 июня 1755 года в Петергофе давали бал в честь именин основателя этого места — Петра I, а заодно и Петра Федоровича. Танцуя менуэт с Воронцовой, Понятовский получил от нее приглашение ночью прийти в павильон Монплезир, где остановился Петр Федорович со своей супругой. Опасаясь ловушки, Станислав Август попросил будущего гетмана Браницкого сопровождать его. Тот охотно согласился,

однако все обошлось благополучно. Елизавета Воронцова уже ждала Понятовского в двадцати шагах от Монплезира и отвела его к Петру.

Дальше начинается фантасмагория. В своих мемуарах Понятовский описывает совершенно невероятные, с точки зрения здравого смысла, вещи. Петр был один. Якобы, увидев его, великий князь высказался в том смысле, что, если бы он сразу признался в том, что спал с его женой, «никакой бы чепухи не было» (?). Затем он предложил поляку стать добрыми друзьями и посетовал, что в комнате «явно еще кого-то не хватает». После этого он направился в спальню Екатерины, вытащил ее из постели, и так, в одной ночной рубашке (!), привел ее к Понятовскому с Воронцовой. Они стали оживленно болтать и хохотать, «устраивать тысячи маленьких шалостей, используя находившийся в этой комнате фонтан», и разошлись только к четырем часам утра.

«Каким бы бредом все описанное ни казалось, я утверждаю, что все здесь безусловно верно», — с пафосом восклицал Станислав Август. А скажите мне — где здесь бред? То, что Петр предложил стать поляку друзьями? Но мы и так знаем, что Петр Федорович был добродушным человеком. То, что они шалили, плескаясь водой из фонтана, — так это были молодые люди, которым не грех и пошалить: Петру было 29 лет, Екатерине — 28, а Понятовскому — 23 года. Воронцова была и того моложе — ей в ту пору стукнуло 18 лет. Так что никакого бреда здесь нет: Станислав неправильно расставил акценты. Настоящий бред в его писаниях начинается далее.

По его словам, после той ночи в Монплезире Петр Федорович еще четыре раза приглашал его в Ораниенбаумский дворец; поляк поднимался по потайной лестнице в комнату Екатерины, где уже находился Петр с Воронцовой, они вместе ужинали, а потом князь уводил свою даму со словами: «Ну, дети мои, я вам больше не нужен, я полагаю…» Понятовский хвастает, что после этих слов он оставался у Екатерины сколько хотел.

Вот это настоящий бред! Мы уже говорили ранее, каждый мужчина — собственник. Даже если он упек свою супругу в монастырь — все равно она должна оставаться ему верна. Даже если Петр Федорович к Екатерине не питал нежных чувств — все равно он не стал бы сводничать! Для этого надо совсем себя не уважать! Врет Понятовский как сивый мерин, и еще как врет! Скорее всего, они встречались с Екатериной тайком, а на мертвого Петра можно и напраслину нагородить (поляк писал свои мемории уже после убийства императора). Как говорится — мертвые сраму не имут.

Как бы то ни было, а в марте 1758 года Екатерина забеременела и 9 декабря родила дочь, названную Анной. Императрица Елизавета, как обычно, после родов отнесла младенца к себе, а мать оставила одну. Правда, не совсем одну — из-за ширмы тихо вышли трое подруг Екатерины, а вместе с ними и Станислав Август Понятовский. То, что Понятовский оказался единственным мужчиной у постели роженицы, выглядит безусловным доказательством его отцовства. Таким же доказательством можно считать и слова самой Екатерины, когда она пишет об эпизоде, имевшем место в сентябре 1758 года: «Так как я становилась тяжелой от своей беременности, то я больше не появлялась в обществе, считая, что я ближе к родам, нежели была на самом деле. Это было скучно для великого князя (Петра)… А потому его императорское высочество сердился на мою беременность…» При этом повторил почти те слова, что и после рождения сына Павла — мол, я не знаю, откуда жена берет свои беременности. Напомним, что Петр Федорович был импотентом.

Как бы то ни было, Петр Федорович был рад рождению дочери. Во-первых, ребенка назвали Анной в честь его матери, а во-вторых, он получил от императрицы как «отец» 60 тысяч рублей, которых ему очень не хватало. (Напомним, что после рождения Павла он сначала ничего не получил.) К сожалению, девочка прожила очень недолго и умерла 8 марта 1759 года. Характерно, что ее похоронили не в Петропавловском соборе, где обычно погребали лиц императорской крови, а в Александро-Невской лавре. Это обстоятельство не ускользнуло от внимания современников, которые были твердо уверены, что Анна Петровна не являлась дочерью великого князя.

Но тут дело запахло жареным — французский король Людовик XV потребовал удалить из России английского посла Вильямса, а заодно и Понятовского. Английского посла сковырнуть было легче, а вот Понятовского — нет, так как его статус никак не был определен. На каком основании он, не будучи ни англичанином, ни дипломатом, входил в состав британской дипломатической миссии?

Считалось, что Вильямс с Понятовским вредили Парижу и Вене при русском дворе (шла Семилетняя война). Императрица Елизавета с жалостью рассталась с Вильямсом, но внезапно на защиту любовника стала Екатерина. Она убедила императрицу, что поддаваться давлению других стран негоже и Россия потеряет свое влияние на европейскую политику, поддавшись шантажу. Таким образом Екатерина впервые влезла в политику… из-за любви! Однако все же Понятовскому пришлось уехать на родину, откуда он вернулся уже в статусе польского посла. На время все вопросы были сняты. Роман Екатерины с Понятовским продолжался. Станислав Август продолжал по ночам ходить к великой княгине, и Петр стал испытывать к нему жгучую неприязнь. Любовная связь Екатерины с поляком продолжалась до 1761 года, пока Елизавета сама не потребовала, чтобы Станислав покинул Россию во избежание скандала в семействе наследника.

Так Станислав Понятовский оказался в Польше. При расставании с Екатериной он получил у нее некое, как сам пишет, «дозволение». Надо понимать так, что Екатерина давала Понятовскому разрешение на амурные связи с другими женщинами: видно, она и впрямь полюбила гордого поляка-джентльмена. В свою очередь, и Екатерина поступила по-джентльменски — раз уж расстались, так расстались, и нечего заставлять своего любовника томиться воздержанием в отношениях с женщинами. «Целых два с половиной года я не пользовался полученным разрешением», — врал Станислав, дамский угодник и блестящий кавалер. Это значит, что все это время он не спал с женщинами, кто бы поверил! Прямо детский сад какой-то!

«Когда же я нарушил наконец суровое воздержание, то, движимый искренностью, несомненно, излишней, поспешил об этом уведомить (Екатерину)», — писал он. Однако почтальон, который вез письмо в Петербург, к счастью или не к счастью, утонул, переправляясь через бурную реку. Ему бы промолчать, однако, узнав о гибели гонца, «я из дурацкого прямодушия повторил свою исповедь». На этот раз письмо Екатерина получила; ответом было то, что она, мол, давно ожидала такой беды, и перенесет ее, «ничего не меняя». «Такого великодушия хватило, однако, ненадолго, меня вскоре заменил Орлов; несколько месяцев от меня это скрывали, однако письма делались все холоднее». Екатерина обманывала Станислава: Григорий Орлов уже давно грелся в ее постели. Она просто не могла жить без мужчин ни дня.

Сердечная переписка между бывшими любовниками становилась все холоднее и холоднее, пока не превратилась в чисто деловую. Однако Екатерина до конца своей жизни не забывала своего бывшего фаворита и помогала ему как могла. Несомненно, он был ее первой искренней любовью.

Какова же дальнейшая судьба нашего героя-любовника Станислава Понятовского? О, его судьба стала поистине звездной, ибо он неожиданно для себя стал королем Польши! В 1763 году умер король Август III, а в 1764 году при помощи Екатерины II (она к тому времени уже свергла мужа) на польский трон взошел ее бывший любовник под именем Станислава II Августа. Сначала его правление поляки приняли на ура, но потом восторги сменились разочарованием. Нынешние историки пишут о нем так: «Эти надежды омрачились крайним развратом, которому предавались король и его двор. Жены первых сановников добивались чести обратить на себя внимание Станислава Августа; стать королевской метрессой считалось высшим счастьем». Королем он был никаким — допустил три раздела Польши между Австрией, Пруссией и Россией; еще и похвалялся, что лично ему нужно столько земли, сколько уместится под его треугольной шляпой. Он проводил свои годы в веселье и удовольствиях светской жизни, не думая о будущем. Третий раздел Польши произошел в 1795 году, и эта страна более чем на сто лет исчезла с политической карты мира. Станислав Август прибыл в Гродно, где 25 ноября 1795 года отрекся от престола, после чего по приглашению Екатерины II перебрался в Петербург, где по-прежнему вел роскошную жизнь. Он умер в 1798 году, оставив после себя огромные долги.

Между тем в перерыве между Понятовским и Орловым Екатерина снова сошлась с Львом Нарышкиным и как будто даже родила от него сына. Хотя она и продолжала любить Понятовского, ее необузданный характер не позволял ей жить монахиней. Она уже не могла обходиться без мужчин. Якобы за это Петр сильно избил Нарышкина. Мы не можем с точностью сказать, был ли у Екатерины ребенок от Нарышкина или это сплетни — тайна, покрытая мраком. Во всяком случае, Екатерина сама давала повод к таким слухам.

Так кто же такой был этот Орлов, который занял главное место в сердце Екатерины? О, история его взлета фантастична, а падение было оглушительным. Это в его честь императрица ставила триумфальные арки и выбивала золотые медали, а кончил он свою жизнь в полном помешательстве. Однако все по порядку.

Григорий Григорьевич Орлов был внуком того самого стрельца, который, оттолкнув Петра I от плахи, на которой рубили головы бунтовщикам, сказал: «Здесь мое место!» За проявленное бесстрашие Петр I помиловал его, а его сын дослужился до звания генерал-майора. Этот генерал и был отцом Григория, родившегося в 1734 году. В семье было еще четыре брата. Изначально Орловы жили в Москве; в 1749 году Григория отдали учиться в Сухопутный шляхетский корпус, где он неплохо овладел языками — французским и немецким. Проучился Гриша всего год и в 15 лет поступил на службу рядовым в лейб-гвардии Семеновский полк. Кстати, его братья — тоже. В 1757 году он был переведен капитаном в армию и принял участие в Семилетней войне. В бою под Цорндорфом в 1758 году он проявил личную храбрость и, будучи трижды раненным, остался в строю. Солдаты и офицеры в нем души не чаяли. Это был весельчак, балагур, картежник, смельчак, пьяница и дамский сердцеед. Многие женщины валялись у него в ногах, завороженные его красотой и силой, а наипаче тем, что он был неутомим в постели. Из-за отличного знания языков он приставлен к взятому в плен прусскому генералу графу Шверину и отправлен на зимние квартиры в Кёнигсберг. На следующий год императрица Елизавета приказала привезти высокопоставленного пленника в Петербург. Здесь Григорий Орлов встретился со своими братьями, Алексеем и Федором, служившими в гвардейских полках. Он поселился рядом с Зимним дворцом в доме придворного банкира Кнутцена. В столице молодой герой не мог не обратить на себя внимания высшего общества, и генерал-фельдцехмейстер (то бишь начальник артиллерии) Петр Шувалов, брат фаворита императрицы Ивана Шувалова, взял его к себе в адъютанты.

После этого произошел один неординарный случай, который напрямую повлиял на дальнейшую судьбу Григория. Дело в том, что у Петра Шувалова была любовница — княгиня Елена Куракина. Орлов, склонный к рискованным похождениям донжуан, «отблагодарил» своего благодетеля тем, что соблазнил пассию Шувалова! Петр Шувалов, конечно, порвал с ним все отношения, взбеленился, выгнал его из своих адъютантов и перевел его на службу в Фузилерный гренадерский полк. Однако эта история ничуть не повлияла на репутацию Орлова и даже прибавила ему популярности.

Как раз в это время к себе на родину уехал «сердечный друг» Екатерины Станислав Понятовский, и она заскучала. Лев Нарышкин был не тем человеком, в которого можно было влюбиться; она жила с ним по требованию плоти, а не по зову любви. Слухи о «подвигах» Григория Орлова дошли до Екатерины, и она пожелала познакомиться с ним. Екатерина остро нуждалась в ту пору в мужчине, который бы самозабвенно любил ее.

Небольшое отступление — Любовь Орлова, любимица советского кино 1930-х годов, была прямым потомком тех самых братьев Орловых, которых называли «екатерининскими орлами».

Они встретились, и Екатерина влюбилась с первого взгляда в забияку, силача и кутилу 27-летнего Григория Орлова. Он был строен, статен и красив — гигант с головой херувима. Его биограф приводил такие слова Екатерины: «Это было изумительное существо, у которого все хорошо: наружность, ум, сердце и душа… он был самым красивым человеком своего времени». Природа щедро одарила Орлова — при всей его внешней красоте, он был добрым, мягким и отзывчивым человеком. Он был готов помочь любому, оказать покровительство, щедрым до расточительности, незлобным. Вместе с тем Григорий обладал несамостоятельным умом — большинство вопросов за него решали братья. Орлов был часто вспыльчивым, обладал необузданным характером, был веселого и ветреного нрава. Был храбр до отчаянности — в бою с пруссаками он проявил чудеса героизма, в одиночку ходил на медведя с рогатиной.

Английский посланник лорд Каткарт так отзывался о нем: «Орлов — джентльмен, чистосердечный, правдивый, исполненный высоких чувств и обладающий замечательным природным умом».

Великая княгиня тайно навещала Орлова в его жилище — благо, дом Кнутцена стоял невдалеке. В августе

1761 года она почувствовала, что беременна от Орлова. Но из-за того, что Петр давно уже пренебрегал своими супружескими обязанностями, ей пришлось скрывать свою беременность от всех, кроме самых доверенных ей людей. Екатерина во что бы то ни стало решила рожать, чем бы это ей ни грозило. Григорий Орлов был ее второй настоящей, после Понятовского, любовью, если даже не первой по значимости. Для женщины настоящая, искренняя любовь — все равно что первая.

Итак, она решила родить ребенка от любимого человека. Первые месяцы, до конца 1761 года, скрывать свое положение Екатерине было нетрудно, так как она не находилась в центре внимания — императрица Елизавета часто болела, и никому до нее не было дела. Мысли придворных чинов были заняты не амурами Екатерины, а вопросами престолонаследия — кому после Елизаветы достанется трон. Мнения разделились: одни считали, что престол должен наследовать Петр Федорович; другие — чтобы императором был объявлен малолетний Павел Петрович, а соправителями при нем были объявлены оба родителя; третьи считали, что регентшей при Павле должна быть одна Екатерина, а Петра Федоровича следует отправить обратно в Голштинию; были и такие, которые считали, что наследовать русский престол должна одна Екатерина, потому что Петр был не способен к управлению государством.

Пока «пикейные жилеты» судили и рядили, роды между тем приближались. Екатерина очень опасалась, что муж узнает о ее беременности, но пока все шло нормально. В начале апреля 1762 года Екатерина почувствовала, что роды совсем близки, и сказала об этом своим приближенным. Что делать? Тогда ее верный слуга Василий Шкурин придумал выход: он поджег свой дом, и завзятый пироман Петр Федорович удалился из дворца, чтобы полюбоваться на пожар. А Екатерина тем временем родила мальчика, которого назвали Алексеем. Его тут же спрятали, и секрет был сохранен вполне. Он сначала воспитывался в семье того самого Шкурина как его племянник. Отец и мать часто навещали сына, «отправляясь в сумерки в простой карете, сопровождаемые только одним лакеем». Петр Федорович до самой смерти так и не узнал, что у него есть еще один «сын».

История его судьбы занятна и поучительна. Алексею Григорьевичу дали фамилию Бобринский — по названию имения Бобрики в Тульской губернии, купленного Екатериной II специально для содержания сына. В 1764 году, когда Екатерина чуть было не решила выйти замуж за Григория Орлова (об этом будет рассказано впереди), она даже хотела назначить Алексея наследником престола вместо Павла. Слава богу, этого не произошло, потому что, по отзыву современников, Алексей Бобринский «был порядочный негодяй». За свои проделки он был отослан матерью от двора в Лифляндию, чтобы там «искупать свои многочисленные грехи». Придя к власти в 1796 году, Павел I, как известно, всех обиженных своей матерью принялся возвращать из ссылки, всячески награждать и привечать. Уже через пять дней после своего восшествия на престол Павел приказал доставить к нему Бобринского, принял его с распростертыми объятиями и оставил обедать за своим столом. В тот же день Павел возвел его в графское достоинство Российской империи, пожаловал ему многочисленные дома с поместьями и присвоил ему чин генерал-майора, приложив к этому орден Святой Анны. По словам одного историка, «во время одного из приемов при дворе он при всех отнесся к нему как к брату. Правда, месяц спустя он о нем забыл, и Алексей, женившийся незадолго перед этим на дочери ревельского коменданта Анне Унгерн-Штенберг, отправился прозябать в провинцию». Внебрачный сын Екатерины II ничем не прославился и умер в 1813 году, оставив после себя дочь и трех сыновей.

Значительно позже Григорию Орлову приписывали отцовство некой Натальи Алексеевой, тоже родившейся якобы от императрицы, или даже двух девочек. Первая камер-фрейлина Протасова, доверенное лицо Екатерины, воспитывала их как своих племянниц. Так это было или нет — не знаем: большей частью мы черпаем эти сведения из перлюстрированной переписки заграничных послов, собиравших разные сплетни. Может, это очередная дворцовая байка. Так или иначе, дальнейшая судьба Натальи Алексеевой (1759—1808) сложилась счастливо — она удачно вышла замуж за графа Федора Буксгевдена, во время русско-шведской войны 1808—1809 годов командовавшего русской армией.

Между тем императрица Елизавета скончалась 25 декабря 1761 года, во время беременности Екатерины, и к власти пришел Петр Федорович под именем Петра III. Он совсем распоясался в отношениях с женой: в присутствии слуг называл ее «дурой», заставлял ее вставать при своем появлении, и так далее. Петр III ни от кого не скрывал, что хочет постричь Екатерину в монастырь, заключить Павла в тюрьму, а самому жениться на Елизавете Воронцовой. Он решил, по примеру своих предков, жениться на русской девушке, чтобы Россия имела природную царицу. Над Екатериной нависла серьезная угроза. Были у него и политические ошибки.

В это время Григорий, Алексей и Федор Орловы начали призывать Екатерину совершить дворцовый переворот. Она долго не соглашалась, но из опасения, что Петр III совершит свою угрозу и женится на Воронцовой, все же дала свое добро. И братья деятельно приступили к осуществлению заговора. Штаб-квартирой «путчистов» стал дом банкира Кнутцена, где проживал Григорий Орлов. Его братья — Алексей и Федор, служившие в гвардии, исподволь вели пропаганду среди своих солдат к совершению переворота в пользу Екатерины. Эта пропаганда подкреплялась небольшими денежными суммами, которыми ссужали Екатерину иностранные банкиры, заинтересованные в том, чтобы именно Екатерина пришла в России к власти.

Наконец настали решающие дни. 12 июня 1762 года Петр III уехал в Ораниенбаум, а 17 июня Екатерина прибыла в Петергоф. Петр Федорович, видно, о чем-то догадывался, так как в соглядатаи Григорию Орлову он приставил офицера Перфильева. Он-то и выдал заговор. Капитан Пассек, деятельный участник переворота, был арестован. Медлить было нельзя ни минуты. В пять часов утра Алексей Орлов увез Екатерину в Петербург. На полпути они встретили Григория Орлова и князя Барятинского. Все вместе они направились в казармы Измайловского полка. Здесь забили в барабаны, построили солдат в каре, и Григорий Орлов выкрикнул: «Да здравствует императрица Екатерина, самодержица всероссийская!» Появился священник и привел воинство к присяге новой императрице. Присягая Екатерине, солдаты целовали ей руки, ноги и подол платья. Затем, сопровождаемая присягнувшими ей измайловцами, Екатерина направилась в Семеновский полк, где произошла та же история. После присяги семеновцев она прибыла в сопровождении толпы черни в Казанский собор, где и была провозглашена императрицей. Впоследствии ей присягнули Сенат и Синод. Победа была полная! Историк В. Ключевский так писал об этих событиях: «Все делалось как-то само собой, точно чья-то незримая рука заранее все пригладила, всех согласила и вовремя оповестила». Нет, не само собой все делалось. Княгиня Дашкова, кстати сказать, родная сестра Елизаветы Воронцовой, говорила: «Мы хорошо приняли свои меры!»

28 июня Петр III, узнав, что Екатерина объявила себя императрицей, отплыл в Кронштадт, надеясь на помощь местного гарнизона. Однако его не пустили в крепость, заявив, что в России больше нет императора. Фельдмаршал Миних предлагал Петру III отправиться в Пруссию, где стояла 80-тысячная русская армия, но тот отказался. Петр Федорович сломался… Он заперся у себя в каюте вместе с Воронцовой и приказал плыть обратно в Ораниенбаум. На следующий день, 29 июня 1762 года, Петр III отрекся от престола в пользу своей жены и просил отпустить его в Голштинию со своей любовницей Воронцовой. Однако его не отпустили на родину и перевезли на мызу Ропша. Екатерина намеревалась заключить свергнутого мужа в Шлиссельбургскую крепость, но, пока она пребывала в раздумьях, из Ропши пришло сообщение, что Петр III убит. Алексей Орлов специально затеял с ним ссору, произошла пьяная драка, в результате которой Петр Федорович погиб. Цареубийца затем оправдывался: «Матушка милосердная государыня! Как мне изъяснить всю правду… Не знаю, как эта беда случилась… Погибли мы, если ты нас не помилуешь… Никто и не думал, как поднять руку на государя, но он заспорил за столом с князем Барятинским. Не успели мы разнять, а его уже не стало». Екатерине смерть Петра III была только на руку; официально объявили, что император умер от банального… геморроя! В ма-

нифесте так было и написано: «Бывший император волею Божией внезапно скончался от геморроидального припадка и прежестокой боли в кишках»! За его убийство никто наказания не понес.

Петра III похоронили в Александро-Невской лавре. Он процарствовал всего 186 дней. В гробу лежал человек с черным от побоев лицом. По Петербургу сразу же пошли слухи, что император спасся, а хоронят царского арапа-камердинера, убитого вместо него. Это дало повод к невиданному в истории самозванничеству — «Петров III» насчитывалось в России около двух десятков (это не считая Пугачева), и еще двое объявились даже на… Балканах! Один из них — некий в доску пропившийся капитан Оренбургского гарнизона — заявил прямо: «Хочу сказаться государем Петром Федоровичем, может, какой дурак и поверит». А Емельян Пугачев открыл настоящую крестьянскую войну! И ему верили!

Прусский король Фридрих II высказался так: «Он позволил свергнуть себя с престола, как ребенок, которого посылают спать». Так закончился жизненный путь Петра III, по сути несчастного и в жизни, и в любви человека. Ему было всего 34 года.

Все тот же В. Ключевский писал: «Так закончилась эта… самая веселая и самая деликатная из всех нам известных, не стоившая ни одной капли крови, настоящая дамская революция». Тут маститый историк был неправ: кровь одного человека — императора — все же пролилась. И, конечно, веселого тут было мало. На русском престоле оказалась чистейшая немка!

30 июля для снятия накала страстей среди военных были открыты все питейные заведения Петербурга. «Войском были открыты все питейные заведения, солдаты и солдатки в бешеном восторге тащили

и сливали в ушаты, бочонки, во что попало водку, пиво, мед и шампанское», — свидетельствовал Гаврила Державин. Однако этого господам военным оказалось мало: «Они взяли штурмом не только все кабаки, но также и винные погреба иностранцев, да и своих; а те бутылки, что не могли опустошить — разбили, забрали себе все, что понравилось, и только подошедшие сильные патрули с трудом смогли их разогнать… Солдатами и всякого звания людьми безденежно роспито питий и растащено посуды» на круглую сумму в 22 697 рублей! В общем, вся эта «революция» закончилась грандиозной пьянкой.

Так закончился государственный переворот в России 1762 года. Екатерина не только отобрала трон у своего мужа Петра III, но и у сына Павла, который, по уму, должен был наследовать после отца!

Екатерина, убив Петра III чужими руками, в точности повторила злодеяние Иоанны Неаполитанской, которая была ее кумиром. Круг замкнулся, и Екатерина развязала себе руки: теперь она могла поступать так, как ей заблагорассудится, в том числе и в любви.

Закончим эту печальную историю рассказом о дальнейшей судьбе фаворитки Петра III Елизаветы Воронцовой. После ареста и убийства Петра Федоровича она была сослана в подмосковное имение своего отца, лишена ордена Св. Екатерины (который вручил ей Петр III) и звания камер-фрейлины. Впоследствии Екатерина II купила ей дом в Москве, «чтоб она уже ни с кем дела не имела и жила в тишине, не подавая людям много причины о себе говорить». В 1765 году Елизавета вышла замуж за полковника Полянского и родила ему дочь Анну и сына Александра. Предположение о том, что Петр III был импотентом, подтверждается: детей у них с Воронцовой не было, а стоило ей выйти замуж за нормального мужика, как детки сразу же появились. Скорее всего, Петр III любил Воронцову чисто платонически за то, что она была самым близким ему человеком и разделяла все его взгляды. И они оба были обижены людьми: Петр Федорович страдал из-за своего морального уродства, а Елизавета из-за физической неполноценности. По-видимому, это их и сближало. Умерла Воронцова в 1792 году и была похоронена рядом с Петром III в Александро-Невской лавре.

Итак, Екатерина стала императрицей. Григорий Орлов, фактически возведший ее на трон, стал самым близким ей человеком. Он участвовал в перевороте не только из-за любви к приключениям, а из-за любви к женщине — обожаемой им Екатерине.

Если раньше они встречались тайно, то теперь уже ни от кого этого не стали скрывать. В этом отношении характерен такой эпизод: в день переворота Екатерина Дашкова вошла в комнату Екатерины, и каким же было ее удивление, когда она увидела Григория Орлова лежащим на канапе и вскрывающим пакеты, предназначенные для Петра III. Ее удивление еще больше возросло, когда она, вернувшись, увидела перед канапе, где лежал Орлов, столик, сервированный на три персоны. Вошедшая Екатерина пригласила их с Орловым к столу. Только тогда Дашкова сообразила, что перед ней сидят любовники! Кроме того, он называл царицу на «ты», обнимал и целовал ее при посторонних, позволяя при этом такие вольности, что все краснели, а у Екатерины выступали слезы на глазах.

Французский посланник Беранже писал из Петербурга: «Чем более я присматриваюсь к господину Орлову, тем более убеждаюсь, что ему только недостает титула императора… Он держит себя с императрицей так непринужденно, что поражает всех, говорят, что никто не помнит ничего подобного ни в одном государстве со времени учреждения монархии. Не признавая никакого этикета, он позволял себе в присутствии всех такие вольности с императрицей, каких в приличном обществе уважающая себя куртизанка не позволит своему любовнику». И еще наблюдательный француз писал: «Он обращается иногда со своей государыней как со служанкой». Иногда он закатывал ей грандиозные скандалы, в сердцах на много дней уезжая охотиться, пока от Екатерины не приходило письмо с просьбой о примирении.

Однако она не смела остановить Орлова, потому что любила его и боялась. Еще пуще боялась императрица гвардии, стоявшей за спиной Григория, которая в любой момент могла ее сковырнуть с трона, так что приходилось терпеть. Да и сам Орлов открыто заявлял Екатерине, что если он с братьями захочет, то так же легко свергнет ее, как возвел. Однажды он сделал такое заявление в компании, допустив, что достаточно месяца для того, чтобы скинуть Екатерину с престола. На что гетман Кирилл Разумовский ему ответил: «Может быть, мой друг. Но зато и недели не прошло бы, как мы бы тебя вздернули». Самонадеянный глупец! Немало было людей, готовых самого Орлова скинуть в грязь или даже убить, но об этом потом. Зарвался, Гришенька, несомненно, зарвался!

Екатерина II взошла на трон внезапно, и следовало поторопиться с ее коронацией. За дело взялся неизменный Григорий и справился с порученным ему делом «очень хорошо». Прямо в день коронации капитан Орлов был произведен в генерал-поручики, назначен генерал-адъютантом, возведен в графское достоинство, награжден орденами Андрея Первозванного и Александра Невского, назначен шефом Кавалергардского полка и подполковником Конного полка. Карьерный взлет 28-летнего Григория Орлова был стремительным! Кроме этого он получил от Екатерины II крупную сумму денег; ему были отписаны мызы Ропша и Гатчина с несколькими селами и деревнями, населенными тысячами крепостных крестьян. Екатерина также попросила австрийского императора Франца I пожаловать Орлову титул князя Священной Римской империи. Также ему был пожалован медальон в форме сердца, усыпанного бриллиантами, с портретом императрицы, с правом носить его в петлице.

Не были обойдены щедрыми наградами и другие участники заговора — братья Алексей и Федор Орловы, Екатерина Дашкова, вахмистр Григорий Потемкин и другие лица, составлявшие партию Екатерины. Одних денег было роздано гвардейцам и солдатам 800 тысяч рублей.

Став русской царицей, Екатерина II отчетливо осознавала, что она, немка, заняла российский трон незаконно. И это создавало ей определенные проблемы. Она была умная женщина и не могла не понимать этого. Как же выйти из этого положения? Как ей породниться с русскими? То ли ей кто подсказал, то ли она сама вспомнила, что в Шлиссельбургской крепости вот уже как 20 лет томится Иван Антонович, законный русский император, которого свергла Елизавета. Он был внуком царя Ивана V. И Екатерина II в 1762 году решила выйти за него замуж! «Я заглажу причиненную ему несправедливость, и русский народ, жалеющий бедного заключенного царя, будет меня боготворить», — самонадеянно заявила она. Однако она сначала пожелала взглянуть на своего «жениха». Посетив его в крепости, она ужаснулась: в свои годы он мог произнести лишь несколько связных фраз, его не выпускали на воздух, а все занятие взрослого мужчины с мозгами ребенка заключалось в игре с материнскими драгоценностями. Вопрос о женитьбе отпал сам собой. Потрясенная императрица промолвила: «Нет, я не могу выйти за него… Это ужасно. Несчастный принц. Он ни в чем не был виноват». Бедный Иван Антонович так и остался в заточении, пока в 1764 году его не убили охранники, когда поручик Мирович попытался освободить «принца». Кстати, освободить, чтобы сместить Екатерину II с трона. И таких заговоров против Екатерины было немало на ее веку.

Что ей в этой ситуации оставалось делать? Григорий Орлов, отец ее ребенка — вот выход! Если они поженятся, то она станет ближе к русскому народу! Сам же Гришка тоже был не против — наоборот, он даже настаивал на этом. И тут возник новый заговор, направленный, правда, не против Екатерины, а против Орлова.

Не все были довольны тем, что Григорий Орлов собирался жениться на императрице. Екатерина сама допускала такую возможность еще при жизни Петра III. Появились реальные опасения, что Орлов сам может занять трон, а Екатерина стала бы просто его женой. В качестве главного заговорщика против Екатерины с Орловым выступил секунд-ротмистр Федор Хитрово, который поделился своими соображениями со своим двоюродным братом поручиком Ржевским. Он рассказал ему, что привлек к заговору еще двух офицеров — Ласунского и Рославлева. План был таков: просить государыню не выходить замуж за Григория, а в случае ее несогласия — перебить всех братьев Орловых. Перепуганный Ржевский рассказал об услышанном «Алехану» (Алексею Орлову), и Федора Хитрово арестовали. В Москве и Петербурге начались волнения, срывали портреты Екатерины с триумфальных арок, воздвигнутых в честь ее коронации; неспокойно было и в гвардейских полках.

В мае 1763 года Екатерина II поручила В. Суворову (отцу знаменитого полководца) произвести негласное следствие по этому делу, рекомендуя при этом «поступать весьма осторожно, не тревожа ни город и сколь можно никого...». Следствием было установлено, что Федор Хитрово с небольшим числом заговорщиков винил во всем происходящем Алексея Орлова, так как «Григорий глуп, а больше все делает Алексей, и он великий плут и всему оному делу причиною». Было также установлено, что на жизнь Екатерины заговорщики покушаться не намеревались, их целью были только братья Орловы. Поэтому Екатерина ограничилась тем, что сослала Федора Хитрово в его имение в Орловской губернии, где он и умер в 1774 году, а двух его сподвижников — премьер-майоров Ласунского и Рославлева — уволила с военной службы в чине генерал-поручиков. (То есть Екатерина даже повысила их в звании за то, что они деятельно участвовали в перевороте.) Существует и другая версия заговора Хитрово — их просто обошли наградами. Вот вам и мотив, чисто приземленный. Хапуги, короче, а не «революционеры».

Тем не менее, несмотря на угрозы, Екатерина пребывала в раздумье — выходить ей замуж за Орлова или нет? С одной стороны, нарушать данное обязательство было бы неприличным — все-таки она обещала ему, что выйдет за него замуж в случае удачного переворота. Заговор удался, и Григорий сделал все, чтобы Екатерина взошла на трон. Да и с русскими породниться ей было необходимо. При таком раскладе — надо бы, однако, возможно, Екатерину останавливало чисто женское обстоятельство; при своей любвеобильности она не была уверена, что сохранит верность Григорию.

Так, пребывая в раздумье, она передала это дело на рассмотрение Сената. На этом историческом заседании встал граф Панин и сказал: «Императрица может делать все, что угодно, но госпожа Орлова не будет нашей императрицей…» В этом графа Панина немедленно поддержал украинский гетман Кирилл Разумовский. Зачем он это сделал, было и так понятно — ведь он тоже ухлестывал за Екатериной и из чисто эгоистических соображений не мог допустить, чтобы его бывшая возлюбленная вышла замуж за Орлова. А что касается заявления Панина, то поговаривали, что оно было инспирировано самой Екатериной, не желавшей этого бракосочетания. Осознавая опасность такого поворота событий, Екатерина заявила Орлову: «Друг мой, я люблю тебя, но, если я обвенчаюсь с тобою, нам грозит участь Петра III». Таким образом, она защищала его от убийства, а себя — от мятежа с непредсказуемыми последствиями.

Но Орлов не отставал — раз уж официально жениться на Екатерине было нельзя, по примеру Анны Леопольдовны и Антона-Ульриха, то теперь он требовал уже тайного венчания, ссылаясь на пример императрицы Елизаветы с Разумовским. Далее была уже описанная нами поездка канцлера Воронцова к Алексею Разумовскому, морганатическому супругу императрицы Елизаветы. Тот показал канцлеру документы о венчании, а потом сжег их в камине. Таким образом, прецедент был уничтожен, за что Екатерина II была безмерно благодарна Разумовскому.

Итак, Екатерина нарушила данное слово и отказалась выходить замуж, хотя по-прежнему была влюблена в красавца-гвардейца. Часто ли женщины нарушают данное слово? Я думаю, не чаще, чем мужчины, но им это осознавать обиднее. Ведь мужчины в этом отношении не в пример ранимее женщин. Страдает их оскорбленное самолюбие, страдает гордость; то, о чем они так мечтают, идет прахом. Как могла Екатерина, для которой Григорий Орлов столько сделал, отказаться от данного обещания? Женская логика в данном случае ни при чем — один трезвый расчет, одна политика. Однако то, что императрица все еще продолжала любить Орлова и спать с ним, вселяло в него надежду. А вдруг она еще передумает?

Екатерина тоже думала и пришла к выводу, что выходить замуж ей за русского совсем необязательно — лучше проводить русскую политику и содержать в любовниках русских парней. Кстати, среди всех многочисленных любовников императрицы не было ни одного иностранца.

А потом был эпизод с избранием королем Польши Станислава Понятовского. Вообразив, что, сделав своего бывшего фаворита польским королем, Екатерина выйдет за него замуж, Орлов кричал: «Я вам не позволю сделать королем вашего бывшего любовника!» — и стучал кулаком по столу. Императрица еле утихомирила его, и Понятовский был избран королем Польши. Но такая коллизия имела право на существование — выйди Екатерина замуж за Понятовского, мы бы до сих пор жили с Польшей в едином государстве. Другое дело, что Екатерина сама этого не хотела из чисто политических соображений.

А пока Екатерина II деятельно продвигала Григория Орлова по службе: в 1764 году он стал генерал-анше-фом, то есть полным генералом, в 1765 году — командующим артиллерией и инженерными войсками. По примеру Екатерины он завел переписку с Жан-Жаком

Руссо, Дидро, стал много читать, благоволил к Ломоносову, Фонвизину и Кулибину, стал президентом Вольного экономического общества. В 1766 году был опубликован указ об избрании депутатов в Уложенную комиссию для составления нового свода законов. Всех пятерых братьев Орловых избрали депутатами от уездов страны, где у них были имения. В 1767 году Григорий Орлов был избран маршалом этой Уложенной комиссии, но отказался от этой чести «за множеством дел, возложенных на него ее императорским величеством». Другое дело, что деятельность этой комиссии прекратилась в связи с начавшейся в 1769 году русско-турецкой войной, однако в этом Орлов не был виноват.

Особые заслуги Григория Орлова были в противо-эпидемической деятельности. Когда в 1771 году в Москве вспыхнула чума, то именно его Екатерина II отправила для борьбы с ней (по другой версии, он отправился туда добровольно). Чума — это страшная болезнь, и этого «морового поветрия» на Руси боялись больше всего. В сентябре этого года смертность от чумы в старой столице достигала более тысячи человек в день. Служилое дворянство разбежалось по своим подмосковным имениям. В сентябре столицу оставил и московский главнокомандующий фельдмаршал Петр Салтыков (брат любовника Екатерины). В Москве воцарилась анархия. На следующий день в городе начался бунт. Поводом к нему послужил запрет архиепископа целовать икону чудотворной Боголюбской богоматери, что у Варварских ворот, темные люди сотнями прикладывались к ней с надеждой на избавление от чумы, но этим самым еще больше разносили заразу. 15 сентября ударили в набат, и тысячи людей ворвались в Кремль, разыскивая там архиепископа Авмросия, наложившего этот запрет. Тот, однако, уже успел укрыться в Донском монастыре. Не беда — взяли штурмом и его, и Авмросия зверски убили. После этого бунтовщики снова вернулись к Кремлю, но на этот раз были отбиты пушечными залпами. В это время на помощь Москве уже двигались четыре гвардейских полка под командой Григория Орлова. Он въехал в столицу и остановился в Лефортовском дворце, однако злоумышленники подожгли его. В Москве Орлов действовал не репрессиями, а умиротворением — увеличил число больниц, а крепостным, работавшим в них, обещал вольную, выздоровевших приказал снабжать бесплатной едой и одеждой. Открыл приют для детей, оставшихся сиротами, сжег более трех тысяч домов, в которых ютились больные, а шесть тысяч домов подвергли дезинфекции. Смертной казни предали лишь четверых убийц архиепископа Авмросия, а более 170 смутьянов и бунтовщиков высекли розгами, а затем отправили на галеры. Больше никого не трогали, хотя в беспорядках принимали участие тысячи человек. Пробыв в Москве три недели, Григорий Орлов вернулся в Петербург как победитель чумы, которая грозила перекинуться и на другие города России. Екатерина II приказала отчеканить в честь своего фаворита золотую медаль с надписью: «И Россия таковых сынов имеет». В память деяний Григория Орлова в Царском Селе была воздвигнута триумфальная арка, на фронтоне которой были выбиты слова: «Орловым от беды избавлена Москва».

За этот подвиг императрица щедро наградила Григория; помимо этого, он получал большие суммы денег на свои именины и день рождения.

Однако Григорий Орлов уже успел надоесть императрице, и пока он был в зачумленной Москве, на несколько дней приблизила к себе красивого поляка Высоцкого. Это был первый звонок для Орлова. Вернувшись из Москвы, он снова занял место фаворита, но его дни любовника были уже сочтены.

Каким же было десятилетнее правление фаворита Орлова Россией? Историк той поры князь Щербатов так охарактеризовал это время: «Во время «случая» Орлова дела шли довольно порядочно, и государыня, подражая простоте своего любимца, снисходила к своим подданным. Люди обходами не были обижены, и самолюбие государево истинами любимца укрощаемо часто было… Орлов никогда не входил в управление не принадлежавшего ему места, никогда не льстил своей государыне, к которой неложное усердие имел, и говорил ей с некоторой грубостью все истины, но всегда на милосердие подвигал ее сердце; старался и любил выискивать людей достойных… Ближних своих любимцев не любил инако производить, как по мере их заслуг, и первый знак его благоволения был заставлять с усердием служить Отечеству и в опаснейшие места употреблять». Вот каким государственным деятелем был Григорий Орлов! Сам верой и правдой служил Отечеству и других к этому сподвигал собственным примером.

Казалось, Григорий Орлов, бывший более десяти лет фаворитом Екатерины II, был на вершине богатства и славы. Однако в скором времени его ждал тяжкий облом, облом как в карьерном смысле, так и в личном плане. В 1772 году Екатерина II решила дать ему дипломатическое поручение — быть главным уполномоченным при подписании мира с Турцией в Фокшанах. «Орлову перед отправлением на переговоры было подарено несколько парадных кафтанов, один из которых, усыпанный брильянтами, стоил миллион рублей. Его свита напоминала царский двор и насчитывала вместе со слугами и лакеями более трехсот человек», — писал историк. Однако переговоры не заладились — турки оказались изрядными упрямцами. Не проявив никаких дипломатических талантов, Григорий Орлов прервал переговоры и уехал в ставку фельдмаршала Румянцева в Яссы. Он требовал от Екатерины, чтобы она назначила его главнокомандующим русской армией вместо Румянцева и отправила на завоевание Византии. Григорий Орлов решил покрыть себя новой славой и вел себе как император.

Здесь его неожиданно настигла страшная беда — один из его братьев получил из Петербурга известие о том, что Екатерина II завела себе нового любовника — 26-летнего поручика Васильчикова. Григорий Орлов бросил все и помчался в Северную столицу спасать положение.

Однако было уже поздно. Вот что писал прусский посланник граф Сольмс своему королю Фридриху II об этом: «Не могу больше воздержаться и не сообщить Вашему Величеству об интересном событии, которое только что случилось при этом дворе. Отсутствие графа Орлова обнаружило весьма естественное, но тем не менее неожиданное обстоятельство: Ее Величество нашла возможным обойтись без него, изменить свои чувства к нему и перенести свое расположение на другой предмет. Конногвардейский поручик Васильчиков, случайно отправленный с небольшим отрядом в Царское Село для несения караулов, привлек внимание своей государыни… Некоторая холодность Орлова к императрице за последние годы, поспешность, с которой он в последний раз уехал от нее, оскорбившая ее лично, наконец, обнаружение многих измен — все это вместе взятое привело императрицу к тому, чтобы смотреть на Орлова как недостойного ее милости».

Вот оно что — оказывается, Гришенька Орлов из-менял своей повелительнице! Что он таскал чужих жен и любовниц в постель до того, как сошелся с Екатериной, ни для кого не было секретом — одна история с пассией Шувалова чего стоит! Но чтобы, будучи любовником Екатерины II, еще и по другим женщинам бегать? Наверное, у Григория совсем мозги отсохли. Женщины очень мстительны, особенно когда отвергают их любовь. А он вот, оказывается, до чего додумался — изменять самой императрице! В общем, это было в его характере повесы и сердцееда, но надо же и совесть иметь! Наверное, он возомнил о себе слишком много — Екатерина II, в его понятии, по гроб жизни ему должна быть обязана, за то что он возвел ее на престол; и любить, естественно, только его, ненаглядного! Во как! Но не тут-то было — Екатерине такие выкидоны Орлова надоели.

Еще в 1765 году, за семь лет (!) до разрыва с Екатериной, французский посланник в России Беранже докладывал в Версаль о Григории Орлове: «Этот русский открыто нарушает законы любви по отношению к императрице; у него в городе есть любовницы, которые не только не навлекают на себя гнев императрицы за свою угодливость Орлову, но, по-видимому, пользуются ее расположением. Сенатор Муравьев, накрывший с ним свою жену, едва не сделал скандала, прося развода. Царица умиротворила его, подарив земли в Ливонии».

То есть Екатерина II целых семь лет терпела неверность Орлова, покрывала его любовные амуры и даже одаривала землями мужей-рогоносцев! О том, что любовницы Григория «пользуются расположением» императрицы, и речи не могло быть, здесь француз ошибся — она просто терпела его выходки в воздаяние заслуг Орлова, возведшего ее на трон. А то, что многие женщины сами на него вешались, в этом нет никакого сомнения; еще бы — переспать с самим любовником Екатерины II! Для некоторых из них не было чести выше, да и поговорить после этого было о чем! А еще пуще, сравнить мужскую силу Григория со своими мужьями! Жаль, что Григорий, как выражались раньше, был морально неустойчив.

Так или иначе, а Екатерине надоели все эти похождения Григория Орлова, и она решилась на разрыв с ним. Тем более под руку подвернулся такой приятный молодой человек, Васильчиков. Немаловажным обстоятельством было и то, что Екатерина за эти десять лет уже укрепилась на троне и больше не боялась ни Орлова, ни гвардии, стоявшей за ним. Теперь гвардия была на ее стороне. Кроме того, вскрылись и факты казнокрадства — Григорий Орлов, получив два миллиона рублей на усовершенствование русской артиллерии, один миллион прокутил с дамами легкого поведения.

А Григорий тем временем мчался в Петербург — он боялся потерять свое положение при императрице. В гневе он кричал, что убьет и Екатерину, и ее нового любовника. Однако Екатерина II запретила ему въезд в столицу и велела удалиться в подаренную ею Орлову Гатчину. Потом она стала засылать к Орлову гонцов с различными предложениями, как то: выйти в отставку со 150-тысячной ежегодной пенсией при условии, что не станет жить в Петербурге. Она все еще боялась Орлова — какой-нибудь его дикой выходки, а пуще всего того, что на содержании у Григория состояло более тысячи гвардейцев. И она предпочла уладить дело миром. Когда она попросила его вернуть ей брильянтовый медальон, то он выковырял из него камни и отослал ей, заявив, что отдаст его только тому, кто вручал.

Что думал обо всей этой истории Григорий? Клял ли он себя за неверность императрице или корил ее? Мы не знаем, однако то, что это было для него неожиданным ударом, — это точно. И что-то же он должен был думать, переосмысливать, а может, даже и каяться. Не такой уж он и дубол, если внимательно посмотреть. Короче — сам виноват. Екатерина тоже в этом отношении была не подарок, однако в случае с Орловым вина целиком лежит на нем.

Переговоры шли долго и нудно; посредничал в них брат Григория Орлова — Иван. Сошлись на том, что кроме ежегодной пенсии Орлов получает единовременно 100 тысяч рублей на покупку дома и разрешение проживать в любом из подмосковных дворцов Екатерины II. Кроме того, ему было подарено 10 тысяч крепостных, огромный серебряный французский сервиз и недостроенный Мраморный дворец в Петербурге. И в заключение щедрот она вручила ему рескрипт об утверждении его в графском достоинстве Священной Римской империи. Мы уже писали выше, что еще в 1763 году Екатерина II просила австрийского императора присвоить Орлову титул графа; тот пожелание русской царицы выполнил, но она засундучила на всякий случай. И вот этот случай настал; дальновидная была женщина, что и говорить!

Однако Григорий Орлов не сдавался. Он уже привык, что Екатерина принадлежит ему; вернее, еще не отвык от мысли, что она — уже не его. Он продолжал засыпать ее письмами, посылал к ней своих братьев и из Гатчины уезжать не собирался. После долгих и тяжелых раздумий в конце 1772 года Григорий неожиданно, несмотря на запрет царицы, появился в столице. Он остановился у своего брата Ивана и на следующий же день был принят Екатериной II. О чем у них был разговор — неизвестно. Каялся ли Орлов в своих грехах или укорял императрицу, неизвестно. Ясно только одно: Екатерина от своего не отступилась. «Вечером (того же дня) посетил притоны разврата и открыто кутил с публичными женщинами», — докладывали Екатерине доброхоты. Нет, он был неисправим!

Иностранный дипломат Сабатье писал: «Его неудержимая страсть к удовольствиям, безумное увлечение женщинами, отсутствие какого-либо сдерживающего начала, моментальное исполнение малейших желаний — все это уничтожало задатки, которые могли бы развиться при ином воспитании…» Экс-фаворит Григорий Орлов по-прежнему стал ежедневно появляться при дворе, шутил и натянуто улыбался, делая вид, что ничего не случилось, и даже стал благоволить к своему сопернику — Васильчикову, но и это результата не имело.

В начале 1773 года Орлов уехал в Ревель, где намеревался провести всю зиму, но уже через два месяца вернулся в Петербург. Его мучила неопределенность собственного положения. Наконец Екатерине надоела вся эта маета, и она издала указ для Орлова, в котором говорилось: «Наше желание есть, чтоб вы ныне вступили паки в отправление дел наших вам порученных». То есть, с одной стороны, она пожалела Григория, видя, как он страдает; с другой стороны — не могла поступиться своей женской гордостью — раз уж прогнала его, значит, прогнала. Наверное, здесь была еще и практическая струнка — Орлов был готов к свершениям на государственной службе, чем ранее это доказал, а Васильчиков оказался полным ничтожеством. Екатерине II в этот момент просто не на кого было положиться…

В нарушение всех правил Екатерина II в Гатчине, где проживал Орлов, в его присутствии встречается с принцессой Гессен-Дармштадтской и двумя ее дочерьми, одна из которых должна стать женой наследника Павла Петровича. Она звалась Августой-Вильгеминой-Луизой, ставшей в православии Натальей Алексеевной. И неукротимый в своих пристрастиях Григорий Орлов начинает ухаживать за ней! Прусский посланник Сольмс со срочным курьером отправляет в Берлин письмо: «…Граф Панин, всегда зорко наблюдающий за всем, что делает семья Орловых, по-видимому, имеет причины подозревать, что князь Орлов простирает свои честолюбивые виды до намерения жениться на принцессе дармштадской…» Слава богу, страхи немцев оказались напрасными — Григорию Орлову все это ухаживание скоро надоело, и он бросил принцессу ради первой же подвернувшейся ему под руку фрейлины. За ней-то ухаживать было нечего — сама в постель запрыгнет: какие уж там реверансы с поклонами! Так Орлов чуть не отбил невесту у Павла Петровича — лень помешала…

Итак, Григорий Орлов возвратился ко всем своим прежним обязанностям, кроме одной — любовника императрицы. Казалось, фортуна опять повернулась к нему лицом, но это лишь казалось. Начиная с 1773 года его влияние при дворе начало стремительно падать. Екатерина II писала: «Я многим обязана семье Орловых; я их осыпала богатствами и почестями; я всегда буду им покровительствовать, и они могут быть мне полезны; но мое решение неизменно: я терпела одиннадцать лет; теперь я хочу жить, как мне вздумается и вполне независимо. Что касается князя — то он может делать вполне, что ему угодно: он волен путешествовать или оставаться в империи, пить, охотиться, заводить себе любовниц… Поведет он себя хорошо — честь ему и слава; поведет плохо — ему же и стыд».

Осознав наконец, что прошлого не вернешь, Григорий Орлов в 1775 году подал в отставку. Наступила эпоха нового фаворита Екатерины II, князя Потемкина. Григорий Орлов уехал за границу, долго путешествовал по Европе, поражая чужеземные столицы своим роскошным образом жизни и пугая карточных игроков огромными ставками. Он повстречался в Париже со своим давнишним корреспондентом — Дени Дидро, который сравнил Орлова с «котлом, который вечно кипит, но ничего не варит». Вернувшись через год в Петербург, он занял положение, напоминающее положение Разумовского в царствование императрицы Елизаветы при ее новом фаворите Шувалове. При дворе его называли просто «князь». С Екатериной II у него установились если не дружеские, но вполне приемлемые отношения. В ответ на подаренный ему Мраморный дворец Орлов преподнес царице на день именин алмаз «Надир-Шах», за который он уплатил 460 тысяч рублей. (Ныне этот знаменитый алмаз «Орлов», вделанный в скипетр русских царей, хранится в Алмазном фонде России.)

Императрица, несмотря на то что у нее был новый фаворит, с теплотой вспоминала об Орлове. Вот что она писала в 1776 году: «Я всегда чувствовала большую склонность подчиняться влиянию лиц, знающих больше меня, лишь бы они не давали чувствовать, что они ищут этого влияния, иначе я убегала со всех ног прочь. Я не знаю никого, кто был бы так способен помочь проявиться этой склонности во мне, как князь Орлов. У него природный ум, идущий своим путем, и мой ум за ним следует».

В 1777 году Григорий Орлов женился на своей кузине, фрейлине императрицы Зиновьевой. Ему было в ту пору 43 года — мужчина в полном расцвете сил, а Зиновьевой — 18 лет. Она к тому времени уже имела массу женихов, но перед Орловым разве устоишь? Их любовь была взаимной. Молодая женщина писала своему брату Василию: «Я люблю его, как никого не любила, и... очень счастлива». Екатерина II, окончательно избавившись наконец от притязаний Орлова на женитьбу с ней, на радостях зачислила Зиновьеву в статс-дамы и подарила молодым на свадьбу массивный золотой сервиз. Медовый месяц они провели в Швейцарии, а потом вернулись в Петербург и вели тихую, ничем не примечательную жизнь. Князь Орлов редко появлялся при дворе; он смирил свою гордыню и буйный нрав.

В 1780 году князь и княгиня Орловы снова выехали за границу, так как молодая женщина недомогала и ей был показан теплый климат. У нее была какая-то легочная болезнь, и заграничные светила медицины, к которым обращался Орлов, не смогли спасти его жену. Княгиня Орлова умерла в Лозанне в 1782 году. Смерть жены сильно подействовала на Григория; кажется, он любил ее по-настоящему. Князь Орлов затосковал, заболел и стал проявлять признаки умственного расстройства. Спустя год он скончался на 49-м году жизни.

Екатерина II писала по этому поводу: «Хотя я и была подготовлена к этому ужасному событию, но не скрою... оно глубоко опечалило меня... я ужасно страдаю».

«Так проходит мирская слава», — говорили древние. Был неслыханный взлет Орлова, было и невиданное падение. На его смерть в столь молодом возрасте повлияла не только кончина жены, но и переживания, связанные с романом императрицы и внезапным разрывом с ней.

А что же Васильчиков? Читатель может подумать, что мы о нем забыли? Нет, не забыли! С Васильчиковым приключилась следующая история.

Прежде чем перейти к описанию «случая» Васильчикова, нам следует узнать, какие в этом направлении перемены сделала императрица. Она решила поставить производство любовников-фаворитов на поток. Во дворце у нее раньше была комната, перегороженная зеркалами так, чтобы фавориты в ней находились незаметно для окружающих и всегда были под рукой, так сказать. В ней поочередно, а то и вместе находились Понятовский, Нарышкин и тот же Орлов. Со времен Александра Васильчикова последовали нововведения и усовершенствования. Механизм поиска любовников был прекрасно отлажен и отрегулирован. Например, Екатерина II обращала внимание на какого-нибудь стройного красавца поручика. На следующий день она присваивала ему чин флигель-адъютанта и вызывала во дворец. Здесь обомлевшего поручика осматривал лейб-медик императрицы венеролог доктор Роджерсон. Если молодой человек оказывался здоров, то он попадал в спальню фрейлины Брюс или Протасовой, которую все называли Анькой-прелюбодейкой. В функции этой, искушенной в плотских утехах дамы, которой Екатерина II полностью доверяла, входила проверка молодца на выносливость в сексе. Его ждало совсем не простое «трехнощное испытание». Только после успешной сдачи этого «экзамена» и подробного инструктажа, как нужно вести себя с императрицей, он встречался с любвеобильной Екатериной II. Он поселялся в покоях, соседних с императорскими. Апартаменты уже были готовы к принятию очередного фаворита. Толпы слуг и лакеев должны были выполнять все малейшие прихоти и пожелания очередного екатерининского куртизана. Однако он был лишен одного — права общаться с кем-либо, кроме узкого круга доверенных лиц императрицы. Таким образом, молодой человек оказывался в «золотой клетке». Он не должен был никого посещать и принимать приглашений.

Однажды один из фаворитов Дмитриев-Мамонов (о нем позже) получил приглашение поехать на обед к графу Сегюру. Выйдя из-за стола, граф увидел, что под его окном стоит карета… императрицы! Екатерина боялась даже на минуту расстаться с возлюбленным. Похожий случай произошел и с другим ее фаворитом — Корсаковым. Однажды его пригласила к себе вторая жена Павла, великая княгиня Мария Федоровна. Екатерина сильно рассердилась и послала сказать ей, чтобы она никогда так больше не делала. Царица посчитала, что Корсаков понравился великой княгине и та хочет отбить его у нее. У Марии Федоровны и в мыслях такого не было, так как у нее было строгое пуританское воспитание. Это показывает, что екатерининские фавориты находились на положении одалисок в гареме турецкого султана.

Екатерина II часто расставалась со своими любовниками. Покидала она их по разным причинам (по причине смерти, недостойного поведения), но ни один из них не был подвергнут опале, даже если государыня уличала его в измене. Всех их она щедро одаривала чинами, титулами и деньгами. Они в первый же день получали звание флигель-адъютанта, мундир с бриллиантовым аграфом и сто тысяч рублей (!) денег на первое время. Если же очередной любовник задерживался надолго, то есть устраивал императрицу по всем статьям, то за этими милостями следовали многочисленные подарки, множество крепостных и даже спецблагословение митрополита.

Немного о сексуальности Екатерины II, а вернее, ее гиперсексуальности, или нимфомании (рассмотрим эти термины ниже). Ее всю жизнь одолевали плотские страсти. Потому что Екатерина II — все-таки феномен в «этом» деле. Дело не только в дурной наследственности (мать Екатерины изменяла мужу направо и налево, мы уже об этом писали). Дело было в ней самой. Екатерина не была привлекательна от природы. Для привлечения мужчин она использовала свое «служебное» положение, возвышая своих любовников. Она признавала только красивых мужчин, предъявляя к ним геркулесовы требования. Став императрицей, она проводила строгое разграничение между «любовниками», которым, как ни странно, оставалась морально верна долгие годы, и «игроками на один сезон», которым отводилась роль искусственного полового органа в мужском обличии. Современники отмечали ее женскую привлекательность и сладострастие.

Так вот, гиперсексуальность — это патологическое половое влечение; причины его возникновения различны. Одна из них — нарушение функций головного мозга, имеющее непосредственное отношение к половой функции. В этом случае половое влечение носит приступообразный характер. Его могут провоцировать объекты, имеющие даже весьма отдаленное отношение к половой жизни. Половое возбуждение у такой женщины вызывают не только присутствие мужчины и разговоры на эротические темы, но даже вид маленьких мальчиков. Поскольку Екатерина II в увлечении маленькими мальчиками замечена не была, то есть все основания предположить, что она была нимфоманкой.

Нимфомания — это пониженная способность к переживанию оргазма. Оргазм при этом синдроме принимает затяжной волнообразный характер, не давая чувства полного удовлетворения и приносящий лишь кратковременное ослабление полового влечения. Нимфоманка по-настоящему не может полюбить ни одного мужчину, поэтому она и меняет их как перчатки — ищет того, кто удовлетворил бы ее полностью. Она часто меняла партнеров — от польского короля до простого истопника, и все без толку. Ходила байка, что Екатерина II умерла из-за контакта с жеребцом — так хотелось ей удовлетворения. Но это все враки — вы видели когда-нибудь половой член жеребца? Вот то-то и оно…

К сожалению, достичь полного удовлетворения при нимфомании невозможно — это неизлечимая болезнь, пусть и безобидная. Известно, например, что иногда она по шесть часов занималась сексом с мужчинами и не могла полностью достичь оргазма! Когда же ей изредка удавалось наконец это, то она называла секс лучшим снотворным. Так что, зная интимную жизнь Екатерины Великой, можно сказать, что она — стопроцентная нимфоманка. Психически это, наверное, очень тяжело. И морально, надо полагать, тоже. Хорошо, что у царицы была возможность менять партнеров, ища удовлетворения; а если бы она была простой крестьянкой? Тогда и до самоубийства недалеко!

Екатерина II страдала от этой болезни и, чтобы оправдаться перед окружающими, которые полагали, что царица просто развратом занимается, говорила, что фавориты услаждают ей досуг, «давая силу для новых трудов». Или: «Я оказываю услуги государству, воспитывая молодых даровитых людей». Отчасти это было так. Занятие сексом было для нее естественным отправлением организма, наделенного необыкновенной силой, пылким темпераментом и удивительной длительностью оргазма. Однако основную черту характера Екатерины II составляла все же не патологическая потребность в удовлетворении основного инстинкта, а любовь к славе, власти и желание остаться в истории в ряду великих правителей. Но наша книга не об этом. Екатерина II хотела любить и быть любимой. Иностранцы называли ее русской Мессалиной.

Факт. Мессалина (I век н. э.) Жена римского императора Клавдия. Валерия Мессалина родилась в 25 году нашей эры в семье богатых римских аристократов. Ее отцом был сенатор, который выше всего ценил добродетель. Однако его жена как раз добродетелью-то и не отличалась. Ее детство прошло в обстановке общей вседозволенности и распущенности. Она читала философские труды Сенеки, но более ее привлекали «Наука любви» Овидия и эротические стихи Катулла. Уже в юном возрасте угадывалась ее чувственная натура: пышная грудь, волнующие очертания бедер, яркие влажные губы и блестящие глаза. В 15-летнем возрасте она стала женой 50-летнего знатного римлянина Клавдия (она была по счету уже третьей его женой). Ради нее он развелся со своей второй женой Плавтией.

Этот брак устроил его племянник император Калигула, решив женить своего дядю с тем, чтобы полученное приданое забрать себе в казну. У Клавдия на тот момент не было ни сестерция, а за Мессалиной давали хорошее приданое. Мессалина была молода, красива и тщеславна.

Вскоре преторианцы убивают Калигулу и провозглашают императором Клавдия. Так Валерия Мессалина стала императрицей. Клавдий доверял ей и поручил следить за назначением военачальников, судей и наместников провинций, а также за списками по предоставлению римского гражданства. Сам же император был занят не менее важным делом — помимо управления Римской империей, он написал

20 книг по истории этрусков, 8 книг о Карфагене, драму на греческом языке и 8 томов автобиографии!

В начале своей супружеской жизни с Клавдием Валерия была почти образцовой женой и родила ему двух детей — девочку Октавию и мальчика Британика. Многие считали юную жену императора образцом добродетели. Однако со временем Мессалина пустилась во все тяжкие. Она принялась искать любовные приключения на стороне. Ей наскучил трясущийся, вечно занятый делами и науками, любивший выпить старик.

Одним из первых ее любовников был актер Мнестер. Она влюбилась в него и потребовала, чтобы он ради нее оставил сцену и посвящал время только ей. Когда же он отказался выполнить это, то Валерия тут же наушничала императору, что какой-то жалкий актеришка отказывается исполнять ее волю. Клавдий приказал Мнестеру во всем слушаться императрицу. Ослушаться богоподобного он не мог, а потому оставил сцену и поступил в полное распоряжение своей госпожи. Любила Мессалина актера неистово и через три года в честь его воздвигла бронзовую статую, якобы за актерские заслуги.

В 45 году нашей эры Клавдий отправился на завоевание Британии, а Мессалина осталась на хозяйстве. Уж тут-то она развернулась! Валерия побуждала знатных римлян воспользоваться своей благосклонностью. Одних мужчин она привлекала своими женскими прелестями, других — своим высоким положением, третьих просто покупала. Тот, кто отказывался ублажать Мессалину, обвинялся в государственном преступлении со всеми вытекающими отсюда последствиями.

Со временем простой секс ее уже не устраивал. Как свидетельствует историк Тацит, «Мессалине уже на-

доела легкость прелюбодеяния. Ее влекло к ненасытному сладострастию…» В своих желаниях она все сметала на своем пути. Вот как добилась любви наместника Рима в Испании Аппия Силана. Он сначала долго сторонился ее, но она все же приблизила его к себе, женила на своей матери, которая к тому времени уже овдовела. Дальше Мессалина при содействии матери принуждает Силана разделить с ней постель. Однако это не нравится бедному Силану, и он устраивает ей скандал. В отместку за это она приказывает убить несчастного.

Далее Мессалина безумствует все больше и больше — ее чувственность выходит из берегов, ее ненасытность становится болезнью. Сексопатологи называют это заболевание нимфоманией. Чтобы получить длительные наслаждения, она тайком покидала дворец, надев парик, яркие юбки, наложив на лицо белила с румянами, и так, никем не узнаваемая, шла в обычный лупанарий (бордель), где все ее знали под именем Лициски (Волчицы). Там, в маленькой каморке на соломенной подстилке, она за гроши отдавалась первому встречному. Острота ощущений для императрицы, обладающей несметными богатствами, была полной! Однако дело было не в деньгах — дело было в болезни, которой она страдала. Но и домов терпимости Мессалине было мало — она ночью рыскала по городу в облике Лициски в поисках мужчин и действовала неутомимо, как хорошо налаженная секс-машина. Однажды она напилась до такой степени, что голой танцевала на деревянных подмостках Форума. В другой раз она приказала переделать дворцовую спальню в публичный дом. Написав на дверях имя самой знаменитой римской проститутки, она разделась, позолотила соски своих маленьких грудей и стала приглашать мужчин для занятия «этим». Торговля своим телом пошла столь успешно, что она предложила той же проститутке состязание: кто сможет за сутки обслужить большее количество мужчин? Плиний-старший поведал, что Валерия превзошла конкурентку, так как «на протяжении двадцати четырех часов она совокупилась двадцать пять раз».

Вернувшись из похода, император Клавдий ничего не узнал о проделках своей жены. Целых три года она обманывала его как хотела.

Однако ее погубила не похоть, а... любовь, неожиданно вспыхнувшая в ее сердце. В 48 году она безумно влюбилась в римского красавца Гая Силия и начала добиваться его. Сначала она вывела из игры его жену Юнию. Потом осыпала всевозможными милостями и даже воздвигла в его честь статую. Затем купила огромный дворец и там открыто жила со своим возлюбленным. У римских патрициев семейная неверность строго каралась, и это не могло не вызвать кривотолков о похождениях Мессалины. Тогда она придумала хитрый ход — убедила суеверного Клавдия, будто ей приснился вещий сон, смысл которого был в том, что если Гая Силия не будет с ней рядом, то императора ждет смерть. Иначе говоря, шантаж — или любовник, или жизнь супруга. Клавдий легко клюнул на эту уловку, тем паче что в Древнем Риме в вещие сны верили все поголовно. Добившись своего, она тайно сочеталась браком с Гаем Силием.

Уже готовилась официальная церемония, чтобы узаконить их брак в отсутствие Клавдия в городе, но это встревожило многих приближенных императора, так как дальше могла последовать резня. Сделать Гая новым императором Мессалине было проще простого, например, отравив Клавдия, но при этом бы пострадало все окружение действующего императора, и это было чревато. К заговору против Клавдия примкнула часть аристократии.

Чашу терпения граждан Рима переполнила Вакханалия (праздник сбора винограда) 48 года. В то время как Мессалина вела в танце обнаженных девиц, Гай Силий, увенчанный венком из плюща, наблюдал за этим зрелищем с ложа. Когда эротический танец завершился, Гай и Мессалина совершили на этом ложе акт любви.

Против Мессалины выступил один из ближних советников Клавдия, вольноотпущенник Нарцисс. Император, как всегда, ничего не знал; он в тот момент находился в Остии. Советник рассказал императору другой вещий сон, доказывающий, что Мессалина строит против него роковые козни. За аргументами и ходить было далеко не надо — если Клавдий не избавится от Мессалины, то Мессалина избавится от него. И останется править империей со своим фаворитом Гаем Силием. Клавдий наконец прозрел и приказал Нарциссу арестовать всех зачинщиков мятежа. Нарцисс перестарался и схватил всех высокопоставленных любовников Мессалины — 160 человек! Заговорщиков умерщвляли без суда и следствия.

Преторианцы (императорская гвардия) в это время убили Гая Силия и Мнестера. Силий даже и не пытался оправдываться. Затем наступила очередь Мессалины. От нее все отвернулись, и никто из римской аристократии не пришел к ней на помощь. Однако Клавдий, отяжелев от вина, решил, что расправится с ней завтра. Однако Нарцисс почувствовал, что такая задержка позволит коварной Мессалине выкрутиться, и приказал страже казнить ее немедленно.

Ее нашли в саду. Мать дала ей острый кинжал для самоубийства. Но Мессалина отказывается, ей страшно хочется жить. Она рыдает. Преторианцы, обступив ее, бесстрастно смотрят ей в глаза, и в этих *взглядах нет ни капли милосердия. В отчаянии она хочет перерезать себе горло, но рука дрожит, и кинжал лишь скользит по коже. И тогда один из военных, некий трибун, лишает ее жизни одним коротким ударом меча. Душа великой блудницы отлетела на небеса; ей было всего лишь 23 года! Шел 48-й год нашей эры.*

Об исполнении смертной казни доложили императору Клавдию. Он встретил это известие равнодушно, попросил еще вина, и пир продолжался до утра. Дальше убили обоих детей Мессалины. Они пали жертвой любовных игр своей матери. Что осталось от Мессалины? Стихи Децима Ювенала, в которых он описывал похождения Мессалины, сочинения Тацита, Светония, Плиния и Сенеки да мраморный бюст, хранящийся в Лувре. Пухленькое личико, почти ребенок. А какие вокруг нее разыгрывались страсти!

Имя Мессалины стало нарицательным для обозначения женщин, занимающих высокое положение и отличающихся развратным поведением.

И, наконец, о Васильчикове. Вот мы до него и добрались.

Александр Васильчиков был корнетом лейб-гвардии Конного полка. Весной и летом 1772 года он часто бывал в караулах Царского Села, где на одном из дворцовых разводов обратил на себя внимание Екатерины II. В ту пору ему было 26 лет (а Екатерине — 43 года). Васильчиков был стройным, высоким и красивым молодым человеком. Екатерина любила именно таких. На следующий день он получил золотую табакерку «за содержание караулов». Затем последовал еще ряд подарков и повышений. В августе 1772 года он был пожалован в камер-юнкеры, а в сентябре стал камергером. Потом последовала процедура медосмотра врачом Роджерсоном и «трехнощное испытание» мадам Протасовой. Результаты оказались превосходными, и Васильчиков занял апартаменты, в которых раньше проживал Григорий Орлов. Из опасения внезапного возвращения бывшего фаворита, отличавшегося неукротимым и буйным нравом, к его дверям был поставлен караул. Так Васильчиков оказался в «золотой клетке». Подобные изменения не остались не замеченными в высших кругах, а также в среде иностранных дипломатов. «Лакеи и горничные императрицы были озабочены и недовольны, ибо любили Орлова, и он им покровительствовал», — писал прусский посол своему королю, на что Фридрих II рекомендовал ему «заискивать дружбу у нового любимца».

Васильчиков сравнительно мало использовал свое положение фаворита. Он прославился именно своей бескорыстностью, любезностью и скромностью. Звезд с неба, как Орлов, не хватал. Екатерина на этот раз обмишурилась. Уже с первых дней как Васильчиков поселился в бывших покоях Орлова, она начала тяготиться этой связью, о чем чистосердечно поведала Потемкину, сменившему Васильчикова: «…И даже до нынешнего месяца я более грустила, нежели сказать могу, и никогда более, как тогда, когда другие люди бывают довольные и всякие приласканья во мне слезы принуждала, так что я думаю, что от рождения своего я столько не плакала, как сии полтора года; сначала я думала, что привыкну, но что далее — то хуже, ибо с другой стороны (то есть со стороны Васильчикова) месяцы по три дуться стали, и признаваться надобно, что никогда дольнее не была, как когда сердиться и в покое оставит, а ласка его мне плакать принуждала». Переведя эти слова Екатерины на русский язык — она так и не научилась правильно излагать свои мысли по-русски —

ласки Васильчикова в ней вызывали слезы, и ей было лучше, когда он сердился (дулся) и совсем не ласкал. Однако ж она терпела его целых полтора года!

Надо сказать, что и Васильчиков не испытывал удовольствия от близких отношений с Екатериной. По словам одного современника, «воспитание и добрая воля лишь в слабой степени и на короткое время возмещают недостаток природных талантов. С трудом удержал Васильчиков милость императрицы неполные два года…».

Так что разрыв отношений между ними был лишь делом времени. Решение об этом пришло к Екатерине внезапно. «Когда Васильчиков был в последний раз у императрицы, — писал все тот же современник, — он вовсе не мог даже предчувствовать того, что ожидало его через несколько минут. Екатерина расточала ему самые льстивые доказательства милости, не давая решительно ничего заметить, но едва только простодушный избранник возвратился в свои комнаты, как получил высочайшее повеление отправиться в Москву. Он повиновался без малейшего противоречия… Если бы Васильчиков при его красивой наружности обладал большим умом и смелостью, то Потемкин не занял бы его место так легко». То есть он так достал Екатерину своими «приласканьями», что она без объяснений причин решила прогнать его. А он был только этому и рад. Однажды он высказался так: «Я был только проституткой, и со мной так и обращались». Расстались они, по-видимому, к взаимному удовольствию.

За время пребывания фаворитом Екатерины Васильчиков получил деньгами и подарками миллион рублей, 7 тысяч крепостных, приносивших ему 35 тысяч рублей годового дохода, на 60 тысяч рублей бриллиантов, серебряный сервиз стоимостью 50 тысяч рублей, пожизненную пенсию в 20 тысяч рублей и великолепный дом в Петербурге на Дворцовой площади (позже он был выкуплен Екатериной за 100 тысяч рублей для своего очередного фаворита Римского-Корсакова). Вдобавок ко всему Васильчикову был присвоен титул графа и звание кавалера ордена Александра Невского. При всем этом он так и остался корнетом! Ранее полученное придворное звание камергера номинально осталось за ним, но при этом ему запрещалось посещать двор. Екатерина вообще не любила встречаться со своими бывшими любовниками. Он получил из казны 50 тысяч рублей на покупку дома в Москве, где и прожил в холостяках около 40 лет, и умер в 1813 году, разделив между братьями свое огромное состояние, полученное «за постельные заслуги».

В марте 1774 года новым фаворитом Екатерины стал Григорий Потемкин. «Васильчиков, способности которого были слишком ограниченны для приобретения влияния в делах и доверия государыни, теперь заменен человеком, обладающим всеми задатками, чтобы овладеть и тем, и другим», — писал один англичанин, посвященный в тайны русского двора. Так взошла звезда Потемкина — нового фаворита Екатерины и выдающегося государственного деятеля.

Немного отвлечемся. Некоторые источники сообщают, что Екатерина II жила еще и с Никитой Паниным, с которым она сошлась еще до связи с Орловым. Панин был воспитателем цесаревича Павла Петровича, а впоследствии стал канцлером Российской империи. Он был умен, нетребователен и не ревнив. Наоборот, он сам поставлял Екатерине любовников, чтобы через них влиять на государыню. У него был огромный гарем крепостных наложниц, и больше одного раза в неделю он с Екатериной не спал. Некогда было. Надоевших одалисок он раздаривал друзьям или продавал, а гарем постоянно обновлялся свежатинкой. По долгу своей службы канцлером (нечто среднее между министром иностранных дел и премьер-министром) он занимался политикой, и послы иностранных держав были в курсе его увлечений. Они привозили ему в подарок новых сексуальных рабынь. Особенно он был благодарен итальянскому послу, однажды подарившему для его гарема трех красивых итальянок. Кроме этого, Панин имел любовниц среди дам высшего света и артисток, большей частью иностранок.

Не успела Екатерина распрощаться с занудным Васильчиковым, как Панин предложил ей кандидатуру нового фаворита — Григория Потемкина, которого посчитал вначале совершенно безвредной фигурой. И даже полезным человеком, так как через него он намеревался проводить свою политическую линию. Однако он жестоко ошибся; Потемкин сам мог повлиять на кого угодно, но об этом потом.

Итак, Григорий Александрович Потемкин, 1739 года рождения, был сыном смоленского полковника в отставке. Сразу же после рождения по существующему тогда правилу был записан рядовым в конную гвардию. Первоначально образованием Гриши занимался дьячок из местного храма, и Григорий еще с детства говорил, что хочет стать священником. Однако его отец и слышать не хотел о такой карьере для родовитого, пусть и бедного дворянина. Поэтому в пятилетнем возрасте его отвез в Москву крестный и отдал на воспитание в пансион Литке. Сам же Литке преподавал немецкий язык в гимназии при Московском университете, где Потемкин продолжил свое образование. Учеба давалась ему легко, и в 1756 году он даже получил медаль «За успехи в науках». На следующий год основатель Московского университета Иван Шувалов вызвал в Петербург для предоставления императрице Елизавете наиболее отличившихся воспитанников. Среди этих 12 отличников был и Потемкин. «Его богатырское телосложение, его обаяние в сочетании с мужественной силой привлекли внимание. Императрица Елизавета Петровна заметила и выделила его среди других воспитанников, но особенное впечатление произвел Потемкин на Шувалова, поразив его обширными знаниями, особенно вопросов богословия и греческого языка», — писал один исследователь. За это ни дня не служивший Потемкин был произведен Шуваловым сразу из рядового в капралы лейб-гвардии Конного полка. Это был самый беспрецедентный случай за всю историю кавалергардов. Несмотря на это, через три года Григорий Потемкин был исключен из Московского университета «за леность и нехождение в классы». Грубо говоря, за пренебрежение науками, пьянство и разгульную жизнь.

Сразу же отметим эту особенность Григория Александровича — периоды бурной деятельности у него перемежались с периодами жесточайшей хандры, лени и меланхолии. И так всю жизнь. Вероятно, в периоды лени у него накапливались силы для новых свершений. Это была такая своеобразная защитная реакция организма. Он мог неделями валяться в постели, не бриться и не мыться, ходить в халате на голое тело, грызть репу и лукошками поедать клюкву, посылать всех к черту и никого не принимать. Но зато потом был бодр, весел и деятелен, как никогда.

В царствование Петра III Потемкин решил окончательно перейти на воинскую службу и в звании вахмистра поступил в ординарцы к принцу Георгу-Людвигу Шлезвиг-Гольштейн-Готторпскому, двоюродному дяде Екатерины II. На этот период приходится и загадочная деятельность Потемкина в подготовке переворота 1762 года. Дело в том, что были явные зачинщики переворота, такие, как братья Орловы или княгиня Дашкова, которые в открытую агитировали за Екатерину, подкупали солдат и вели тому подобную деятельность. Но были и такие, чья деятельность находилась «в полном секрете». К ним-то и относился Григорий Потемкин. В чем именно заключалась его деятельность, сказать трудно, но сам зачинщик переворота Григорий Орлов оценил его «чертовский ум» и посвятил в свои планы.

Сама же Екатерина потом вспоминала, что «впервые услышала о Потемкине из уст Григория Орлова, очень высоко оценившего мужество, решительность, живой ум молодого вахмистра Конной гвардии». Потом Потемкин оказал еще одну услугу императрице — во время коронования, когда ей потребовался темляк к шпаге, он отдал ей свой. Вот тогда-то Екатерина впервые обратила внимание на молодого унтер-офицера, заговорила с ним, и «он ей понравился своею наружностью, осанкою, ловкостью и ответами…». За участие в перевороте она наградила его придворным чином камер-юнкера, деньгами и крепостными душами.

Надо сказать, что в ту пору 23-летний Гриша ни о чем таком не думал и не гадал: он был предан Екатерине II как своей императрице, и не более того. Да и она ничем не выделяла его тогда из толпы своих сторонников.

В 1763 году Екатерина назначила Потемкина на должность помощника обер-прокурора Синода, так как ей стало известно о его увлечении духовными науками. Однако служить в Синоде ему долго не пришлось, так как он ослеп на один глаз. Некоторые борзописцы, охочие до сенсаций, типа В. Пикуля, относят этот эпизод к драке между Потемкиным и Григорием

Орловым. Якобы они подрались из ревности к Екатерине, и Орлов повредил ему глаз. Все это чушь — Орлов был любовником Екатерины еще с 1761 года и имел от нее ребенка, а у Потемкина и в мыслях еще не было, чтобы занять его место.

Есть прямые свидетельства тому, что Потемкин ослеп не из-за драки, «а от неумелого лечения знахарем». Племянник Потемкина, граф Самойлов, вспоминал, как, вернувшись из Москвы в 1763 году после коронации, Григорий простудился и заболел. Пренебрежительно относящийся к докторам, Потемкин воспользовался услугами некоего знахаря Ерофеича (изобретателя известного спиртного напитка под названием «Ерофеич»). Самозваный лекарь на ночь обвязал ему голову повязкой со специально изготовленной мазью. Вскоре Потемкин почувствовал сильный жар и боль. Сорвав с головы повязку, он обнаружил на глазу нечто вроде чирья, который, недолго думая, тут же проткнул булавкой! Глаз после этой варварской операции, правда, не вытек, но Потемкин перестал им видеть.

Отметим еще одну характерную особенность Григория Александровича Потемкина — он не доверял докторам, отчего и помер в расцвете лет. Если бы он сразу обратился к ним, наверняка бы остался жив.

Далее. «Случившееся потрясло Григория Александровича. Он замкнулся, долгое время не выезжал из дому, не принимал гостей, полностью посвятив себя чтению книг по науке, искусству, военному делу и истории, а также «изучая дома богослужебные обряды по чину архиерейскому». Опять появились мысли о духовной стезе… Однако заточение нарушил Григорий Орлов, приехавший к Потемкину по поручению государыни. Он чуть ли не силой сорвал повязку с незрячего глаза и заявил: «Ну, тезка, а мне сказывали, что ты проказничаешь. Одевайся, государыня приказала привезти тебя к себе», — писал граф Самойлов. Но Потемкин отказался выполнить приказ Екатерины II, и, вместо того чтобы поехать в Зимний дворец, отправился в Александро-Невскую лавру. Там надел подрясник, отпустил бороду и стал готовиться к пострижению в монахи. О странном поведении Потемкина стало известно Екатерине II, и она сама прибыла в монастырь. Встретившись с ним, она якобы сказала: «Тебе, Григорий, не архиереем быть. Их у меня довольно, а ты у меня один таков, и ждет тебя иная стезя». Только после этого Потемкин послушно сбрил бороду, снял рясу, надел офицерский мундир и, забыв о меланхолии, появился как ни в чем не бывало во дворце.

Таким образом, у Потемкина и на этот раз была меланхолия, усугубленная, правда, потерей глаза. С тех пор он получил прозвище Циклоп.

В 1767 году он был членом духовно-гражданской комиссии, но на этом посту ничем себя не проявил. На следующий, 1768 год Григорий получил звание камергера, однако деятельная натура Потемкина не терпела застоя. С началом Русско-турецкой войны 1768—1774 годов он ушел волонтером в армию графа Румянцева, воевавшую на юге России. Там он проявил себя храбрым кавалерийским военачальником; участвовал в сражениях при Хотине, Фокшанах, Браилове, Ларге, Рябой Могиле и Кагуле, а также в других походах и боях. За эти заслуги он был награжден орденом Св. Анны и Георгиевским крестом 3-й степени. В свои 33 года Потемкин стал генерал-поручиком. Фельдмаршал Румянцев высоко отзывался о Потемкине в своих донесениях императрице.

Отметим немаловажное обстоятельство, отличавшее Григория Потемкина от других фаворитов Екатерины II, — свои ордена он получил в бою, а не за «постельные заслуги», как некоторые. К тому же был образованным человеком — учился, пусть и не до конца, в Московском университете. Опять же, в отличие от некоторых «товарищей», которые только болтать по-французски научились у своих гувернеров, но образования никакого не имели. «Ах, какая славная голова у этого человека!.. И эта славная голова забавна, как дьявол», — позже писала Екатерина.

С 1771 года он уже активно переписывается с императрицей, которая следила за лихим генералом-рубакой и беспокоилась в своих письмах о его здоровье. В январе 1774 года он был вызван Екатериной в Петербург. Полыхало Пугачевское восстание, и Потемкин фактически возглавил борьбу с ним. В сражениях с бунтовщиками он не участвовал, но штабную работу выполнял блестяще. Кстати, именно он рекомендовал отправить на войну с Пугачевым полководца Александра Суворова, и тот успешно справился со своей задачей. Об этом сегодня мало кто знает, но Суворов принимал участие в гражданской войне, чем на самом деле являлся Пугачевский бунт. Екатерина надеялась найти в Потемкине надежную опору и не ошиблась. Наконец Пугачев был разбит.

В 1774 году Потемкин при содействии Панина получил звание генерал-адъютанта. Так в покоях по соседству с императрицей появился новый фаворит. Он прошел всю процедуру приближения к Екатерине — сначала Потемкина осмотрел доктор Роджерсон, потом на три ночи его забрала к себе графиня Брюс, которая дала ему отличную аттестацию. Она уверила императрицу, что Циклоп до безумия влюблен в свою государыню, сгорает по ней тайной страстью, но не смеет ни на что надеяться. Екатерина давно уже засматривалась на атлета Потемкина, но ни в чем уверена не была. Графиня Брюс перед ночью любви проводила Григория в спальню Екатерины, посоветовав ему быть как можно более дерзким с императрицей. Очевидно, он так блестяще справился со своей ролью, что уже на следующее утро Екатерина присвоила ему чин генерал-лейтенанта, подарила ему миллион рублей и комфортабельно обставленный дворец на Миллионной улице.

Сама Екатерина II о появлении возле нее Потемкина писала следующее: «Потом приехал некто Богатырь. Сей Богатырь по заслугам своим и по всегдашней ласке прелестнее был так, что, услыша о его приезде, уже говорить стали, что ему тут поселиться, а того не знали, что мы письмецом сюда призвали неприметно его, однако ж с таким внутренним намерением, чтоб не вовсе слепо по приезде его поступать, но разбирать, есть ли в нем склонность, о которой мне Брюсша сказывала, что давно многие подозревали, то есть та, которую я желаю, чтобы он имел». Имел «склонность», и еще как имел!

При дворе появился сильный и дерзкий, могучий душой и телом, умный и волевой вельможа, генерал и администратор, который сразу же вник во все дела империи. Екатерина II нуждалась именно в таком человеке — ни Васильчиков-зануда, ни Орлов-забияка для этой роли не годились. Ей нужна была твердая мужская рука в управлении 1/6 частью земной суши. Потемкин блестяще справился с этой задачей и с задачей любовника тоже.

По меркам своего времени любовники были далеко не молоды — Потемкину — 34, Екатерина на десять лет старше. О внешности царицы мы уже писали, а каким был Потемкин? Его странная внешность в одинаковой мере поражала — и отталкивала, и притягивала. Огромный рост, подвижные черты лица, длинные каштановые волосы. Его голова имела несколько грушеобразную форму; лицо удлиненное, бледное и неожиданно чувствительное для такого гиганта. Рот был одной из красивейших черт его лица — полные красные губы, ровные белые зубы; на подбородке ямочка. Правый глаз — голубой с зеленоватым отливом, левый — незрячий. Хотя дефект глаза и не был слишком заметен, Потемкин до конца жизни стеснялся его и щурился, что придавало ему пиратский вид. Изъян глаза этого великана делал его похожим на какое-то мифическое существо. По примеру братьев Орловых все стали за глаза называть его Циклопом.

«Его фигура огромна и непропорциональна, а внешность далеко не притягательна» — так отзывался о Потемкине один дипломат. Его манеры напоминали то обитателя Версаля, то какого-то из его друзей-казаков. Вот почему Екатерина II в письмах называла его то казаком, то татарином, а то именем какого-нибудь животного. Современники сходились во мнении, что в этом диковатом человеке, одновременно уродливом и красивом, смешивалась первобытная энергия, почти животная сексуальность, неподражаемая оригинальность и острейший ум. Он умел писать стихи и сатиры, понимал искусство и литературу, собирал хорошие картины и статуи. Его или любили, или ненавидели, третьего не было дано.

С 1774 года Екатерина II и Потемкин стали неразлучны. Разделенные всего несколькими комнатами, они писали друг другу письма! До нас дошло более тысячи этих посланий — их история многолетнего любовного и делового партнерства. Екатерина обращалась к своему возлюбленному так: то «голубчик» (в лице Потемкина было действительно что-то голубиное), то «душенька», то «сокровище». Потом перешла на уменьшительное от Григория — Гриша, Гришенька, Гришенок или даже Гришефишенька. Иногда она называла его «батюшка», «батенька» или просто «батя». В разгар их любви интимные имена становятся более колоритными — «гяур», «казак», «тигр», «лев» или «фазан», передающие сочетание силы и нежности. Давая ему новый титул, она непременно использовала его в обращении: «мой гневный и превосходительный господин генерал-аншеф и разных орденов кавалер». (Об орденах Потемкина мы поговорим позже.)

Сам же Григорий Александрович писал «матушка» или «Всемилостивейшая государыня» (он никогда не забывал своего места). Посланцев, вручавших ему письма от Екатерины, он заставлял вставать на колени. Императрица знала об этой его причуде и писала ему: «Напиши, пожалуй, твой церемонимейстер каким порядком к тебе привел сегодня моего посла и стоял ли он по твоему обыкновению на коленях?»

Письма Екатерины Потемкин хранил как величайшую драгоценность — они всегда были у него или на груди, или в кармане.

9 апреля 1774 года двор вернулся из Царского Села в Зимний дворец. Апартаменты для Потемкина в нем были уже готовы, и он немедленно заселился туда. Комнаты Потемкина располагались под покоями императрицы, и он всегда мог попасть в них, поднимаясь по винтовой лестнице. Они редко оставались вместе на всю ночь, так как Потемкин любил играть в карты до поздней ночи, а потом все утро валялся в постели, тогда как Екатерина была ранней пташкой и вставала с рассветом. С самых первых дней их любовной связи Потемкин поставил себя в исключительное положение — мог не являться на зов любимой или мог во-

рваться без приглашения в ее комнаты, будучи одетым в халат на голое тело, плохо прикрывающий его волосатую грудь, да еще с розовым платком на голове!

Вкусы у него были самые простецкие: он любил простую пищу, особенно овощи. Поднимаясь наверх, к императрице, он мог по дороге грызть яблоко, репу, редиску или чеснок — в общем, был сама непосредственность. Столь необычное поведение Потемкина шокировало иностранных дипломатов, но когда было нужно, Григорий Александрович являлся в военном мундире и вел себя чопорно. Задумавшись о чем-то, что с ним случалось часто, он имел дурную привычку грызть ногти. За это Екатерина называла его «первый ногтегрыз в Российской империи».

Отношения Екатерины II и Потемкина строились не только на сексе, но и на восхищении умом друг друга, на обоюдном властолюбии и амбициозности. Екатерина всегда скучала без него. Писала: «Я скучаю безмерно. Когда я снова увижу Вас?» Она ревновала его: «Не удивлюсь, что весь город безсчетное число женщин на твой щет ставил. Никто на свете не горазд с ними возиться, я чаю, как Вы…» Однако она беспокоилась зря — Потемкин, будучи любовником Екатерины, ни разу ей не изменил. Потом было, да, но во время их близости — никогда.

В свою очередь и Потемкин ревновал Екатерину, главным образом за прошлое. Сначала он ревновал ее к Васильчикову. Потом к другим фаворитам. Однажды он потребовал от нее полного отчета о своих бывших любовниках, заявив, что у нее их было пятнадцать человек, то есть обвинив ее в полной распущенности. Чтобы его успокоить, Екатерина написала «Чистосердечную исповедь» — удивительный документ для любой эпохи. Других примеров, когда государыня подобным образом давала бы объяснения по поводу своей интимной жизни, мы не знаем. Она описывает лишь четырех (из пятнадцати) своих любовников (какая скромница!) — Салтыкова, Понятовского, Орлова и Васильчикова. Об отношениях с первым и последним она сожалеет. Это «Чистосердечное признание» заканчивается словами: «Ну, Господин Богатырь, после сей исповеди могу ли я надеяться получить отпущение грехов своих. Изволишь видеть, что не пятнадцать, но третья доля из сих: первого понеоле, а четвертого из дешперации, я думала на счет легкомыслия поставить никак не можно, о трех прочих, если точно разберешь, Бог видит что не из распутства, к которому никакой склонности не имею, и если бы я в участь получила смолоду мужа, которого бы любить могла, я бы вечно к нему не переменилась…» И так далее. Потом она признается, что считает неотъемлемым качеством ее натуры: «Беда та, что сердце мое не хочет быть ни на час охотно без любви». Короче — никакого распутства, и каждый час хочется любви. Вот так. Поверил ли ей Потемкин? Как знать…

Екатерина искренне любила своего Гришеньку, в чем часто признавалась ему: «Я тебя люблю чрезвычайно…» Или: «…я не нахожу слов тебе изъяснить, сколько тебя люблю». Она буквально не могла обходиться без него: однажды вечером, когда он не пришел, она встала, оделась и пошла в библиотеку к дверям, дожидаясь его; на сквозняке простояла два часа и «в печали вернулась в постель». Когда он был занят делами, она не решалась ему мешать и тайком подходила к двери его кабинета, при этом опасаясь столкнуться с кем-то из слуг или секретарей. Вот это любовь! Императрица Всероссийская боится помешать своему подданному заниматься делами! Или вот такое письмо: «Нет уж, и в девять часов тебя можно не застать спящего, я приходила, а у тебя сударушка люди ходят и кашляют и чистят, а приходила я затем, чтоб тебе сказать, что тебя люблю чрезвычайно».

Ходили слухи о необычайной величины мужском достоинстве Потемкина и даже о том, что Екатерина приказала сделать с него слепок. Все это чушь. В мужской среде бытует, конечно, поверье, что чем больше пенис, тем больше удовольствия он может доставить женщине. Однако любой сексопатолог скажет вам, что это не так — размер не имеет значения. Мужчина, обладающий пенисом размером с гороховый стручок, может доставить женщине такое удовольствие, что она будет находиться на вершине блаженства. Тут головой работать надо, как говорится в старом анекдоте. Тем не менее рассказы о «славном оружии Потемкина» прочно вошли в петербургскую мифологию. Один из бытописателей Северной столицы рассказывает, как в конце XIX века художник Константин Сомов, сын хранителя Эрмитажа, принимал у себя своих друзей — поэта М. Кузмина, С. Дягилева, А. Ахматову и других представителей богемы. Сомов рассказал, что его отец обнаружил в коллекции екатерининских времен великолепный слепок члена Потемкина. Когда гости не поверили ему на слово, он пригласил их в другую комнату и показал фарфоровый слепок. Все были поражены. Позже эта «драгоценность» была возвращена в Эрмитаж, где, к слову сказать, ее больше никто не видел. При посещении этим бытописателем Эрмитажа в поисках потемкинской коллекции он опрашивал многих хранителей, однако никто из них ничего не знал о таком экспонате. И неудивительно, потому что его и не существовало. Я не знаю, что там Сомов показывал своим друзьям, но мне приходит на память история с членом Григория Распутина. Однажды, еще в советские времена, журналист-международник Мэлор Стуруа посетил в Сан-Франциско дочь Григория Ефимовича. Он расспрашивал ее об отце, и так далее. В конце разговора Матрена Распутина, сильно смущаясь, показала ему, в знак доверия, шкатулку красного дерева, которую хранила как величайшую драгоценность. В этой шкатулке на бархатной подушечке лежал... член Распутина! Из объяснений Матрены следовало, что после убийства ее отца в 1916 году пенис был отрезан, забальзамирован и вывезен эмигрантами за рубеж. Спустя некоторое время он попал к ней. Однако при ближайшем рассмотрении оказалось, что пенис Распутина — огромный, неправдоподобно больших размеров — есть не что иное, как высушенный... морской огурец! Совсем недавно в одном из медицинских центров Петербурга демонстрировался очередной «пенис Распутина». Уверяли, что настоящий. По-моему, он сейчас там лежит в качестве наглядного пособия. В то же время известно, что революционные солдаты Временного правительства в 1917 году сожгли труп Распутина вместе со всеми его потрохами и пенисом в частности. Так что рассуждать о «славном оружии Потемкина» по меньшей мере глупо. Естественно, что у человека огромных размеров, каким был Потемкин, и пенис должен быть пропорциональный, но не более того.

На первом этаже Зимнего дворца под часовней Екатерины II находилась баня, где и происходила значительная часть их интимных встреч с Потемкиным. Это было вполне в духе древнерусских традиций — помните царскую «мыленку»?

Потемкин с первых дней своего фавора стал помогать Екатерине в государственных делах. С одной стороны, ей была просто необходима надежная мужская рука, а с другой — она не хотела расставаться со своим возлюбленным. Однако Потемкин сразу же показал императрице, что его нельзя третировать, как какого-нибудь Васильчикова. В 1774 году он потребовал, чтобы Екатерина сделала его членом Государственного совета. Та ужаснулась — это очень не понравится канцлеру Панину. «Прекрасно. Тогда я ухожу в монастырь, — заявил Потемкин. — Я не хочу быть вашей содержанкой. Я хочу работать для славы России и своей собственной, и смею надеяться, что способен к этому не хуже других». Екатерина уговаривала его подождать, пока к его положению не привыкнут окружающие, но Потемкин и слушать ничего не хотел. Императрица проплакала всю ночь, а наутро Потемкин стал членом Госсовета и сенатором.

Постепенно в его руках сконцентрировалась огромная власть. Пугачевское восстание способствовало возвышению Потемкина и падению других авторитетов. За неудачу в покорении Пугачева он отправил Чернышева в отставку, а Алексея Орлова упек послом в Италию. В мае 1774 года Потемкин становится полным генералом (генерал-аншефом) и вице-президентом Военной коллегии (замминистра обороны, по-нынешнему). Еще в марте этого же года он назначается генерал-губернатором Новороссийского края, а также главнокомандующим иррегулярными (не имеющими правильной организации) войсками — казаками, калмыками, черкесами и тому подобное. Потемкин становится немыслимо богат. Скоро потолок его богатства исчезнет вовсе.

А теперь поговорим об орденах. Екатерина II следила за тем, чтобы Потемкин получал столько российских и иностранных наград, насколько это было возможно. Это означало укреплять свое положение и свой статус. Он получил русский орден Александра Невского и польский Белого Орла, присланный Понятовским по просьбе Екатерины (это помимо его боевых орденов). Надо сказать, что Потемкин испытывал детский восторг по поводу орденов, почти такой же, как Леонид Ильич Брежнев. Скоро в его коллекции дополнительно будет русский орден Андрея Первозванного, прусские Белого Орла и Черного Орла, датский Белого Слона и шведский Св. Серафима. Однако Франция и Австрия откажут ему в орденах Св. Духа и Золотого Руна, а английский король Георг III будет шокирован, узнав, что Потемкин желает получить орден Подвязки.

Итак, Григорий Потемкин был на вершине славы и фавора. Но чего-то ему все же не хватало. «Чего?» — спросите вы. А вот чего. Несмотря на то что у них с Екатериной было много общего и они любили друг друга, ему было нелегко поддерживать ровные отношения с женщиной, обладающей не только большей властью, чем он, но и независимой от него. Григорий находился в очень двусмысленном положении, как в политическом, так и личном плане. Хотя Потемкин и достиг таких вершин власти, которых никто до него не достигал, он прекрасно понимал, что это лишь прихоть Екатерины и с окончанием ее благорасположения к нему все это может в одночасье рухнуть. Он не мог смириться с тем, что императрица может расстаться с ним, как со старой обувью. А потому, будучи честным человеком, напрямую спросил ее об этом. «Нет, Гришенька, статься не может, чтоб я переменилась к тебе. Отдавай сам себе справедливость: после тебя можно ли кого любить. Я думаю, что тебе подобного нету… Как бы то ни было, но сердце мое постоянно.

И еще тебе более скажу: я перемену всякую не люблю». Мне думается, на тот момент она говорила искренне.

Екатерина II так полюбила его, что согласилась выйти за Потемкина замуж! Мы уже писали в «случае» с Орловым, что для Екатерины был возможен только тайный брак. И если за Григория Орлова замуж она идти не хотела, то за Григория Потемкина согласилась с радостью. Новобрачным следовало соблюдать строгую конспирацию. Мы не знаем, как проходила церемония венчания (да и была ли она?), можем лишь предложить реконструкцию событий.

8 июля 1774 года Екатерина II и Потемкин присутствовали на торжественном обеде с офицерами Измайловского полка. Гуляли до вечера — гремели тосты, пускали салюты. Затем императрица отправилась пешком по набережной Фонтанки к дому Сиверса, при котором имелась пристань. В полночь Екатерина II отправилась на прогулку на лодке по Фонтанке. В этом ничего удивительного не было, так как она часто навещала своих придворных подобным образом. С нею не было никого, кроме верной наперсницы Марии Перекусихиной. Другая лодка, с Потемкиным на борту, отчалила от пристани чуть раньше и скрылась во мраке ночи. Лодка Екатерины прошла по Фонтанке, пересекла Неву напротив Выборгской стороны и ткнулась носом в песок. Здесь дамы пересели в карету с занавешенными шторами, которая доставила их к церкви Св. Сампсония. (Этот храм стоит и по сей день!) Потемкин уже ждал императрицу в церкви. На церемонии присутствовали только трое мужчин: священник и два свидетеля. Свидетелем со стороны Екатерины был камергер Евграф Чертков, а со стороны Потемкина — его племянник Александр Самойлов. Священник начал читать Евангелие. Дойдя

до слов «Жена, да убоится мужа своего», он запнулся и взглянул на императрицу. Та кивнула, и батюшка продолжил обряд. Самойлов и Чертков держали венцы. После окончания церемонии были сделаны выписки из церковной книги и вручены свидетелям, которые поклялись хранить тайну.

Такова легенда о венчании Екатерины II с Потемкиным. Есть еще версия, что они обручились в 1775 году в Москве в храме Большого Вознесения у Никитских ворот, где позже венчался А. Пушкин. Неопровержимых доказательств этого брака не существует, но, скорее всего, он действительно имел место. Местонахождение брачных записей до сих пор неизвестно. Граф Орлов-Давыдов вспоминал о том, как однажды Александр Самойлов показал ему пряжку с драгоценным камнем и сказал, что получил от императрицы на память о венчании с его покойным дядей. Экземпляр брачной записи, принадлежащий Самойлову, якобы был похоронен вместе с ним. Об экземпляре Черткова вообще ничего не известно.

Исчезновение брачных записей и строго соблюдавшаяся секретность не должны вызывать удивления. Никто не осмелился бы открыть эту тайну: Романовы стыдились частной жизни Екатерины II. Если прямых свидетельств венчания Потемкина с Екатериной нет, то косвенных — полно. Это прежде всего ее письма, в которых она называет Григория своим мужем. Их ровно 22 штуки. В одних из них она называет Потемкина «дорогим мужем», а себя «верной женой». В других звучат такие выражения, как «нежный муж», «дорогой супруг». Племянника Потемкина она называет «наш племянник», а племянниц назначила своими фрейлинами. Матери Потемкина — Дарье Васильевне — она подарила в Москве дом на Пречистенке.

Встретившись с ней, как и полагается невестке, она проявила наблюдательность: «Я приметила, что Матушка Ваша очень нарядна сегодня, а часов нету. Отдайте от меня сии», — писала она Григорию.

Однако самое верное доказательство их венчания запечатлено в письме Екатерины от 1776 года: «…Для чего более дать волю воображению живому, нежели доказательствам, глаголющим в пользу твоей жены? Два года назад была ли она к тебе привязана Святейшими узами? …люблю тебя и привязана к тебе всеми узами». От 1776 года отнять два — получается все тот же 1774 год, а Святейшие узы — это венчание. Так что с их браком, пусть и тайным, по-моему, все ясно. И еще — иностранные послы, аккредитованные в Петербурге, сразу же пронюхали о тайном венчании и доложили своим монархам. Итог: в письме к своему министру иностранных дел графу Вержену король Людовик XVI называет Екатерину II «мадам Потемкиной». Других доказательств не надо…

Потемкин сам намекал, что он — почти император. И на самом деле он был царем, только без титула и короны. Во время русско-турецкой войны принц де Линь как-то заметил ему, что он мог бы стать князем Молдавии и Валахии. «Это для меня пустяк, — отвечал Потемкин. — Если бы я захотел, я мог бы стать королем польским, я отказался от герцогства Курляндского. Я стою гораздо выше». А что может быть выше королевского трона, как не пост супруга императрицы Всероссийской? Скажем больше — Екатерина II хотела отобрать у турок древние земли Византийской империи, сделать Потемкина византийским императором и теперь уже официально выйти за него замуж! Дальновидная была женщина; жаль, что этого не случилось. После смерти Потемкина она с таким же упорством продвигала на пост императора еще не завоеванной Византии своего внука Константина. Во как!

Брак сблизил их еще больше, главное — он успокоил Потемкина, до этого осознававшего непрочность своего положения. Развенчаться по церковным правилам уже было нельзя. Даже если не принимать имеющихся указаний на обряд венчания, достаточно того, что Екатерина до конца жизни относилась к Потемкину, как к своему мужу. Что бы он ни делал, он никогда не терял своей власти; получил полный доступ к казне и право на самостоятельные решения.

В январе 1775 года императрица в сопровождении Потемкина выехала в Москву на празднование победы над турками. Царствующим особам не полагается медового месяца, но они хотели провести его вместе. Для этого она купила имение Черная Грязь и приказала построить дворец, который назвала Царицыно. Стремясь к покою и уюту, они подолгу жили там и предавались любви. Победу над турками справляли пышно; на награды Екатерина II не скупилась. Фельдмаршал Румянцев был пожалован почетной приставкой к фамилии Задунайский. Князь Долгорукий за взятие Крыма получил приставку Крымского, но самые значительные почести обрушились на Потемкина. Ему был вручен миниатюрный портрет императрицы, усыпанный брильянтами для ношения на груди (такой же, как был у Орлова), грамота на пожалование ему титула графа Российской империи и церемониальная шпага с алмазами.

Праздники должны были продолжаться две недели, но 12 июля они остановились из-за болезни Екатерины. Ее «болезнь» была вызвана рождением дочери от Потемкина — Елизаветы Григорьевны Темкиной.

Если Екатерине в былые времена приходилось ухищряться, чтобы скрывать свою беременность, то теперь ей ничего не грозило — она почти всегда появлялась на людях в широком русском платье, скрывавшем ее полноту. Рождение дочери от Потемкина — опять же легенда. Она якобы воспитывалась в семье Самойловых. В России действительно существовала традиция давать внебрачным детям фамилию отца, отбросив первый слог: Потемкина — Темкина. Так, Иван Бецкой был бастардом князя Ивана Трубецкого (мы уже о нем писали), а Иван Ронцов был незаконнорожденным сыном графа Романа Воронцова. Однако есть одно «но». Потемкин всегда заботился о своих родственниках, но нет никаких свидетельств о том, что он уделял внимание девице Темкиной. Не заботилась о ней и Екатерина II. А старинный род Темкиных на Руси существовал издревле и к Потемкиным никакого отношения не имел. Кроме того, Екатерина и бывший ее фаворит Орлов ни от кого не скрывали, что Алексей Бобринский — их сын. Если бы Елизавета Темкина была дочерью Потемкина, он тоже не стал бы этого скрывать. Происхождение Елизаветы Темкиной остается загадкой, но судьба у нее сложилась удачно — в 1794 году она вышла замуж за Ивана Калагеорги, херсонского, а затем екатеринославского губернатора (два портрета Елизаветы кисти Боровиковского ныне хранятся в Третьяковской галерее).

Кстати, во время «случая» Потемкина в 1775 году произошла одна неординарная дипломатическая история. К нему обратились англичане, поскольку в их Североамериканских колониях началось восстание. Британия тогда располагала лучшим в мире флотом, но очень посредственной армией. Для сухопутных операций традиционно использовались наемники. Вот

Георг III и обратился к России с просьбой помочь войсками в борьбе с мятежниками. Он просил «20 тысяч пехоты, приученной к дисциплине, вполне вооруженной и готовой, как только весной откроется плавание по Балтике, к отплытию на транспортных судах, которые будут высланы отсюда». Потемкину дело показалось очень интересным. Однако Екатерина II отвергла предложение англичан, направив Георгу III письмо с пожеланием удачи. И слава богу! Вот бы отцы-основатели США удивились, увидев русских солдат в американских прериях! Почему Екатерина II отклонила предложение англичан? Дело в том, что Россия предложила Лондону создать англо-русскую коалицию в войне с турками, но Георг III от этого отказался. Вот и Екатерина отказала Георгу в помощи, а с турками мы справились сами. В результате англичане наняли солдат из немецкого княжества Гессен — целых 30 тысяч человек. Все они погибли в боях с колонистами. Отголоски этих событий показаны в голливудском фильме ужасов «Сонная лощина», где один из этих гессенцев ищет свою отрубленную голову. Однако фантастика — фантастикой, ужасы — ужасами, но что было бы, если бы вместо гессенцев плохо организованные колонисты сошлись в бою в закаленными русскими ветеранами русско-турецкой войны? Тогда история Соединенных Штатов пошла бы по другому пути, а может, и Штатов сейчас никаких не было? Спекуляции на эту тему были популярны во время холодной войны; не дает покоя некоторым горячим головам эта история и сейчас. Однако история не любит сослагательного наклонения: «что было бы, если бы» — что было, то и было. Нечего и гадать.

Однако вернемся к нашим героям. Историю об американских колонистах-мятежниках мы рассказали так, для разрядки.

Екатерина и Потемкин были одинакового склада людьми — оба амбициозные, властолюбивые и честолюбивые. К тому же была взаимная любовь. Это как два заряженных магнита — при своем приближении они отталкиваются. Так получилось и с ними. Их бурные отношения начали утомлять обоих. «Если б друг друга меньше любили, умнее бы были», — вздыхала Екатерина. Накал страсти за полтора года остыл. Потемкин начал тяготиться ролью официального фаворита. При его талантах и властности трудно было ограничиваться установленными рамками начальника и подчиненного. Брак не изменил их отношений — Потемкин всецело зависел от императрицы. Екатерина всеми силами пыталась восстановить прежние отношения: «И ведомо пора жить душа в душу. Не мучь меня несносным обхождением. Я хочу ласки, да и ласки нежной, самой лучшей…» Ей было грустно и досадно, что Потемкин ее разлюбил. Однако Григорий все больше отдалялся от императрицы. У него был тяжелый характер. Иногда он притворялся больным, чтобы избежать ее объятий, гневался на нее. Поведение Потемкина становилось невыносимым, но в этом была и ее вина. Она не понимала, в каком щекотливом положении находится ее фаворит. Екатерина хотела любви не менее жадно, чем Потемкин. Они были слишком похожими по характеру, чтобы быть вместе.

В мае 1775 года, перед московскими торжествами по случаю победы над турками, он опять выкинул коленце — оставил двор и провел несколько дней в монашеской келье. Постоянная смена настроения Потемкина утомляла обоих. Помните, как у Высоцкого: «Он то плакал, то смеялся, то куражился, как бес». Екатерина однажды сказала, что хотела бы любить его меньше — это чувство отнимало у них слишком много сил. Они продолжали работать вместе весь 1775 год, но напряжение росло. Потемкину нужна была власть, а Екатерине — любовь. Она нашла в нем опору для государственной деятельности, но в любовники Григорий уже не годился. Желательно, чтобы государственными делами занимался Потемкин, а в любовниках у нее ходил другой — нашла выход Екатерина.

В это время у нее было два секретаря — Петр Завадовский и Александр Безбородко. Безбородко отличался выдающимся умом, но при этом был неряшлив и обладал крайне непривлекательной внешностью. А Завадовский был не только образован и опрятен, но и замечательно хорош собой. Он был протеже фельдмаршала Румянцева-Задунайского. И Екатерина положила на него глаз.

Вскоре Екатерина, Завадовский и Потемкин образовали странный союз. В январе 1776 года Петр Завадовский неожиданно получил звание генерал-адъютанта. Это означало лишь одно — путь в спальню царицы. Двор был озадачен. Английские дипломаты решили, что звезда Потемкина закатилась. Однако их французские коллеги думали иначе — Завадовский не та фигура, которая может сместить Потемкина. Шевалье де Коберон писал в своем дневнике: «Лицом он лучше Потемкина, но о фаворе говорить пока рано. Его «таланты» подверглись испытанию в Москве. Но Потемкин, похоже, пользуется прежним влиянием... так что Завадовский взят, возможно, лишь для развлечения». Забегая вперед, скажем, что так оно и было — шевалье оказался прав.

В январе-марте 1776 года Екатерина пыталась наладить свои взаимоотношения с Потемкиным, но это у нее слабо получалось. Тогда же в Россию вернулся из-за границы Григорий Орлов, что еще больше осложнило ситуацию — теперь при дворе было целых три фаворита Екатерины. Орлов был уже не тот красавец-мужчина, которого любила Екатерина — он сильно располнел и страдал приступами паралича. Ходили слухи о том, что Потемкин отравил его медленно действующим ядом, но это все бред — паралич Орлова был больше похож на симптомы застарелого сифилиса (Орлов, как известно, был неразборчив в связях). К тому же он был влюблен в 15-летнюю фрейлину Екатерину Зиновьеву, так что опасности он не представлял.

Екатерина обедала лишь в узком кругу. Часто на этих обедах присутствовал Завадовский, а Потемкин реже. Должно быть, Завадовский чувствовал себя неуютно, сидя между мужем и женой. Потемкин по-прежнему оставался любовником Екатерины, но Завадовский влюблялся в нее все больше и больше. Мы не можем указать на дату, когда она заменила одного вторым, вероятно, это произошло зимой 1776 года. Но и после этого она не отказывалась от близости с Потемкиным. Пыталась ли она применить обычные женские штучки, чтобы вызвать в Потемкине ревность? Несомненно! В то же время она сама сознавалась, что не может прожить ни дня без любви, и естественно, в ответ на холодность Потемкина она обратила внимание на своего секретаря.

Так они мучились целых полгода. Они любили друг друга, считали себя мужем и женой, но чувствовали, что взаимно отдаляются как в море корабли. Случалось, что Потемкин плакал на груди своей возлюбленной. Он со щемящим чувством ревности внимательно наблюдал за развитием отношений между Завадовским и Екатериной; до некоторой степени он одобрял ее выбор. В то же время он не считал молодого человека своим соперником.

Они обдумывали, как будут жить дальше. Потемкин хотел сохранить власть, но для этого нужно было сохранить свои апартаменты в Зимнем дворце. Она предлагала то, что предложила бы всякая любящая женщина: «Нетрудно решиться: останься со мною». А он хотел вырваться из той «золотой клетки», в которую его посадила Екатерина. В конце концов душевное равновесие потеряла Екатерина; она и заключила: «Мы ссоримся не из-за любви, а из-за власти». Отчасти это было правдой — страсть исчерпала себя, и Потемкин остро нуждался в свободе для своей государственной деятельности.

Екатерина делала все, чтобы оставить Потемкина при себе. В 1776 году она попросила австрийского императора Иосифа II присвоить Потемкину титул князя Священной Римской империи, и он это сделал. Отныне Потемкин становится светлейшим князем, или попросту — Светлейшим. Вдобавок ко всему императрица жалует ему еще 16 тысяч крепостных, приносящих ежегодный доход по 5 рублей с души. Иностранные дипломаты сразу же сделали вывод, что это прощальный подарок Потемкину.

Вот тут-то Потемкин и спохватился. Он опасался, что Екатерина не вечна и может умереть — тогда он останется на растерзание наследника престола Павла, который его ненавидел. Раньше он бахвалился, что отказался от титула герцога Курляндского, а теперь захотел страстно его заполучить, тем самым обезопасив себя от Павла. Ему требовались владения за пределами России. В то время Курляндией управлял сын Бирона Петр. Напомним, что Курляндия формально принадлежала Польше, но фактически подчинялась России. В мае 1776 года Екатерина выполняет просьбу Потемкина и пишет письмо в Варшаву: «Желая отблагодарить князя Потемкина за его службу Отечеству, я намерена дать ему герцогство Курляндское». Свою помощь в этом деле пообещал Потемкину и прусский король Фридрих II. Однако Екатерина ничего не делала без оглядки и старалась удержать энергию Потемкина в пределах России. Желание иметь независимый трон станет лейтмотивом всей дальнейшей карьеры Потемкина. Заглядывая в будущее, скажем, что этого так и не случится.

Во время того, как, по мнению иностранцев, Потемкин полностью потерял свое влияние, непредсказуемая пара переживала кульминационный период своей любви. Вероятно, они снова на какое-то время соединились, но болезненные разговоры не прекращались — они чувствовали, что им уже не спасти свой союз.

Тогда-то Потемкин впервые изменил Екатерине. Несомненно, у него было много поклонниц, настойчиво за ним ухаживавших. Современник писал, что Светлейший «погряз в разврате». Действительно, в тяжелые периоды своей жизни Потемкин имел обыкновение снимать стресс сексом. Не исключено, что таким образом он возбуждал чувство ревности в Екатерине. Неожиданно он потребовал удаления Завадовского. «Просишь ты отдаления Завадовского, — отвечала ему Екатерина. — Не требуй несправедливости…» То есть она отказала ему.

20 мая 1776 года Завадовский появился в качестве официального фаворита императрицы. Он получил в подарок 3 тысячи душ, чин генерал-майора и 20 тысяч рублей денег. Потемкин уже не возражал. Буря миновала, супруги наконец уняли свои амбиции, и Потемкин позволил Екатерине утешаться с Завадовским. Однако он еще не привык, что Екатерина — уже не его женщина, и иногда приезжает в Царское Село. Завадовский на время их встреч деликатно исчезает. Иностранные дипломаты не знают, что и думать по этому

поводу — со дня на день они ждут окончательного падения Потемкина. Их предположения как будто оправдываются, когда Екатерина жалует Потемкину огромный Аничков дворец, принадлежавший ранее фавориту Елизаветы Алексею Разумовскому. На ремонт Аничкова дворца она выделяет ему 100 тысяч рублей. За этим могло последовать только освобождение Потемкина со всех постов, съезд его из Зимнего дворца и путешествие на заграничные курорты. Потемкин понимает, что если он потеряет свои апартаменты в Зимнем, то потеряет все. Екатерина успокаивала его: «Батинька, видит Бог, я не намерена тебя выживать из дворца. Пожалуй, живи в нем и будь спокоен. По той причине я не давала тебе ни дома, ни ложки, ни плошки». Позже Потемкин, конечно, освободит комнаты фаворита, но никогда не потеряет доступа ни в Зимний дворец, ни в будуар Екатерины. До конца жизни его резиденцией станет Шепелевский дворец (в Аничковом он никогда не жил) — здание, стоящее на Миллионной улице, связанное с Зимним дворцом галереей, перекинутой через Зимнюю канавку. Таким образом, императрица и Светлейший могли навещать друг друга запросто, по старой дружбе.

Трудно сказать, сколько Екатерина II потратила на Потемкина. Считается, что князь получил 37 тысяч душ, многочисленные поместья вокруг Москвы и Петербурга, в Белоруссии, множество драгоценностей и 9 миллионов рублей.

Екатерина и Потемкин наконец обрели свободу, сохранив поддержку друг друга в политике, повседневных делах и любви. Они взаимно доверяли друг другу. Это было непросто сделать между такими эмоциональными людьми, но они это сделали. Из фаворита-любовника Потемкин превратился в министра-фаворита.

Но Петр Завадовский ему все равно не нравился. Это было не от ревности (может, лишь отчасти), а потому, что это была не его кандидатура. Мы уже знаем много примеров того, как знатные царедворцы (каким и был Потемкин) пытались подсунуть царице своих любовников, чтобы через них можно было влиять на нее. Это была старая уловка, и многие ей пользовались. Лучше у Катерины будет любовник, которому Потемкин доверяет, чем кто-то чужой; неизвестно еще, как дело обернется. Потемкин хотел сохранить свое влияние на Екатерину хотя бы таким, незамысловатым, скажем, способом.

Довольно быстро он нашел подходящего кандидата на эту роль — георгиевского кавалера, отчаянного кавалериста-рубаку, красавца серба Семена Зорича. Он взял его к себе в адъютанты и 26 мая 1777 года представил Екатерине II. Зорич ей понравился, и Потемкин сразу же понял, что дело сделано — уже на следующий день Завадовский отправился в длительный отпуск. Однако Зорич оказался непроходимым тупицей — возомнив о себе невесть что, он решил потягаться со своим благодетелем! «Зорич стал одним из богатейших вельмож и землевладельцев, однако ни земли, ни чины, ни ордена, ни богатство не прибавили Зоричу ума, которого ему недоставало. Еще не отметив годовщину своего «случая», Семен Гаврилович решился учинить афронт своему несокрушимому сопернику и благодетелю Григорию Александровичу Потемкину. Пребывая вместе с ним и Екатериной в Царском Селе, он затеял ссору и даже вызвал Потемкина на дуэль, но вместо поединка отправился за границу, куда его быстро спровадила Екатерина. А по его возвращении осенью 1778 года ему было велено отправиться в Шклов», — писал современник.

К тому времени, начиная с 1776 года, Потемкин наконец вырвался из «золотой клетки» и взял в управление огромную область в Причерноморье, став генерал-губернатором Новороссийского края. Сейчас мы знаем только город Новороссийск, а тогда это была территория, простирающаяся от Дуная до Волги, включая Крым (был присоединен к России в 1783 году), — малозаселенная, неразвитая и очень проблемная. Он ликвидировал остатки Запорожской Сечи, укреплял оборону южных рубежей России, занимался строительством новых городов и поселков, колонизацией пустующих земель, созданием Черноморского флота и еще кучей самых разных больших и малых дел. Административный талант Потемкина здесь раскрылся полностью. Он получил свободу действий; теперь руки у него были развязаны. В этом плане он был счастлив.

А как же в личном плане? Что касается личных отношений Екатерины с Потемкиным, то он всегда занимал в ее сердце особое положение, даже после того, как поселился на юге, а Екатерина с калейдоскопической скоростью начала менять фаворитов одного за другим. В этом отношении адмирал А. Чичагов высказал такой взгляд на вещи: «Никогда, ни одного из своих фаворитов она (Екатерина) не удерживала возможно кратчайшего срока, едва лишь замечала в нем неимение способности, необходимой для содействия ей в благородных и бесчисленных трудах. Мамонов, Васильчиков, Зорич, Корсаков, Ермолов — несмотря на их красивые лица, были скоро отпущены вследствие посредственности их дарований, тогда как Орлов и Потемкин сохранили за собой свободу доступа к ней: первый в течение многих лет; второй — во все продолжение своей жизни».

Считается, что супружеские отношения между ними прекратились в 1776 году и дальше каждый из этих великих людей пошел в личных делах своим путем, но до самой смерти Потемкин всячески поддерживал начинания своей повелительницы и самоотверженно проводил их в жизнь. Это касалось и самой Екатерины — она тоже всячески поддерживала деятельность Потемкина, а кроме того, предоставила ему полную свободу действий (на вверенных ему территориях).

А потом, в 1787 году, состоялась знаменитая поездка Екатерины II в Крым, во время которой Потемкин показывал ей то, что успел сделать — новые города и селения, заводы и верфи, Черноморский флот и многое другое. Есть легенда о том, что Потемкин просто втирал ей очки — никаких селений на самом деле не было, а были лишь их декорации, так называемые «потемкинские деревни». Якобы он, вместо освоения отпущенных из казны денег, их просто разворовал. На самом деле ничего подобного не было, а показуха существовала во все времена, и в нынешние тоже. Потемкину было чем гордиться. В то же время есть версия, что Екатерина сама приказала строить «потемкинские деревни». Дело в том, что она путешествовала не одна, а с австрийским императором Иосифом II, польским королем Станиславом-Августом Понятовским и целым сонмом иностранных дипломатов. Ей нужно было показать, что Россия крепко стоит на Черном море, на юге растут города, развивается промышленность и торговля.

Император Иосиф II писал: «Императрица в восторге от такого приращения сил России. Князь Потемкин в настоящее время всемогущ, и нельзя вообразить себе, как все за ним ухаживают». За эту созидательную деятельность Екатерина присвоила ему почетный титул «Таврический». Надо сказать, что императрица путешествовала не одна, а в сопровождении своего очередного любовника Дмитриева-Мамонова. В каждом шатре, который разбивали для Екатерины, у него было свое отделение. Существует легенда, что во время своей поездки в Крым она включила в число своих любовников и последнего крымского хана Шагин-Гирея. Чем крымские татары очень обижены. Правда в том, что хан еще три года назад как отрекся от трона, и его в Крыму не было, а до того он часто «тусовался» в Петербурге. Екатерина могла приметить его еще там, однако ж не приметила! Так что, крымские татары, успокойтесь — честь вашего хана спасена.

Турция была в ярости от потери Крыма, и началась вторая русско-турецкая война 1787—1791 годов, названная «Потемкинскою», потому что главным действующим лицом в ней был он. Она закончилась победой русского оружия и подписанием мирного договора в Яссах. Однако Потемкин не проявил себя в этой войне как выдающийся полководец. «В ту войну духовные его силы были явно на ущербе (чувствовал, что влияние его в Петербурге уменьшается с каждым днем), физические силы начали сдавать… Душой Потемкин был не столько в армии, сколько в Петербурге — частые его поездки туда достаточно показывают… Трагизм Потемкина заключался в том, что в силу своего положения в стране и при дворе он не допускал того, чтобы кто-либо, кроме него, мог командовать армией… Сам он, гениальный политик и организатор, совершенно был лишен каких-либо полководческих дарований и сознавал это…» — писал один исследователь деятельности Светлейшего. Это правда — не каждому дано быть великим полководцем, но положение обязывало.

Со времени разрыва с Екатериной прошло уже много лет. Какой же была личная жизнь Потемкина все это время? Во время второй русско-турецкой войны он подолгу жил в Яссах, окруженный азиатской роскошью и толпой прислужников, но не переставал переписываться с Петербургом. Однако все это было в прошлом. Второй человек в империи был озабочен другими интересами. Ненадолго его увлек роман с женой своего двоюродного брата, 26-летней красавицей Прасковьей Потемкиной, урожденной Закревской. Сохранились письма Потемкина к ней, например, такое: «Жизнь моя, душа общая со мною! Как мне изъяснить словами мою к тебе любовь, когда меня влечет непонятная сила к тебе… Нет ни минуты, чтобы ты, моя небесная красота, выходила у меня из мысли; сердце мое чувствует, как ты в нем присутствуешь… Целую от души ручки и ножки твои прекрасные, моя радость!.. » Однако эта красавица быстро надоела Потемкину, и он бросил ее.

«Весь 1789 год был переполнен амурными утехами и беспрерывными победами князя Таврического над прелестнейшими дамами России, Польши, Молдавии, актрисами из разных европейских стран, приезжавшими в ставку Светлейшего в Яссы часто не без определенного умысла. Потемкин занимал в Яссах самый большой и роскошный дворец князей Кантакузинов — знатнейшего рода в Молдавии и Валахии. Здесь трижды в неделю происходили роскошнейшие балы и празднества», — писал биограф Потемкина. Однако биограф был не прав — какие такие «победы» могли быть у князя, если он сам говорит, что барышни «приезжали не без умысла»? Они, надо полагать, просто писали кипятком от счастья, что переспят с самим Потемкиным!

По случаю победы под Бендерами в Петербург с донесением помчался брат последнего фаворита

Екатерины Платона Зубова, Валериан. Когда он в середине апреля 1790 года вернулся в Яссы, то застал привычную картину: «И дворец был тот же, и люди те же, только «предмет» страсти Григория Александровича в очередной раз переменился. Теперь это была двадцатитрехлетняя гречанка (напомним, что Потемкину был уже 51 год) совершенно сказочной красоты, смотреть на которую собирались толпы народа и в Варшаве, и в Париже. Это была знаменитая София Витт, жена польского генерала Иосифа Витта, впоследствии графиня Потоцкая-Щенсны. София, в девичестве Клявона, родилась в Константинополе, была не то прачкой, не то невольницей. Ее купил польский посол в Турции Боскап Ляскоронский и перепродал Витту, бывшему тогда майором».

Декабрист А. Тургенев писал о мадам Витт следующее: «Потемкин куртизанил с племянницами своими и урожденной гречанкой, бывшею прачкой в Константинополе, потом польской службы генерала Витта женою, потом купленною у Витта в жены себе графом Потоцким и, наконец, видевшею у ног своих обожателями своими: императора Иосифа, короля прусского, наследника Фредерика II, Вержена — первого министра во Франции в царствование короля-кузнеца Людовика XVI, шведского короля Густава; будучи в преклонных летах, графиня София Потоцкая была предметом даже Александра Павловича». Наверное, хороша была чертовка, раз в нее влюбился не только Потемкин, но и Александр I. Один историк утверждал, что в начале 1790-х годов у нее от Потемкина родилась дочь. Однако эта «дочь» из области тех же фантазий, что и Елизавета Темкина.

После мадам Витт настала очередь не менее очаровательной и еще более молодой (любил Потемкин молоденьких, ох, как любил; впрочем, Екатерина II тоже предпочитала юношей) княжны Долгоруковой. Рассказывали, что в день ее именин Потемкин, устроив праздник, посадил княжну рядом с собой и велел подать к десерту хрустальные чаши, наполненные бриллиантами. Из этих чаш каждая дама могла зачерпнуть для себя ложку драгоценных камней. Когда же именинница удивилась такой роскоши, то Потемкин сказал: «Ведь я праздную ваши именины, чему же вы удивляетесь?» Вот это размах, так размах — так кутить мог только Потемкин!

По такому случаю позволю себе высказать одну сентенцию. Во всей этой истории есть одно «но» — некоторые дамы с удовольствием принимают богатые подарки и подношения от своих кавалеров, а потом, при расставании с ними, гневно заявляют, что те таким образом их покупали, чтобы затащить в постель. А они, бедняжки, так сопротивлялись… Им, видите ли, нужна настоящая любовь, пусть и бедная. Правды в их словах ни на грош — черпать ложками брильянты, несомненно, почетнее, чем получить в подарок, скажем, фунт изюму. Да, Потемкин покупал любовь молоденьких женщин драгоценностями, но как красиво он это делал! Представьте, какая женщина устоит перед вазой с брильянтами? Представили? То-то и оно…

Однако мы немного отвлеклись. Когда выяснилось, что у княжны Долгоруковой нет подходящих бальных туфелек, которые она обычно выписывала из Парижа, то Потемкин послал нарочного во Францию, и тот, загоняя лошадей, мчался дни и ночи напролет, чтобы доставить модные башмачки в срок. В те вечера, когда балов и вечеринок не намечалось, в интимных покоях Светлейшего появлялись все новые и новые соискательницы брильянтов. Пресыщенный любовью, пирами, лестью и доступными женщинами, Потемкин стал раздражительным, пребывал в беспрерывной меланхолии, ни в чем не находил покоя и наконец уехал в Петербург. Была еще одна причина, погнавшая его в Северную Венецию, — у Екатерины появился новый любовник, амбициозный и властный Платон Зубов, который бы мог составить ему конкуренцию. С намерением «вырвать этот зуб» он примчался в Питер.

Потемкин прибыл в столицу в феврале 1791 года и по привычке обосновался в Зимнем дворце. Принят он был с прежними почестями — Екатерина II подарила ему фельдмаршальский мундир, украшенный алмазами, стоимостью 200 тысяч рублей и Таврический дворец. Мешая хандру и меланхолию с деятельным участием в отделке дворца, Потемкин задумал учинить праздник, которого еще свет не видывал. К маю 1791 года все было готово, и Таврический дворец принял три тысячи гостей. Этот грандиозный праздник прекрасно описан в книге М. Пыляева «Старый Петербург», так что повторяться нет смысла: прочитаете — узнаете. Скажем лишь то, что Светлейшему он обошелся в полмиллиона рублей.

Когда Екатерина II покидала после праздника Таврический дворец, Потемкин упал перед ней на колени и зарыдал. Потом говорили, что Потемкин плакал, чувствуя приближение своей смерти… После торжества, устроенного князем в Таврическом, он пробыл в столице еще два с лишним месяца. Удалить Платона Зубова ему так и не удалось. Личные отношения с императрицей ухудшились. Она фактически выставила Потемкина из столицы. За время своего пребывания в Петербурге после праздника в Таврическом князь истратил 850 тысяч рублей на попойки и пирушки, расходы на которые были покрыты казной. Гулеванил Потемкин напоследок в Петербурге по-крупному, как действительно перед смертью.

Летом 1791 года, простившись с Екатериной II, отправился в город Галац, к армии. Он пребывал в жестокой меланхолии, вызванной разрывом с царицей. В августе произошло событие, доконавшее его полностью, — умер герцог Карл Вюртембергский, самый любимый его генерал. При отпевании покойного Потемкин стоял возле гроба до конца. «Потемкин был столь сильно удручен и задумчив, что, сойдя с паперти, вместо кареты подошел к погребальному катафалку. Он тут же в страхе отступил, но твердо уверовал, что это не простая случайность, а предзнаменование», — вспоминал очевидец. Так оно и случилось. В тот же вечер он почувствовал озноб, потом у него поднялась температура. Потемкин слег в постель, но докторов к себе не допускал. Повторилась та же ситуация, что и с потерей глаза, только сейчас на кону была жизнь Циклопа. Когда же ему стало совсем худо, он приказал везти себя в Яссы, где были лучшие военврачи армии. Там его болезнь немного отпустила, а потом накинулась опять. За три дня до своего 52-летия Потемкин причастился Святых Тайн, ожидая скорую смерть, однако Бог подарил ему еще несколько суток жизни, во время которых Светлейший подолгу молился, по-прежнему отказываясь от каких-либо лекарств. Наконец, увидев, что ему делается ни хуже, ни лучше, он приказал везти себя в город Николаев. Его сопровождала любимая племянница графиня Браницкая. В пути ему стало совсем плохо. В ночь на 6 октября 1791 года больного вынесли из кареты и положили на ковер, расстеленный прямо в степи. Он умер настолько тихо, что из казаков конвоя сразу никто не поверил, что всемогущий Григорий Потемкин мертв. Только Браницкая, вскричав, бросилась ему на грудь, стараясь своим дыханием согреть его похолодевшие губы.

Екатерина II была потрясена известием о скоропостижной кончине человека, которого она совсем недавно горячо любила. Она впала в такое состояние, что ей даже пришлось пустить кровь. Она писала в одном частном письме: «Страшный удар разразился над моею головою. После обеда, часов в шесть, курьер привез горестное известие, что мой ученик, мой друг, можно сказать, мой идол, князь Потемкин-Таврический умер в Молдавии от болезни, продолжавшейся целый месяц. Вы не можете себе представить, как я огорчена…» Она искренне сожалела о смерти Григория Потемкина.

Врачи, проводившие вскрытие, обнаружили необычайно сильное разлитие желчи, которая обволокла многие органы, успев в некоторых местах даже затвердеть. Патологи сделали вывод — это произошло потому, что князь отказывался от лечения, не принимал никаких лекарств и поступал вопреки рекомендациям докторов: ел во время болезни жирную пищу, обливался холодной водой и вместо того, чтобы спокойно лежать в постели, «переезжал из одного места в другое по тряским дорогам на жаре и при сквозняках». Почему у Потемкина разлилась желчь, осталось неизвестным.

Однако будущий декабрист А. Тургенев привел такие слухи: «Банкир Зюдерланд, обедавший с князем Потемкиным в день его отъезда (из Петербурга), умер в тот же день и тот же час, чувствуя такую же тоску, как князь Потемкин чувствовал, умирая среди степи, ехавши из Ясс в Николаев… Как все утверждают, ему был дан Зубовым медленно умерщвляющий яд». Вот оно что! Потемкин честно старался сокрушить Платона, а тот взял, да и отравил его подло, исподтишка! Такое злодейство вполне могло иметь место, вот только доказательств у современников никаких не было. Как нет их и у нас. Яд — он и есть яд, чтобы убивать без следов.

А забальзамированное тело Потемкина похоронили в Херсоне в склепе церкви Св. Екатерины, не предавая земле, а оставив на пьедестале. Павел I приказал зарыть тело Потемкина в этом же склепе, а вход в него замуровать.

Так закончил свой жизненный путь великий государственный деятель, фаворит Екатерины II Григорий Александрович Потемкин.

Он принес славу России и завоевал любовь императрицы. Наверное, она любила его так, как никого другого, ибо все остальные ее «увлечения» были просто проходными пешками. Можно сказать, что все остальные ее куртизаны проходили под знаком Потемкина, но главным был все же он.

У Екатерины было так много неофициальных любовников, что история не нашла возможности сохранить на своих страницах все их имена. Она иногда пошаливала с рослыми гвардейскими солдатами, стоявшими в дворцовом карауле, а то и с придворными слугами. Звание, образование и воспитание понравившегося ей мужчины не имели никакого значения. Такие авантюры императрицы длились не более одной ночи, а иногда и менее одного часа. Так, известна история с истопником Чернозубовым. Однажды Екатерина проснулась от холода и хотела сама разжечь огонь в камине. В этот момент вошел истопник с вязанкой дров. Он так понравился императрице, что она попросила ее «согреть». Здоровенный истопник охотно выполнил ее просьбу, и Чернозубов в тот же день получил фамилию Теплова за то, что согрел императрицу, звание полковника, потомственное дворянство и 10 тысяч крестьян в Черниговской губернии. А еще ему было предписано немедленно покинуть Петербург. Вот так. Как-то она приблизила к себе офицера Казаринова и за одну ночь любви с ним подарила ему имение стоимостью в несколько десятков тысяч рублей и тот же приказ — удалиться из столицы. Ох, и щедра была матушка императрица со своими любовниками, щедра!

Екатерине II в ту пору было уже немало лет, а она, терзаемая болезнью, искала себе все новых и новых партнеров, надеясь получить удовлетворение. Историк князь Щербатов, современник императрицы, писал: «Хоть при поздних летах ея возрасту, хотя седины покрыли время нерушимыми чертами означало старость на челе ея, но еще не уменьшается в ней любострастие. У тех приятностей, каковыя младость имеет, любовники в ней находить не могут, и что ни награждения, ни имения не может заменить в них того действия». Если перевести косноязычного Щербатова на современный язык, то Екатерину II и в старости одолевали плотские страсти. Среди ее кратковременных любовников промелькнули Страхов, офицер Хвостов, Милорадович, канцлер Безбородко, Миклашевский, Казаринов, которому она за одну ночь любви подарила имение, стоившее 400 тысяч рублей, майор Левашов; Свейковский заколол себя шпагой в отчаянии, что ему предпочли этого майора. Многие мужчины желали быть фаворитами императрицы, однако выбор все же оставался за нею. Однажды молодой князь Кантемир, беспутный и обремененный долгами юноша, решил сделаться фаворитом и в течение нескольких недель кружил вокруг Екатерины. Он два раза притворялся, что ошибся дверью, в третий раз все-таки решился и упал перед ней на колени, объясняясь в любви. Но императрицу на мякине не проведешь — она приказала арестовать нахала, посадить в экипаж и отвезти домой.

Несть им числа, от некоторых даже биографий не осталось. В 1789 году, когда Екатерине II исполни-

лось 60 лет, она завела себе сразу двух братьев-лю-
бовников: 22-летнего Платона Зубова и 19-летнего
Валериана Зубова. Кратко мы уже упоминали об офи-
циальных фаворитах императрицы — Завадовском,
Зориче, Корсакове, Ланском, Ермолове и Мамонове.
Расскажем же о них по порядку.

Итак — Петр Завадовский. Он родился в 1739 году,
то есть был на десять лет моложе Екатерины (и одно-
годком Потемкина). Разница в возрасте по нынешним
понятиям небольшая. Петр был сыном небогатого
помещика Черниговской волости на Украине. Учился в иезуитском колледже в Орше, а затем в Киевской
духовной академии. Отсюда — хорошие знания польского языка и латыни. Однако Петр не пошел по духовной стезе, а с 1766 года служил в Малороссийской
коллегии (администрации Украины, по-нынешнему),
главой которой был граф Румянцев. Вместе со своим патроном участвовал в русско-турецкой войне
1768—1774 годов; отличился в боях, получив звание
полковника, и был награжден Георгиевским крестом
4-й степени. Когда в Москве чествовали героев этой
войны в 1775 году, Румянцев взял 37-летнего полковника Завадовского с собой «для ведения записей».
Екатерина II сердечно встретила фельдмаршала Румянцева и, обняв его, расцеловала. В этот миг она заметила Завадовского — могучего, стройного, статно-
го и красивого мужчину, который, окаменев, глазел
на императрицу. Заметив взгляд Екатерины, брошен-
ный на Завадовского, он представил его государыне,
отрекомендовав с самой лучшей стороны. Екатерина тут же пожаловала ему бриллиантовый перстень
со своим именем и взяла Петра себе в секретари.
С Потемкиным у нее уже наметился разлад. Пышные
празднества в Москве по случаю победы над турками

закончились раздачей наград — Румянцев получил приставку к фамилии Задунайский, о наградах Потемкина мы уже писали; не был обойден вниманием и Завадовский — он получил сразу два чина: армейский генерал-майора и придворный генерал-адъютанта. В Москве Екатерина II ежедневно встречалась со своим новым секретарем, который ведал ее походной канцелярией и всеми доходами и расходами. Поэтому он стал самым приближенным к царице человеком, посвященным во многие ее личные дела и тайны. После возвращения в Петербург Завадовский стал почти такой же влиятельной персоной, как и Потемкин. Царедворцы начали заискивать перед ним, набивались в друзья и искали у него протекции.

Так часто бывает — когда человек «на коне», то тут же обрастает «друзьями», которые используют его на всю катушку, а когда он свалится наземь, они ему и руки не подадут.

Так или иначе, а зимой 1776 года Завадовский стал фаворитом Екатерины II и перебрался в апартаменты Потемкина. Мы уже рассказывали о сложных взаимоотношениях Екатерины с Потемкиным; последний вроде даже смирился с существованием соперника, однако ему не нравилось то, что это не его кандидатура. И Потемкин нашел Завадовскому замену — очередным фаворитом императрицы в 1777 году стал георгиевский кавалер серб Семен Зорич. Таким образом, Петр Завадовский был любовником Екатерины II около полутора лет. Он, по предложению государыни, должен был отправиться в продолжительный отпуск, который оказался бессрочным. За то время, когда Петр был в фаворе, он получил обширные поместья в Черниговской и Могилевской губерниях, а после своей отставки получил 80 тысяч наличными,

2 тысячи душ из польских крестьян и 5 тысяч рублей годовой пенсии. Немного позже в воздаяние его «альковных заслуг» ему было пожаловано еще 18 тысяч крепостных, а также подарен роскошный серебряный сервиз стоимостью 80 тысяч рублей. В результате всех этих пожалований Завадовский превратился в богатейшего человека в России. Его ежегодный доход составлял более 100 тысяч рублей.

Несмотря на охлаждение к нему со стороны Екатерины, она не забывала своего бывшего фаворита. С января 1780 года он стал сенатором, управлял Петербургским заемным банком и рядом других учреждений. Также в 1780 году он был посвящен в графское достоинство Священной Римской империи. Когда к власти пришел Павел I, он в 1797 году присвоил Завадовскому титул графа Российской империи, но через два года уволил в отставку, причем сослал его под надзор полиции в свое имение. С восшествием на престол Александра I Завадовский был призван в столицу и в 1801 году стал во главе Комиссии по составлению законов. С учреждением министерств он стал первым министром народного просвещения. На этом поприще он развил бурную деятельность — основал ряд университетов, Педагогический институт в Петербурге (в недавнем прошлом имени Герцена), гимназий, уездных училищ, сельских школ и так далее. В 1810 году он оставил пост министра и был назначен председателем департамента законов Госсовета. Умер Петр Васильевич Завадовский в 1812 году в почтенном 73-летнем возрасте и был похоронен в Александро-Невской лавре. Современники считали Завадовского более хитрым, чем умным, — только благодаря «случаю» он стал тем, кем стал.

Представьте себе, вопреки негласному правилу, по которому бывшие фавориты Екатерины не женились, Петр Завадовский в 1787 году обвенчался с графиней В. Апраксиной, от которой имел дочь Татьяну. Вот такая биография была у бывшего, не самого выдающегося «момента» Екатерины II.

Очередным фаворитом Екатерины II в бытность Потемкина стал Семен Гаврилович Зорич. Он родился в 1743 году, то есть на 14 лет был моложе императрицы (отметим, что чем старше становилась царица, тем моложе были ее любовники). По национальности Зорич был обрусевшим сербом. С 11 лет он был зачислен в гусарский полк, а в пятнадцать уже храбро воевал с пруссаками в Семилетнюю войну, был трижды ранен, попал в плен, но сумел оттуда успешно бежать. В 1764 году Зорич воевал уже в Польше, а в 1769—1770 годах — с турками, где прославился на всю армию бесшабашной удалью, воинской удачей и большим командирским талантом. Летом 1770 года трижды раненный Зорич опять попал в плен. На сей раз совершить побег ему не удалось, и Семен четыре года провел в страшной турецкой тюрьме — Семибашенном замке. Потом он еще год провел в Стамбуле, дожидаясь заключения мирного договора. После подписания мира Семен Гаврилович вернулся на родину, где его заслуги были отмечены Георгиевским крестом 4-й степени. (Это давняя традиция — и в Первую мировую войну солдаты награждались Георгием 4-й степени «за мученичество в плену»). Смелого георгиевского кавалера взял себе в адъютанты князь Потемкин-Таврический. Как мы уже писали выше, Потемкин начал плести интригу, чтобы избавиться от Завадовского, и предложил Екатерине кандидатуру Семена Зорича. Сделал он это хитро. Для начала он назначил Зорича командиром лейб-гусарского эскадрона и присвоил ему звание полковника. Так как лейб-гусары были личной охраной императрицы, то их командир обязательно должен быть представлен государыне. В мае 1777 года Потемкин устроил для него аудиенцию у Екатерины. Ей приглянулся смуглый, изящный и кареглазый молодой человек, одетый в голубой гусарский мундир с Георгием на груди. Потемкин сразу же понял, что попал в точку — Завадовскому неожиданно предложено было съездить в шестимесячный отпуск, откуда он уже не вернулся. Пока Завадовский отсутствовал, Зорич стал флигель-адъютантом и поселился в апартаментах фаворитов. До этого он прошел обязательную медкомиссию у доктора Роджерсона, апробацию у графини Брюс и еще у двух фрейлин. Все эти «экзамены» Семен сдал на «отлично».

О знакомстве Зорича с императрицей существует и другая версия. Якобы он, рассорившись со своим командиром полка, поехал в Военную коллегию в Петербург просить о переводе в другое подразделение. В первый же день пребывания в столице он проигрался в карты, да так, что у него совсем не осталось денег, даже на обед в трактире. На свое счастье, он встретил своего давнего приятеля, который ехал в Царское Село к своему приятелю, гоффурьеру. Встречу, как и положено по русскому обычаю, обмыли. В Царском Селе подвыпивший Зорич пошел проветриться в дворцовый сад, сел на скамью под липой и благополучно уснул. В этот момент мимо проходила Екатерина II. Зорич приглянулся ей своей статью и ростом; императрица велела своему камердинеру сесть рядом на скамью и дождаться, пока он проснется, а потом пригласить кавалериста к ней на ужин. С этого якобы все и началось.

Имеет хождение и другая байка о встрече Зорича с Екатериной. Семен Зорич будто бы являлся племянником акушерки Екатерины Зорич, которая готовила к родам жену Павла Петровича — Наталью Алексеевну. Эта акушерка занималась выкидышами и детоубийствами в случае их незаконного рождения. Поскольку Павел со своей женой находились в оппозиции к императрице и даже хотели устроить бунт и постричь ее в монастырь, то Екатерина приказала повивальной бабке, под видом оказания помощи роженице, отравить ее. Что та и сделала — погибла и Наталья, и ребенок. (Правда, при вскрытии тела доктора нашли, что из-за неправильного строения таза она и не могла родить, а кесарево сечение еще не умели делать.) Якобы после этого Екатерина приблизила акушерку по фамилии Зорич к себе; от нее она и узнала о существовании племянника Семена. А рекомендация Потемкина здесь совсем ни при чем.

Как вам нравятся эти версии? Мне лично вторая — только с гусарским офицером-пьяницей могла случиться такая история. Это более правдоподобно, чем «отравление», которого не было, да и, зная характер Екатерины, трудно поверить, чтобы она пошла на это. Все-таки нрав у нее был незлобивый.

Как бы там ни было, а в сентябре 1777 года Зорич стал уже генерал-майором и кавалером шведского ордена Меча и Св. Серафима, а также польских — Белого Орла и Станислава. Он стал обладателем ряда богатых поместий в Лифляндии и целого города Шклов на Витебщине, купленного Екатериной за 450 тысяч рублей.

А потом была знаменитая ссора с Потемкиным, о которой мы уже писали, и приказ императрицы отправиться за границу. Слишком много о себе возомнил Семен Гаврилович — не на того бочку покатил. По возвращении из-за рубежа в 1778 году Зоричу было предложено отправляться в город Шклов. Он поселился в старом великолепном замке графов Ходкевичей и устроил в нем беспрерывный праздник. Балы сменялись маскарадами, маскарады — спектаклями, пиры — охотой, и так далее. Екатерина II дважды навещала Зорича и была встречена с необычайной пышностью.

Семен Зорич был азартным карточным игроком, при этом имел репутацию шулера. Впрочем, Зорич оставил по себе и добрую память — в день именин Екатерины II в 1778 году на свои средства учредил Шкловское благородное училище для мальчиков-дворян, готовящихся стать офицерами, нечто вроде кадетского корпуса. Он заботился об учебных пособиях, учебном процессе и тому подобное. С питомцами училища у него сложились самые теплые отношения. Многие из них, уже будучи офицерами, специально заезжали к Зоричу, чтобы поблагодарить его.

Дальнейшая жизнь славного кавалериста-рубаки сложилась не так удачно. Пользуясь его доверчивостью, тщеславием и расточительностью, некие графы Зановичи организовали под носом у Зорича фабрику по производству фальшивых ассигнаций. В 1784 году возникло уголовное дело, легшее несмываемым пятном на репутацию Зорича. Екатерина II приказала расследовать это дело… Потемкину! Лучше бы она этого не делала, так как знала, что они находятся на ножах. Потемкин арестовал обоих фальшивомонетчиков и уволил Зорича со всех постов. Это привело беднягу к разорению.

Лишь после смерти Екатерины Павел I учредил опеку над имениями Зорича, вызвал его в Петербург и в 1797 году дал чин генерал-лейтенанта. Однако уже через девять месяцев он был уволен за растрату казенных денег, на сей раз окончательно. В мае 1799 года здание созданного им училища сгорело. Это так подействовало на Семена Гавриловича, что он заболел, слег и умер в ноябре того же года. Ему было 56 лет.

Семен Зорич был фаворитом Екатерины II всего год. По-человечески ему можно только посочувствовать.

Иван Николаевич Римский-Корсаков сменил Зорича на многотрудном поприще екатерининского фаворита. Интересна история его возвышения. Корсаков был опаснейшим донжуаном в Петербурге, «мужем всех жен». Он был неустрашимым дуэлянтом, а с женщинами обходился грубо и презрительно. Мужья боялись его, а женщины вздыхали об этом «злодее» и «негодяе», однако все признавали в нем никчемного человека.

Корсаков победил в «отборочном» конкурсе сразу двух претендентов — немца Бермана и внебрачного сына графа Воронцова — Ронцова. Дело было так: Екатерина вышла в приемную, где в ожидании аудиенции томились трое претендентов на сердце 48-летней государыни; в руках они держали букеты цветов. Дело было в декабре 1777 года, и цветы тогда было достать очень трудно. Не знаю, какие уж там были букеты, но Екатерина обратила внимание не на цветы, а на внешний облик конкурсантов. Необыкновенная красота и изящество Римского-Корсакова (или попросту Корсакова) сразу же покорили ее, и она отправила Ивана к Потемкину, который утвердил выбор царицы. К тому же Екатерине понравилась дерзость, которую Корсаков проявлял к женщинам. Она отзывалась о Корсакове так: «Он ослепителен, как Солнце… Одним словом, это — Пирр, царь Эдипский. Все в нем гармонично, нет ничего выделяющегося. Это — совокупность всего, что ни есть драгоценного и прекрасного в природе…» Это описание, данное Екатериной, дает все основания полагать, что она явно переборщила, сравнивая его красоту с природными драгоценностями, но что не простишь женщине, которая коллекционировала таких красавцев!

Однако Корсакову, чтобы попасть в будуар императрицы, нужно было пройти еще и обязательное испытание на мужскую выносливость, а также посетить доктора Роджерсона. Экзамены прошли успешно, и уже на следующий день Корсаков получил звание камергера и чин генерал-адъютанта.

Вернемся немного назад. Иван Николаевич Римский-Корсаков был сыном смоленского дворянина и родился в 1754 году, то есть ко времени знакомства с Екатериной ему было 23 года. У него был прекрасный голос, а кроме того, он неплохо играл на скрипке. У царицы в придворной капелле были музыканты и певцы получше; она же искала в своих фаворитах прежде всего людей умных и деятельных, таланты которых можно было бы использовать на пользу государства. Однако на этот раз Екатерине не повезло — в ее спальне оказалась только красивая кукла, и не более того. «Что же касается ума и образованности Корсакова, то лучше всего об этом свидетельствует такой случай: когда Екатерина подарила ему особняк на Дворцовой набережной, купленный ею у Васильчикова, то новый хозяин решил завести у себя хорошую библиотеку, подражая просвещенным аристократам и императрице. Выбрав для библиотеки большой зал, Корсаков пригласил известного книготорговца и велел ему привезти книги. «Извольте дать мне список тех книг, кои вы желаете, чтобы я привез вам», — сказал книготорговец. На что фаворит ответил: «Об этом я не забочусь — это ваше дело. Скажу только, что внизу должны стоять большие книги, а чем выше, тем они должны быть меньше, точно так, как у государыни», — сообщал один историк.

Это напоминает недавние советские времена, когда во время книжного дефицита некоторые выпендрежники подбирали книги по цвету корешков. Особенно в этой среде ценились собрания сочинений. Это было престижно, красиво, вызывало зависть; беда только, что эти люди никогда книг не читали. Они собирали их просто так, как говорится, «для мебели».

Зная требования, которые предъявляла к своим фаворитам Екатерина II как в мужском, так и в интеллектуальном плане, стоит только удивляться, как Корсаков продержался в фаворитах в течение целых двух лет — до октября 1779 года. Видно, она терпела этого тупицу только из-за того, что он удовлетворял ее в постели. Неизвестно, сколько бы все это продолжалось, если бы недалекий Корсаков не стал интриговать против всесильного Потемкина. Тот турнул его из фаворитов, причем сделал это очень тонко.

Дело было в том, что давним врагом Потемкина был полководец Румянцев, а графиня Брюс — самая доверенная наперсница Екатерины, являлась его сестрой. Как только неосторожный Корсаков начал волочиться за графиней (о чем сразу же донесли Циклопу), тот сразу же создал ситуацию, пагубную для обоих. Как только Екатерина II узнала об этой связи, то немедленно отослала неверную графиню в Москву. Корсаков же, испугавшись и притворившись больным, остался в Петербурге. Однако урок не пошел ему впрок. Как раз в это время из-за границы в столицу вернулся граф Строганов со своей юной женой Екатериной. Корсаков тут же влюбился в юную женщину и вскоре уехал из Петербурга в Москву, отлично понимая, что терпение императрицы небезгранично. К всеобщему удивлению, вслед за ним поехала и графиня Строганова (в Москве у нее был роскошный особняк, подаренный мужем после ее бегства). Кроме того, благородный граф предоставил ей богатую подмосковную усадьбу Братцево и пожизненное денежное содержание. Почему так поступил 46-летний граф по отношению к своей молодой жене? Только ли из благородства? Неизвестно, однако известно, что «Екатерина Петровна была женщина характера высокого…», короче, высокомерная. Еще бы — она была урожденной княжной Трубецкой, тогда как Строгановы происходили из купцов. Отсюда и высокомерие. Пожалуй, граф Строганов был только рад, что избавился от такой жены. Но все же развода он ей так и не дал… Когда же через двадцать лет Павел I сослал Римского-Корсакова в Саратов, графиня последовала за ним туда. Надо думать, что ни Корсаков, ни Строганова не сожалели о произошедшем. Она была богата, да и Иван не беден — Екатерина II оставила своему бывшему фавориту дом на Дворцовой набережной и множество драгоценностей, оценивавшихся в 400 тысяч рублей. Некоторые исследователи даже считают, что ему перепало во много раз больше — 720 тысяч.

Иван Корсаков с Екатериной Петровной жили вне брака. Она умерла в 1815 году, оставив ему сына и двух дочерей. Сам же Иван Николаевич Римский-Корсаков скончался в 1831 году почтенным старцем 77 лет. Кстати, знаменитый композитор Римский-Корсаков был его родней.

Интересно отметить, что Екатерина II даже из-за измены своих фаворитов, как это было в случае с Корсаковым, ни своих подарков, ни титулов, ни наград у них не отнимала. Вот это было по-благородному.

А потом случилась трагедия с Александром Ланским, заменившим своей особой в 1780 году неверного Корсакова. Он был выходцем из небогатой и незнатной семьи, имевшей поместья в Тульской губернии. Его отец смолоду отличался неукротимым и необузданным характером, из-за чего в 1748 году его разжаловали из кирасирских поручиков и уволили из армии. Дело было в том, что отец Ланского из-за чего-то судился с неким дворянином Степановым и, не добившись правды, захватил в заложницы нескольких женщин из степановского семейства и принялся их истязать. За что и поплатился. Во время Семилетней войны ему удалось восстановиться в армии. Те же качества, неукротимость и необузданность характера, на сей раз способствовали его карьере. Он храбро воевал с пруссаками и в 1772 году был комендантом города Полоцка в чине бригадира. У него было шестеро детей, старший из которых, Александр, родившийся в 1758 году, и стал очередным фаворитом императрицы.

Двадцатидвухлетнего конногвардейца Екатерине II подыскал обер-полицмейстер Петербурга граф П. Толстой. Новый постельный претендент сразу понравился императрице, однако, обжегшись на Корсакове, она не спешила и для начала лишь оказала ему несколько знаков внимания — Ланской стал флигель-адъютантом и получил 10 тысяч рублей на расходы. Потом присвоила ему придворный чин камергера. Когда все шло к тому, чтобы он вскоре поселился в покоях, смежных с екатерининскими, английский посланник докладывал своему правительству: «Ланской красив, молод и, кажется, уживчив». Когда придворные поняли, что новый кандидат в фавориты не амбициозен и абсолютно безвреден, они посоветовали ему обратиться за поддержкой к Потемкину. Ланской внял совету ушлых царедворцев и не прогадал — он нашел в лице Светлейшего заступника и верного друга. Потемкин назначил его своим адъютантом и около полугода обучал его разным придворным премудростям. И одновременно изучал его. Поняв, что в Ланском скрыта масса прекрасных качеств, Потемкин с чистым сердцем рекомендовал его Екатерине II как нового сердечного друга. На Пасху 1780 года Александр вновь предстал перед императрицей, был обласкан ею, получил звание полковника и в тот же вечер занял пустовавшие апартаменты фаворитов.

По своей наружности Ланской был похож на херувима — мечтательные голубые глаза, полные грусти, юное безбородое лицо ослепительной белизны с румянцем во всю щеку, коралловый рот, белокурые волосы останавливали на нем взгляд каждого. При всем этом он был высокого роста, широкоплечий и широкобедрый. Екатерина полюбила его, кажется, больше всех остальных своих фаворитов. Ланской относился к ней, как к своей матери, а Екатерина проявляла о нем материнскую заботу. К тому же таким мальчикам нравятся женщины постарше. Александр до встречи с Екатериной познал мало женщин, а может быть, вообще не познал. Он был нежен с императрицей как сын, и это ее трогало.

Александр Ланской обладал мягким характером, не лез ни в какие интриги и старался никому не навредить. С самого начала своей фортуны он решил не заниматься государственными делами, обоснованно считая, что таким образом наживет себе врагов. Даже когда в Петербург приезжали коронованные особы, как, например, австрийский кронпринц Иосиф, прусский кронпринц Фридрих-Вильгельм или шведский король Густав III, Ланской вел себя очень сдержанно, не позволяя никому из них надеяться на его протекцию. Он вообще считал, что политика — дело грязное и ей заниматься не следует. Единственной для него страстью была женщина — Екатерина II, и он делал все, чтобы полностью завладеть ее сердцем. Он хотел не только нравиться ей, но и желал, чтобы она тоже влюбилась в него и даже помыслить не могла о замене его другим любовником. Ланской не пытался вырваться из «золотой клетки» — ему в ней нравилось.

У него были ровные отношения с наследником Павлом Петровичем и его женой Марией Федоровной; он играл с внуками императрицы Александром и Константином, в общем, для всех был безвредным и милейшим человеком. Чтобы еще больше понравиться Екатерине, Ланской много читал, чтобы подняться до ее интеллектуального уровня. И ему это удалось.

Так бы и продолжалась эта безмятежная любовь стареющей императрицы и молодого кавалергарда, если бы в 1784 году Ланской серьезно и опасно не заболел. Говорили, что он подорвал свое здоровье тем, что для поднятия потенции принимал возбуждающие средства. Эта версия заслуживает самого пристального внимания. Стать фаворитами императрицы желали многие мужчины. Зная ее ненасытный любовный характер, они часто пользовались возбуждающими средствами. В то время отличным средством для повышения потенции считалась шпанская мушка (аналог современной «Виагры»). Пик потребления шпанской мушки пришелся на «галантный» XVIII век. Все французские короли (мы уже писали об этом) просто обойтись не могли в своих любовных утехах без этого снадобья. Шпанская мушка одинаково действует на представителей обоих полов; и самой горячей поклонницей этого средства была Екатерина II. Естественно, чтобы понравиться своей любовнице еще больше, указанное средство активно принимал и Ланской. Возможно, он переусердствовал в приеме этого зелья. Научное название шпанской мушки — «стимулятор кантаридес», активным веществом которого являются истолченные в порошок жучки особого вида. Однако чрезмерное увлечение шпанской мушкой чревато печальными последствиями: болезнями мочеполовой и нервной систем, нарушением функции почек. Шпанскую мушку рекомендуется принимать не более 4—6 раз в месяц, а Ланской, надо полагать, делал это чаще. По некоторым сведениям, он два года «просидел» на этом препарате, в результате чего поплатился жизнью.

Екатерина ни на час не покидала больного, почти перестала есть, забросила все дела и ухаживала ним, как мать, боявшаяся потерять своего единственного сына. В те дни она писала: «Злокачественная горячка в соединении с жабой (грудная жаба — астма) свела его в могилу в пять суток». Когда Ланской умер 25 июня 1784 года, императрица окончательно потеряла самообладание, рыдала и причитала, как деревенская баба, а затем впала в жестокую депрессию. Она уединилась в своих комнатах и никого не хотела принимать, кроме сестры Ланского Елизаветы, очень похожей на своего брата. В результате нервного потрясения Екатерина сама заболела и не могла ни часу обходиться без рыданий. Ее горе было безмерно. После похорон она писала барону Гримму: «Когда я начинала это письмо, я была счастлива, и мне было весело, и дни мои проходили так быстро, что я не знала, куда они деваются. Теперь уже не то: я погружена в глубокую скорбь, моего счастья не стало. Я думала, что сама не переживу невознаградимой потери моего лучшего друга, постигшей меня неделю назад. Я надеялась, что он будет опорой моей старости: он усердно трудился над своим образованием, делал успехи, усвоил мои вкусы. Это был юноша, которого я воспитывала, признательный, с мягкой душой, честный, разделяющий мои огорчения, когда они случались, и радовавшийся моим радостям. Словом, я имею несчастье писать вам, рыдая… Не знаю, что будет со мной; знаю только, что никогда в жизни я не была так несчастна, как с тех пор, как мой лучший и дорогой друг покинул меня…»

Видя состояние Екатерины, перепуганный канцлер Безбородко срочно вызвал в Петербург Федора Орлова (Григорий Орлов к тому времени уже умер) и Потемкина. Они утешали императрицу как могли. В письме ко все тому же Гримму Екатерина писала: «Через неделю после того, как я написала мое июльское письмо, ко мне приехали граф Федор Орлов и князь Потемкин. До этой минуты я не могла выносить человеческого лица. Оба они взялись за дело умеючи. Они начали с того, что принялись выть заодно со мною; тогда я почувствовала, что мне с ними по себе, но до конца еще слишком далеко…» Императрица тяжело переживала кончину Ланского и еще долго не могла оправиться от постигшего ее несчастья. Она ежедневно ходила на могилу Сашеньки и просиживала там долгие часы, вспоминая о радостях, которые ей дарил покойный.

Со смертью Ланского связана одна гнусная история. Умирая, он попросил похоронить себя в одном из романтических уголков Царскосельского парка, чтобы быть поближе к своей возлюбленной. Его просьба была выполнена. Но однажды потрясенные служители парка обнаружили могилу разрытой, а вынутое из земли тело изуродованным! Кроме того, на мраморной урне обнаружились оскорбительные надписи в адрес Ланского, порочившие его память. Кто это сделал, так и не удалось дознаться, ведь он за всю свою короткую жизнь никому никогда не сделал ничего дурного! На момент смерти ему было всего 26 лет. После этого происшествия его похоронили уже не на открытом месте, а в близлежащей церкви Св. Софии, а потом устроили и специальную усыпальницу-мавзолей. Больше его прах никто не тревожил.

Екатерина II всю жизнь заботилась о братьях и сестрах Ланского — дала им приличное образование и удачно женила. Александр Ланской был фаворитом Екатерины в течение четырех лет, не вмешивался в политику, отказывался от чинов и орденов, вел скромный образ жизни, хотя императрица и вынудила его принять графский титул с огромными поместьями, населенными десятками тысяч крепостных крестьян. Екатерина II якобы даже хотела выйти за Ланского замуж и объявила об этом Панину с Потемкиным. По легенде, именно из-за этого он по приказу Светлейшего был отравлен. Однако это всего лишь легенда — Потемкин в таких мерзостях замечен не был; он предпочитал или открытую войну, или интриги, но никак не смертоубийство. Да и зачем ему было убивать безвредного юношу, который политики боялся как огня? Так что все это выдумки досужих царедворцев. А мальчика жаль, нет сомнения в том, что Екатерина на старости лет в него действительно влюбилась. Поздняя любовь — это, знаете ли, не шутка...

«Дрожи Кавказ — идет Ермолов!» — кажется, так сказал великий поэт. Нет, не о нем в нашем повествовании пойдет речь, а о его однофамильце — Александре Петровиче Ермолове, ходившем в екатерининских фаворитах с 1785 по 1786 год. И никто от его вида не дрожал, потому что не боялся. Однако все по порядку.

Потрясенная до глубины души гибелью прекраснодушного Ланского, а наипаче тем, что случилось с его трупом, Екатерина II почти целый год пребывала в апатии, предавшись несвойственным ей меланхолии и тоске. Однако по прошествии времени натура взяла свое, и благодаря стараниям друзей, а наиболее всего Потемкина, царица пришла в норму. Незаменимый Потемкин знал, что требовалось Екатерине — новый друг «для телесной нужды», как любил говорить Иван Грозный. Он специально устроил праздник, чтобы представить ей блестящего молодого офицера Александра Ермолова, который был сыном надворного советника. Праздник удался вполне — Ермолов вскоре переехал в давно пустовавшие комнаты фаворитов и получил чин императорского флигель-адъютанта.

Екатерина строго охраняла целомудрие своих фаворитов — заметив как-то раз, что фрейлина Эльмит кокетничает с Ермоловым и явно оказывает ему знаки внимания, она приказала выпороть нахалку в присутствии других «фройляйн» и с позором отправила домой.

У Ермолова была странная наружность — светлые, почти белые, курчавые волосы, широкие скулы, толстые, чувственные губы и белые, как сахар, зубы. При дворе его звали белым арапом. Александр Петрович был хорошим человеком — помогал всем, кому мог. Государыня прислушивалась к его рекомендациям, ибо Ермолов хорошо разбирался в людях и никогда не ходатайствовал за недостойных. Кроме того, он был необычайно правдив и искренен, что его и погубило.

Дело было в следующем. После покорения Крыма последний татарский хан Шагин-Гирей должен был получать от Потемкина большие суммы денег, обусловленные договором. Однако Светлейший зажимал эти выплаты, так что в течение нескольких лет хан не получил ни гроша. Тогда Шагин-Гирей обратился за протекцией к Ермолову, тот об этих художествах Потемкина рассказал Екатерине II, а та попеняла князю за подрыв своего авторитета — договор-то подписывала она! Потемкин, не будь дурак, сразу понял, откуда ветер дует, и предпринял контрмеры, чтобы Ермолов не в свои дела нос не совал. Да, иногда ему со своими протеже не везло — зарываются ребята: то на дуэль вызовут, то чужие деньги в кармане считают. Неизвестно, что Потемкин ответил на жалобу хана Екатерине, но Ермолов с поста фаворита тут же слетел. В июле 1786 года царица приказала ему на три года отправляться за границу. Александр Петрович послушно собрался и уехал в Европу. Там он вел себя необычайно скромно (по сравнению с орловскими загулами), так же скромно он вел себя и по возвращении из путешествия. Ермолов перебрался из Петербурга в Москву. Там он был радушно встречен местным высшим светом, ибо, будучи в фаворе, никому не сделал зла, а некоторым даже, наоборот, помог.

За время своего пребывания в фаворитах, продолжавшегося год и четыре месяца, Ермолов получил 2 поместья стоимостью 400 тысяч рублей, а также 450 тысяч рублей наличными. Позже он уехал в Австрию, купил богатое имение Фросдорф неподалеку от Вены и зажил там припеваючи. Вернувшись ненадолго в Россию, Ермолов женился на княжне Елизавете Голицыной и впоследствии стал отцом трех сыновей, которые, впрочем, ничем в русской истории не прославились. Да и сам Ермолов старался в России не отсвечивать, уехал в свой любимый Фросдорф, где и умер в 1836 году, пережив свою благодетельницу на целых тридцать лет. Вот и весь сказ.

Ох уж этот Дмитриев-Мамонов, очередной фаворит Екатерины — натворил ты дел! Что и говорить! А говорить о нем придется.

Александр Матвеевич Дмитриев-Мамонов происходил из древнего боярского рода и родился в 1758 году, как и Ланской. Он с детства был записан в Измайловский полк и пользовался покровительством славного князя Потемкина-Таврического. В 1784 году он взял Мамонова к себе в адъютанты и, беспокоясь о том, чтобы во время своих частых отлучек из Петербурга возле Екатерины находился доверенный человек, в 1786 году (после изгнания Ермолова) представил его государыне. Он приглянулся царице своей красивой внешностью и скромностью. В том же году он стал полковником и флигель-адъютантом, а вскоре был пожалован званием генерал-майора и чином камергера. В 28 лет стать генералом — это что-то! Такое на войне только может быть. Мамонов занял в Зимнем дворце покои фаворитов; а еще у него был отдельный кабинет.

Первое время Мамонов не играл никакой роли в политической жизни России, но в 1787 году императрица взяла его с собой в знаменитую поездку в Крым. Один иностранец, некто Цимцевич, рассказывал о посещении тех зданий, которые были построены для отдыха Екатерины II по пути ее следования в Крым: «Спальни императрицы везде были устроены по одинаковому плану; возле ее кровати помещалось огромное зеркальное панно, двигающееся посредством пружины; когда оно поднималось, то за ним показывалась другая кровать — Мамонова…»

Во время этого путешествия Мамонову пришлось, пока Екатерина была занята, общаться с иностранными дипломатами и царственными особами — австрийским императором Иосифом II и польским королем Станиславом-Августом Понятовским. С этих-то пор Мамонов и начал принимать участие в государственных делах, правда, ничего толкового совершить не мог ввиду полного отсутствия ума и таланта. Принимать участие в административных делах государства —

это вам не лясы точить с иностранцами. Стареющая императрица, однако, этого не замечала; в 1788 году назначила его генерал-адъютантом, исхлопотала у австрийского цесаря ему графское достоинство Священной Римской империи, обеспечила материально и, наконец, ввела Мамонова в Госсовет. Как ни странно, но только Екатерина восхищалась талантами Александра Матвеевича, никто другой в нем «искры божией» не замечал. В письмах к Потемкину она хвалила Мамонова: «Он весьма милый человек», «он день ото дня мне любезнее становится» и т. д. И еще: «Крепок душою, силен и блестящ по внешности... У него ум за четверых, неисчерпаемый источник веселья и много оригинальности в понимании вещей и в суждениях. Кроме того, безграничная искренность». Однако Мамонов, этот человек, похожий на калмыка, в один момент возомнил о себе невесть что и встал в оппозицию к своему благодетелю Потемкину. Он вел себя вызывающе по отношению к нему, а перед Екатериной оправдывался ревностью. Ах, ревнует — значит, любит! Какой же даме не понравится, что ее ревнуют?

В письме к барону Мельхиору Гримму она также рассыпалась в похвалах к Мамонову — он-де и музицирует хорошо, и гравер неплохой, да и классику иногда почитывает. Она называла его Красный Кафтан за его привычку носить красные камзолы. Она говорила о нем в третьем лице: «мы мастерски рассказываем и обладаем редкой веселостью; мы — сама привлекательность, честность, любезность и ум; словом, мы себя лицом в грязь не ударим». Екатерина влюбилась в Мамонова как девочка. Она шутливо называла его «дитею».

Ага, разбежалась Екатерина: этот «дитя» взял, да ударил лицом в грязь, да не своим, а императрицыным! Время от времени между ними возникали разные недоразумения, и вскоре Мамонов начал тяготиться ролью фаворита. Как честный офицер, он дал Екатерине слово не покидать пределов Зимнего дворца. Не покидать? И не надо. В 1788 году, не покидая дворца, он завел амуры с фрейлиной императрицы 17-летней княжной Елизаветой Щербатовой, и она отдалась ему. Прошло несколько месяцев, прежде чем Екатерина узнала об измене своего любовника. Затронутая за живое, царица, чтобы заставить своего любимчика самому признаться в прелюбодеянии, пошла на хитрость. Однажды она, жалуясь на свою старость, сказала, что хотела бы устроить судьбу Мамонова, и предложила ему в жены богатую графиню Брюс. Тогда набитый дурак Мамонов бросился перед Екатериной на колени и заявил, что не может принять от нее этой милости, так как любит княжну Щербатову и уже даже помолвлен с нею! В общем, сам сознался! Екатерина, все еще не верившая словам царедворцев, была глубоко потрясена признанием Мамонова. Беседуя со своим секретарем Храповницким, она жаловалась ему: «Зачем не сказал откровенно? Год как влюблен (в Щербатову)… Нельзя вообразить, что я терпела. Бог с ними! Пусть будут счастливы. Я простила их и дозволяю жениться… Мне князь (Потемкин) зимой еще говорил: «Матушка, плюнь на него», и намекал на княжну Щербатову, но я виновата; я сама перед князем его оправдать старалась». От себя добавим, что когда Екатерина пожаловалась Безбородко на невнимательность и «рассеянность» Мамонова, на его «неаккуратность», то канцлер тоже намекал ей на связь фаворита с фрейлиной. Однако царица была влюблена тогда как кошка и намеков не поняла.

По правде говоря, Мамонов повел себя подло. Я понимаю — дело молодое, а Екатерина старая, но не лучше ли честно было признаться, что влюблен в другую, чем целый год тихариться, да еще и тайно обручиться! И в то же время врать Екатерине, что любит ее! На что он надеялся? Что все само собой как-то рассосется? Это, по крайней мере, глупо. Хотя Мамонов, судя по всему, и был непроходимым глупцом. Я бы на месте Екатерины не знаю, что с ним сделал бы.

Женское самолюбие императрицы было жестоко уязвлено. Тот, которого она еще недавно ласково называла ангелом, оказался предателем и подлым изменщиком. Тем не менее Екатерина скрепя сердце приказала Храповницкому готовить указ о пожаловании Мамонову деревень с 2250 душами крепостных и 100 тысяч рублей. Честное слово — Мамонова со двора нужно было гнать как паршивую собаку, оставить голым и босым, а Екатерина, добрая душа, его лично женила на Щербатовой! Невесте она дала 10 тысяч рублей золотом в качестве приданого и обеспечила молодых брильянтовыми обручальными кольцами. Правда, они, стоя на коленях, просили у нее прощения, но что Екатерине было из этого! Она потеряла веру в любовь — чувство, которое сжигало ее дотла. Чете Мамоновых был дан приказ немедленно покинуть столицу и выехать в Москву.

Никто не мог объяснить великодушия императрицы к Мамонову. В своем письме к Гримму Екатерина объяснилась: «Воспитанница госпожи Кардель (которая в детстве воспитывала будущую императрицу) нашла, что Красный Кафтан достоин более сожаления, чем гнева; он наказан на всю жизнь за глупейшую страсть; его считают неблагодарным; воспитанница госпожи Кардель сочла нужным, в интересе всех участвующих, чем скорее, тем лучше кончить эту комедию». Таким образом, Екатерина II в очередной раз показала свое благородство. Она не могла себе позволить опуститься до мелкой мести, потому и вошла в историю под именем Великой.

Поселившись в Москве, Мамонов сначала был доволен своей судьбой, но со временем стал тосковать по Петербургу и тому блестящему обществу, в котором он вращался, будучи фаворитом. Менее чем через год он уже горько сожалел о случившемся и стал писать императрице жалостливые письма, прося ее все забыть и разрешить ему вернуться в столицу. Но Екатерина отвергла эти притязания, и Мамонову ничего не оставалось делать, как предаваться воспоминаниям о своем былом величии, которое он сам же и разрушил.

Император Павел I, который к Мамонову относился благосклонно, в 1797 году пожаловал ему титул графа Российской империи, однако ко двору не позвал. Так Александр Матвеевич Дмитриев-Мамонов и прозябал в Москве, находясь в полном забвении, пока не умер в 1803 году. От брака с княжной Щербатовой у него остался сын Матвей. Вот такая история приключилась с фаворитом Мамоновым... Его постельная карьера продолжалась всего три года — с 1786 по 1789-й.

И, наконец, о последнем фаворите Екатерины II — Платоне Александровиче Зубове, хитром и коварном человеке.

Платон Зубов родился в 1767 году, то есть был на целых 38 лет моложе императрицы! Однако до того, как попасть в ее спальню, было еще далеко. Он был третьим сыном графа Зубова, получил какое-никакое домашнее образование (то есть никакое), однако хорошо выучил французский язык и занимался музыкой. С восьмилетнего возраста Платоша был записан, по тогдашнему обычаю, в сержанты Семеновского полка. Потом был Конный полк — сначала корнет, а потом и поручик. Только в 1788 году началась его военная карьера — он находился в армии, воевавшей в Финляндии со шведами, и в 1789 году получил чин секунд-ротмистра. Быстрое продвижение по службе 22-летнего Платона Зубова объясняется благорасположением к его семье фельдмаршала Салтыкова.

Хорошо осведомленный о перипетиях придворной жизни, Платон решил воспользоваться психологическим моментом, а именно — потерей Екатериной II фаворита Мамонова. Зубов решил сам стать ее фаворитом! Для обычного человека это задача недостижимая, но только не для такого отчаянного пройдохи, как Платон. Он был достаточно хорош собой — среднего роста, гибок, мускулист и строен, имел высокий лоб и красивые глаза, обладал живой речью и мог вполне рассчитывать, что его заметят при дворе. Однако как туда пробраться — ведь Платон в Финляндии, а Царское Село далеко? Хитрый Платоша нашел выход — он попросил фельдмаршала Салтыкова назначить его командиром отряда Конной гвардии, отправлявшегося для несения караулов в... Царское Село! Салтыков не мог отказать сыну своего старинного друга, и Зубов получил это назначение. Так Платон попался на глаза Екатерине II. Психологический момент был выбран правильно — состарившаяся и удрученная изменой Мамонова императрица обратила внимание на красивого ротмистра.

Все последние фавориты Екатерины II были ставленниками Потемкина, а Зубов прорвался к ней сам, воспользовавшись тем, что князь в то время находился на Дунае. Однако за его спиной стояла целая коалиция сил, противостоявших Светлейшему, связанных между собой родственными и дружескими узами — Вяземский, Анна Нарышкина, тот же фельдмаршал Салтыков и другие. В тот же вечер, когда Екатерина II распрощалась с Мамоновым, Зубов навестил фрейлину Анну Нарышкину, к которой на огонек заглянула и императрица. Здесь-то она и сделала окончательный выбор в пользу Платона, впрочем, отослав его прежде к доктору Роджерсону, а затем к «пробир-даме» Протасовой. Вечером 20 июня 1789 года, после того как она получила заверения от доктора и Протасовой об отличном здоровье и мужской силе Зубова, она как бы случайно встретила его в Царскосельском парке, отвела Платона в мавританскую баню, где и убедилась в справедливости данного ей заключения. Так Зубов стал любовником Екатерины II и занял традиционные покои фаворитов в Зимнем дворце.

Придворные — приверженцы Потемкина — удивились появлению Зубова при дворе и считали, что он ненадолго; так, любовник на час. Однако они ошибались. Существует такая легенда. В тот момент, когда Мамонов, нанеся прощальный визит Екатерине, спускался по ступенькам Зимнего дворца, навстречу ему поднимался Зубов. «Что нового?» — спросил Платон, поклонившись. «Да ничего, кроме того, что вы поднимаетесь, а я опускаюсь», — ответил бывший фаворит. Так оно и оказалось — Зубов поднялся на недосягаемую высоту.

На следующий день Платон стал гвардейским полковником и флигель-адъютантом, а вскоре нашел в ящике своего письменного стола 100 тысяч рублей золотом и 25 тысяч ассигнациями. Вечером Екатерина пригласила его играть в карты — так он был введен царицей в круг ее самых близких друзей. После игры она на глазах у всех взяла его под руку и направилась к дверям своей спальни. На ней было белое свободное платье с греческими рукавами; поверх платья — лиловая бархатная мантилья вроде доломана.

Все — представление Зубова придворным состоялось, а на следующее утро в его приемной уже толпилась масса посетителей — князья, графы, генералы, искавшие протекции у нового фаворита. Хитрец Зубов, набивая себе цену, заставил их ждать целый час, а потом вышел с надменной улыбкой на губах.

Платон Зубов не обладал обширными умственными способностями — за него это делала партия, противостоящая Потемкину. Екатерина пыталась привлечь Зубова к государственной деятельности, но вскоре поняла, что он глупорожденный от природы. Потемкин старался вырвать этот «больной зуб», но у него ничего не получилось — Екатерина не дала тронуть свое новое приобретение, свое «золотце». Когда Потемкин узнал, что Зубову присвоено княжеское достоинство, с ним случился припадок бешенства. Он перебил всю посуду, все дорогие вазы, поломал всю мебель, избил своих слуг и приказал выпороть свою любимую наложницу. Как же так — Екатерина поставила его, завоевателя Крыма, обустроителя Новороссии, полководца и участника трех боевых кампаний, на один уровень с мальчишкой, который для России вообще ничего не сделал! Однако сделать он уже ничего не мог — его время ушло.

Наконец Светлейший умер, и тщеславный Зубов стал беспардонно вмешиваться в дела империи, нанося непоправимый вред России. Он стал полновластным хозяином России и первым лицом в государстве. Сидя перед зеркалом в то время, как куафер пудрил его парик, а камердинер обувал его ноги в шелковые чулки и ботинки с бриллиантовыми пряжками, он принимал чиновников, протягивая им руку для поцелуя, как мафиозный «крестный отец».

Он откровенно по-хамски разговаривал, как с лакеями, с известнейшими людьми, например с полководцем А. Суворовым или дипломатом Воронцовым.

Острый на язык Суворов обозвал фаворита-выскоч-
ку болваном, негодяем и вообще лукавым человеком.
Биограф Платона Зубова писал: «Став полновластным
господином удрученного годами сердца Екатерины, Зубов явился во всем своем нравственном безобразии —
дерзким до наглости, спесивым до чванства, властолю-
бивым и надменным, человеком вполне бесчестным».
И это было еще мягко сказано! От себя добавим, что
Зубов был наглым, честолюбивым, высокомерным, за-
носчивым, жадным и надменным человеком.

Тем не менее Екатерина все возвышала и возвышала Платона. В 1790 году ему были пожалованы ордена
Св. Анны и Александра Невского, в 1791 году он стал
шефом Кавалергардского корпуса, в 1792 году — генерал-поручиком и генерал-адъютантом, а в 1793 году
был награжден миниатюрным портретом императрицы для ношения в петлице и высшим орденом
Российской империи Андрея Первозванного. Целый
дождь наград и пожалований! Однако это еще не все.
В том же 1793 году Зубов был назначен Екатерино-
славским и Таврическим губернатором (вместо умершего Потемкина) и генералом-фельдцехмейстером
(начальником артиллерии, хотя в ней он ни бельмеса не понимал), в 1795 году пожалован орденом
Св. Владимира 1-й степени и Шавельской экономией,
населенной 13 тысячами с лишним душ крепостных
и приносившей 100 тысяч рублей годового дохода;
вскоре после этого он получил в потомственное вла-
дение замок Руенталь в Курляндии. А в 1796 году произошло вообще немыслимое — Зубов был назначен
командующим Черноморским флотом! Плюс ко всему
Екатериной ему выхлопотан титул князя Священной
Римской империи и присвоено звание графа Российской империи, не считая более мелких пожалований.

Так Екатерина не награждала ни одного из своих фаворитов! Создается впечатление, что она на старости лет совсем из ума выжила, но о ее здоровье мы поговорим отдельно. К концу царствования Екатерины II Зубов стал самым настоящим олигархом.

Платон Зубов оказался многостаночником, должен был следить за тысячью дел, но «вместо ока государева» на самом деле он оказался бельмом. Однако Зубов, преисполненный тщеславия и чванства и ни в чем не разбиравшийся, все заслуги приписывал себе, а неудачи сваливал на подчиненных.

Это еще полбеды — Зубов приблизил к себе целую шайку темных дельцов, таких как де Рибас, Овечкин, и других. Он без зазрения совести пользовался «шкатулкой» императрицы и «портфелем» придворного банкира. Зубов потворствовал неправедным делам своего отца и так далее — много чего натворил Платон, ох, много! Кстати сказать, с Овечкина, бесцеремонно обращавшегося с казной артиллерийского ведомства, потом пришлось взыскать 100 тысяч рублей. Масштабы казнокрадства при Зубове достигли огромных размеров, и самым главным казнокрадом и коррупционером был именно он.

Больше того — императрице сильно не нравились «ночные прогулки» Зубова. Мало того, он стал волочиться за великой княгиней Елизаветой Алексеевной, женой внука Екатерины II Александра Павловича (будущего императора Александра I). Екатерина быстро прекратила это безобразие, но больше никаких мер против Зубова предпринять не смогла — она умерла. Говорят, что у нее в любовниках ходил и младший брат Платона — 19-летний Валерьян Зубов. Очень даже может быть.

После смерти своей любовницы Платон Зубов потерял всякое влияние. Отлились кошке мышкины слезки.

С приходом к власти Павла I, который, как известно, не любил свою мать, а тем более ее фаворитов, Зубов был смещен со всех постов, уволен сначала в бессрочный отпуск, а затем отправлен на 2 года за границу «поправить здоровье». А чего ему было поправлять, молодому, здоровому 29-летнему человеку? Павел помнил, как издевался над ним Зубов, считая, что тот никогда не будет править. Однажды, когда наследник приехал к нему с визитом по настоянию императрицы, Зубов промариновал его в приемной целый час, а потом выслал сказать, что принять Павла не сможет. Когда Павел пришел к власти, то Зубов у него в ногах валялся, оправдываясь желаниями покойной Екатерины. Однако Павел был не такой дурак, чтобы поверить нахалу. В 1799 году над Платоном учинили особый надзор, а на его имущество был наложен арест. Еще немного, и Зубова бы арестовали так же, как и его имения.

Однако в дело вмешалась политика. Нам неизвестно, какими соображениями руководствовался Павел I, но в 1800 году Зубов снова оказался в Петербурге; ему был дан чин генерала от инфантерии (то есть пехоты) и он назначен был шефом 1-го Кадетского корпуса. Немного позже ему были возвращены все его арестованные имения. Казалось, Зубов должен был в ноги поклониться Павлу, а он, подлец, вступил в ряды заговорщиков и активно участвовал в убийстве своего благодетеля. Хорошо, что он хоть свои руки не замарал, но при других обстоятельствах с него сталось бы.

В самом начале царствования Александра I Зубов вроде бы опять начал набирать вес — в 1801 году стал членом Госсовета и всячески пытался приспособиться к новой либеральной политике царя — составлял разные проекты. Но, поскольку он был туп, как осел, ничего у него не получилось — одно только бумагомарание. Александр I помнил, как Зубов волочился за его женой, и не доверял ему — даже установил тайный полицейский надзор.

Наступило время наполеоновских войн. Ему бы, молодому, 35-летнему мужику, до недавних пор увенчанному многочисленными воинскими званиями, пойти Родину защищать — но что вы, Платон об этом даже не думал! Зачем своей жизнью рисковать? Пусть погибают другие. Правда, он побывал за рубежом в 1813 году, но не в армии во время ее заграничного похода по разгрому Наполеона, а в частном порядке.

В 1814 году Зубов женился на девушке польской национальности по фамилии Валентинович, поселился в своей Шавельской экономии и азартно принялся за умножение своего богатства: занимался посредническими операциями с поставкой провианта в войска, промышлял с евреями контрабандой, барышничал и занимался другими темными делами. Таким образом, он сколотил огромный капитал, но был скуп и отличался бесчеловечным отношением к крепостным, за что даже получил выговор от императора! Не всякий помещик такой «чести» в России удостаивался!

Скончался последний фаворит Екатерины II Платон Зубов в 1822 году в своем замке Руенталь. Ему было 55 лет — нестарый еще человек. От госпожи Валентинович он имел дочь, которая умерла двух лет от роду. У Зубова было еще и несколько побочных детей, каждому из которых он положил в банк по миллиону рублей (хорошо хоть детям что-то оставил, а то от такого скряги всего можно было ожидать). Вот вкратце и все о Зубове — мерзкий был человечишка, что и говорить...

Вот и все о любовниках-фаворитах Екатерины II. Интересная все же была женщина! И по-своему несчастная... А теперь подведем итоги. Старость к Екатерине подступила незаметно. Стройная, молодая девушка, с легкостью некогда запрыгивавшая в седло, превратилась в грузную, страдающую одышкой старуху, с трудом взбирающуюся на несколько ступенек. Хотя у нее было много фаворитов, но личного счастья у нее не было: самых преданных ей людей она потеряла — Григорий Орлов сошел с ума, нежно любимый Ланской скончался совсем юным, а бурный роман с Потемкиным продолжался всего два года. Сын Павел был для нее чужим человеком. Оставались еще внуки — Александр и Константин, но первый с детских лет был лицемером, а второй, пошедший характером в деда и отца, приводил ее в ужас своими безумными выходками. Власть передать некому. Старость наваливалась на нее все сильнее и сильнее — все-таки в 1796 году ей было уже 67 лет. Одолевали разные болячки и хвори. Но так же, как и Потемкин, она мало верила докторам и привлекала для своего лечения в большинстве случаев знахарей. И все же лейб-медики смогли поставить диагноз одолевавших императрицу болячек: «...прекращение месячных очищений или переутомление ослабевшего органа». Я думаю, вы сами догадались, о каком органе идет речь.

28 сентября 1796 года произошло событие, которое стало концом «золотого века» Екатерины. За две недели до этого сорвалась свадьба ее любимой внучки Александры Павловны со шведским королем Густавом IV. Дело было так. Внучке исполнилось 13 лет, а жениху — семнадцать. Он приехал в Петербург познакомиться с невестой, и они понравились друг другу. «Нужно быть дураком, чтобы не влюбиться в нее», — заявил король. Общественность России и Швеции была удовлетворена этим выбором. Однако, как всегда, встал вопрос о вере. Александра Павловна — право-

славная, а Густав — протестант. Русские дипломаты настаивали на сохранении невестой своей веры, а шведы хотели, чтобы она перешла в лютеранство. Особенно ратовал за это регент при несовершеннолетнем короле, его дядя герцог Зюдерманландский. В спор дипломатов неожиданно вмешался набитый дурак Платон Зубов; он доложил императрице, что переговоры завершились благополучно и препятствий к браку нет. Соврал, конечно, надеясь поставить шведов перед фактом. В день обручения на подпись королю и регенту поднесли грамоту, по которой за невестой оставалась свобода выбора вероисповедания. Шведская сторона возмутилась такой наглостью, и король отказался подписывать этот документ. Обручение было сорвано. Это так подействовало на Екатерину II, что ее хватил удар (инсульт — по-научному). Правда, после этого она быстро оправилась.

Однако за первым инсультом последовал второй — 5 ноября 1796 года, когда Екатерина после утреннего кофе вошла в гардеробную. На следующий день Екатерины Великой не стало. Ее похоронили в усыпальнице русских императоров — Петропавловском соборе.

Следует заметить, что по поводу места, где скончалась императрица, существует множество инсинуаций. Строго говоря, она умерла в туалете, что дало повод некоторым писакам от истории утверждать, что она якобы отдала богу душу чуть ли не на ночном горшке. Есть еще более фантастическая версия: якобы Екатерина, чтобы унизить поляков, соорудила себе унитаз из трона легендарных польских королей Пястов. Поляки, конечно, вынести такого надругательства не могли. И вот они подослали карлика, который проник в выгребную яму и, улучив момент, поразил копьем императрицу в мягкое место. От этого она будто бы и скончалась, а карлик благополучно ускользнул из Зимнего дворца. Более абсурдного предположения и придумать нельзя. Несомненно, что эта байка тешит самолюбие поляков и по сей день. Ну, да бог с ними.

А правда состоит в том, что туалетом или уборной тогда назывались совсем другие помещения, чем сейчас. «Туалет» — слово французское и обозначает столик с зеркалом и ящиками для косметики. Еще слово «туалет» обозначает предметы женской одежды. Уборная — там, где убирали, то есть наряжали, женщин. И сегодня в театрах у артистов существуют гримуборные — в них они гримируются и одеваются.

Именно таким и был туалет Екатерины II — комната с зеркалами, принадлежностями для макияжа и одеждой. В этом случае с полным правом можно назвать туалет гардеробной, что мы и сделали. Это уже потом, по неизвестно каким причинам, туалет, или уборную, переименовали в отхожее место. Просто в умах некоторых псевдоисториков произошел перенос действительности — современные понятия они выдают за понятия XVIII века. Обычная подмена понятий, и ничего более, а сколько шума!

В заключение можем сказать, что Екатерина II была поистине Великой женщиной — и в делах, и в любви. Россия росла и расширялась, ее могущество стало непобедимым, а некоторые из фаворитов принесли честь и славу Отечеству.

Заключение

До начала XVIII века на Руси престол передавался по наследству старшему сыну. Когда же династия прерывалась, то избирали нового царя. Петр I сломал эту традицию – теперь царь мог сам назначать себе наследника трона. Из-за этого нововведения началась эпоха дворцовых переворотов, когда претенденты приходили к власти или с помощью дворянских группировок, или опираясь на гвардию. Так получилось, что все они были женщинами. Но женщина – слабое существо, порой ничего не понимающее в политике и экономике, и чтобы компенсировать этот недостаток, русские императрицы привлекли к делам государственного управления фаворитов. Наступила эпоха фаворитов-любовников.

Прочитанная вами книга в основном о женской любви. Не зря говорят, что любовь женщины и любовь мужчины различны как небо и земля. Если мужчина любит со всей неистовостью, то любовь женщины зависит от тысячи причин и прихотей. Отсюда и частая смена фаворитов-любовников. Романы русских императриц эпохи «бабьего царства» были такими же, как у простых смертных. Нередко они были глубоко привязаны к любимым, иногда тайком выходили за них замуж и рожали от них детей. Но в основном их любовь была ненастоящей, ветреной, властной. Что мог, например, поделать отставной фаворит,

Заключение

к которому охладела императрица? Да ничего, только зализывать свои глубокие душевные раны.

Смогли бы Елизавета или Екатерина II успешно править страной без опоры на фаворитов? Однозначно нет. Как только в 1796 году к власти пришли мужчины, фаворитизм исчерпал себя – императоры отлично справлялись сами.

И все же не будем о грустном: наш рассказ был о настоящей любви, даже если она ушла, даже если потеряна надежда. Многие наши герои не сдавались перед превратностями судьбы и побеждали. Так будем же достойными их примера!

Содержание

Научно-популярное издание

РОКОВЫЕ ЖЕНЩИНЫ

Пазин Михаил Сергеевич

РОКОВЫЕ ИМПЕРАТРИЦЫ РОССИИ
От Екатерины I до Екатерины Великой

Ответственный редактор *Л. Незвинская*
Художественный редактор *Е. Гузнякова*
Технический редактор *В. Кулагина*
Компьютерная верстка *Л. Огнева*
Корректор *И. Федорова*

ООО «Издательство «Яуза»
109507, Москва, Самаркандский б-р, д. 15
Для корреспонденции:
123308, Москва, ул. Зорге, д. 1.
Тел.: 8 (495)745-58-23

ООО «Издательство «Эксмо»
123308, Москва, ул. Зорге, д. 1. Тел. 8 (495) 411-68-86, 8 (495) 956-39-21.
Home page: **www.eksmo.ru**   E-mail: **info@eksmo.ru**

Өндіруші: «ЭКСМО» АҚБ Баспасы, 123308, Мәскеу, Ресей, Зорге көшесі, 1 үй.
Тел. 8 (495) 411-68-86, 8 (495) 956-39-21
Home page: www.eksmo.ru   E-mail: info@eksmo.ru.
Тауар белгісі: «Эксмо»
Қазақстан Республикасында дистрибьютор және өнім бойынша
арыз-талаптарды қабылдаушының
өкілі «РДЦ-Алматы» ЖШС, Алматы қ., Домбровский көш., 3«а», литер Б, офис 1.
Тел.: 8 (727) 2 51 59 89,90,91,92, факс: 8 (727) 251 58 12 вн. 107; E-mail: RDC-Almaty@eksmo.kz
Өнімнің жарамдылық мерзімі шектелмеген.
Сертификация туралы ақпарат сайтта: www.eksmo.ru/certification

Өндірген мемлекет: Ресей
Сертификация қарастырылмаған

Сведения о подтверждении соответствия издания
согласно законодательству РФ о техническом регулировании
можно получить по адресу: http://eksmo.ru/certification/

Подписано в печать 26.09.2013. Формат 84×108 $^1/_{32}$.
Гарнитура «Minion». Печать офсетная. Усл. печ. л. 18,48.
Тираж 2000 экз. Заказ № 4430/13.
Отпечатано в соответствии с предоставленными материалами
в ООО "ИПК Парето-Принт", г. Тверь,
www.pareto-print.ru

ISBN 978-5-699-67796-2

16+

RU
947.06
PAZIN